D1588535

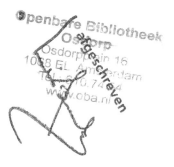

Hartsvrienden

Jane Green

Hartsvrienden

2007 – De Boekerij – Amsterdam

Oorspronkelijke titel: Second Chance
Vertaling: Iris Bol
Omslagontwerp: marliesvisser.nl
Omslagfoto: Workbook / Imagestore / Hollandse Hoogte

ISBN 978-90-225-4913-1

Dit boek is opgedragen ter nagedachtenis aan Piers Simon,
die altijd gemist zal worden

Proloog

De wijn is opgedronken, de pasta is opgegeten en driekwart van de tiramisu is verorberd. Als je door het raam naar binnen kijkt, zou je kunnen denken dat je een groep oude vrienden ziet. Mensen die lachen, bijpraten en zich prima amuseren, zonder dat je de ragfijne draden van verdriet ziet die er tussen hen geweven zijn en die hen na al deze tijd weer bijeen hebben gebracht.

Als je wat beter kijkt, zul je zien dat de brunette – Holly – de neiging heeft om weg te dromen. Dat ze in haar wijnglas staart en helemaal opgaat in een herinnering terwijl er een traan in haar ooghoek opwelt. Dat de blondine – Saffron – zich vooroverbuigt en zacht vraagt of het wel gaat en dat ze voorzichtig een hand op Holly's arm legt en er even in knijpt. Dat Holly met een glimlach knikt, haar tranen weg knippert en opstaat om een schaal weg te halen die nog niet weg hoeft of een kom omspoelt die nog niet gewassen hoeft te worden.

Verder zul je zien dat de magere vrouw met het korte vale bobkapsel bezorgd naar hen beiden kijkt. Haar blik wordt zachter als ze ziet dat Saffron Holly troost. Dat Saffron het zelfs na al die tijd vanzelfsprekend vindt om haar best te doen om Holly op te beuren. Ergens wil Olivia dat ook kunnen, maar ze heeft jarenlang geprobeerd om zich lekker te voelen in haar eigen vel en tevreden te zijn met wie ze is, namelijk iemand die niet aan de verwachtingen heeft voldaan. Iemand die geen advocaat, arts of een ongelooflijk succesvolle zakenvrouw is geworden. En al meende ze dat ze gelukkig was, nu ze in het gezelschap verkeert van haar schoolvrienden steken alle onzekerheden van vroeger weer de kop op: dat ze niet goed genoeg is. Niet slim genoeg. Niet ambitieus genoeg.

Het duurt een poosje voor zijn naam valt omdat ze het te druk hebben met bijpraten. Ze gaan de tafel rond, eerst wat onwennig terwijl ze elkaar vertellen wie ze tegenwoordig zijn en wat er in hun leven is gebeurd.

'Kort en bondig, alsjeblieft,' zegt Paul met een grijns. 'Twee zin-

7

nen lijken me wel genoeg om mee te beginnen.'

'Jezus.' Verbaasd kijkt Saffron hem aan. 'We zijn al bijna twintig jaar van school af en jij bent nog geen spat veranderd. Je probeert nog steeds de baas te spelen.'

'Goed, ik begin wel,' zegt hij. 'Ik ben freelancejournalist voor een aantal kranten en een paar mannenbladen. Dat doe ik redelijk succesvol en bovendien vind ik het leuk werk. 's Avonds en enkele ochtenden schrijf ik, zoals ik al zei, aan de grote Britse roman. Ik heb een klein huis in Crouch End, maar een grote auto om te compenseren dat ik...'

'... een kleine penis heb,' merkt Olivia op.

'Nee, niet klein, gemiddeld, geloof ik. Maar Anna heeft er nooit over geklaagd.'

'Vertel eens wat meer over Anna.' Saffron trekt een wenkbrauw op.

'Zweeds, negenendertig, beeldschoon en de tolerantie zelve, aangezien ze mij kan verdragen. Zoals jullie weten is ze de oprichtster van Fashionista.uk.net. Als gevolg daarvan is ze vreselijk hip, wat nogal vreemd is omdat ze met mij getrouwd is. We willen dolgraag kinderen, we proberen ze nu al twee jaar te krijgen. Op het ogenblik zijn we bezig met de vijfde ronde IVF en als dat niet lukt, vrees ik dat we genoegen zullen moeten nemen met katten. Anna is het beste wat me ooit is overkomen, maar ik zie op tegen een nieuwe ronde met die vreselijke Synarel-neusspray die haar verandert in een hormonale nachtmerrie.'

'Hopelijk...' hij kijkt de kamer rond en probeert te glimlachen, '... wordt dit de laatste keer. Hopelijk lukt het ditmaal. Duim voor ons... Saffron? Jouw beurt.'

'Dat waren meer dan twee zinnen,' zegt Saffron met een milde glimlach. 'Maar ik zal heel hard voor je duimen. Nou... nu ik. Actrice. Heel veel theater, hopelijk binnenkort een grote rol in een kaskraker met Heath Ledger. Ik verdeel mijn tijd voornamelijk tussen LA en New York. Ik ben heel gelukkig met iemand, maar het ligt ingewikkeld dus daar kan ik niet over praten. Geen kinderen, dieren of andere zaken waar ik verantwoordelijk voor ben, maar ik heb wel een fijne vriendenkring, al moet ik zeggen dat het fantastisch is om de mensen die je al bijna je hele leven kent weer te ontmoeten.' Ze kijkt glimlachend de tafel rond. 'Een gemeenschappelijk verleden is iets wat je gewoon niet kunt creëren met nieuwe vrienden. Hoe graag je ze ook mag, het is niet hetzelfde.'

'En... je tijd zit erop,' zegt Paul met een blik op zijn horloge.

8

'Mijn beurt?' Olivia slaakt een zucht. Daar gaat-ie dan. 'Eh. Jeetje. Waar moet ik beginnen?'

'Bij het begin,' stelt Paul behulpzaam voor.

'Goed dan. Op de universiteit heb ik toneel gestudeerd, wat nergens op sloeg omdat ik veel te weinig zelfvertrouwen heb om actrice te worden.' Ze kijkt zenuwachtig naar Saffron die haar een bemoedigende glimlach toewerpt. 'Ik heb een paar jaar het ene baantje na het andere gehad; ik heb in een biologische winkel gewerkt, een poosje een boekwinkel geleid en daarna heb ik gevraagd of ik vrijwilliger kon worden bij een dierenasiel. Daar werk ik nu zeven jaar en tegenwoordig heb ik er de leiding en ik vind het geweldig. Ik heb een prachtig appartement in Kilburn, en...' Ze haalt diep adem terwijl ze zich afvraagt waarom dit zo moeilijk is, want George is al een halfjaar weg. '... en ik ben nog altijd single. Ik heb zeven jaar een relatie gehad met George, maar hij is ervandoor gegaan en staat op het punt te gaan trouwen met een afschuwelijk Amerikaans kind dat Cindy heet. Vandaar dat ik van plan ben om een gekke oude vrouw te worden met een miljoen katten en honden.'

'Is er geen andere kaper op de kust?' vraagt Paul verbaasd.

'Nou... gek genoeg heeft Tom me in contact gebracht met een collega van hem uit Amerika. We hebben een paar weken met elkaar ge-e-maild en hij komt binnenkort hierheen, maar wat eerst leuk en lief was, lijkt nu vreselijk sinds... alles wat er gebeurd is. Een ontmoeting met hem lijkt nu heel verkeerd.'

'Onzin,' zegt Saffron. 'Je moet hem juist ontmoeten, vooral als Tom dit heeft geregeld.'

'Ja, waarschijnlijk heb je gelijk. Maar ik heb niet het gevoel dat ik al toe ben aan een relatie,' bekent Olivia.

'Liefje,' verzucht Saffron. 'Wie heeft het over een relatie? Ik durf te wedden dat je al een halfjaar niet hebt gewipt.'

Olivia bloost en kijkt hulpzoekend naar Holly.

'Goed.' Lachend komt Holly tussenbeide. 'Mijn beurt. Die graad in schone kunsten was niet helemaal verspild, want in de loop der jaren ben ik erin geslaagd een redelijke boterham te verdienen. Ik ben illustratrice voor een kaartenfirma, maar het liefst zou ik kinderboeken illustreren. Op mijn vijfentwintigste heb ik Marcus ontmoet in Australië. Op papier leek hij de volmaakte echtgenoot voor me, maar tegenwoordig geloof ik dat je niet moet trouwen voor je dertigste.'

Olivia trekt een wenkbrauw op terwijl Saffrons ogen iets groter worden.

9

'Oeps,' zegt Holly, die beseft dat ze wat te veel heeft gedronken. 'Heb ik dat hardop gezegd? Ach, maakt niet uit. We hebben twee prachtige kinderen, Oliver en Daisy, en ik moet toegeven dat Marcus een rots in de branding is. Eerlijk waar. Hij is heel sterk. Hij kan bergen verzetten. In het geheim fantaseer ik erover om ervandoor te gaan met de kinderen, maar het is heel normaal dat een oude getrouwde vrouw denkt dat het gras ergens anders groener is. Al met al heb ik een heel aangenaam leven.

En om af te ronden...' Holly haalt diep adem. 'Ik heb Tom een e-mail gestuurd omdat ik hem al in geen tijden had gesproken, maar hij heeft er nooit op gereageerd. En jullie? Wanneer hebben jullie hem voor het laatst gesproken?' Met die woorden kijkt Holly hen allemaal aan, en eindelijk verdwijnt de spanning, die er, hoewel praktisch onmerkbaar, toch de hele avond gehangen had.

Eindelijk is het veilig om over Tom te praten. Ze hebben het de hele avond over zichzelf gehad en herinneringen aan hun schooltijd opgehaald, maar niemand had Tom ter sprake willen brengen. Niemand wist de juiste woorden te vinden. Niemand durfde de ware reden onder ogen te zien dat ze allemaal in deze kamer zaten. Vrienden die opnieuw bijeen zijn. Na twintig lange jaren.

10

1

Tom wordt als eerste wakker. Hij ligt in het donker en slaakt een zucht als hij de wekker uitzet. 5.30 uur. Knipperend rood, schril piepend, wachtend om uit te worden geslagen. Hij draait zijn hoofd om en kijkt of Sarah wakker is geworden, maar nee, die ligt nog diep in slaap. Ze ligt op haar zij en ademt zwaar in haar kussen.

De avond ervoor heeft hij zijn spullen al ingepakt, want hij is onderhand wel gewend aan deze zakenreizen. Hij is eraan gewend om midden in de nacht op te staan en uit het raam te kijken of de auto staat te wachten op de oprit en de chauffeur de tijd doodt met het lezen van de *New York Post*, een grote beker van Starbucks in zijn hand.

Als beloning zal hij deze zakenreizen niet eeuwig hoeven te maken, zoals Sarah en hij allebei weten. Hij zal niet zijn leven lang chief executive officer bij een groot softwarebedrijf blijven. Hij is nu negenendertig. Nog twee of drie jaar en dan zal hij door zijn jaarlijkse bonus hopelijk over een ander leven kunnen nadenken. De kinderen zullen zich nooit zorgen hoeven maken om geld, er is al geld opzijgezet voor hun universitaire opleiding, en hij zal met pensioen kunnen gaan. Misschien kan hij een eigen bedrijf kopen, iets gaan doen waarvoor hij niet hoeft te reizen of te forenzen, zodat hij bij zijn gezin kan blijven.

In de badkamer struikelt hij over Tickle Me Elmo en hij schudt vermoeid zijn hoofd, maar moet vervolgens glimlachen bij de herinnering aan de tweejarige Dustin die heftig giechelt naast Elmo, tot zijn oudere zusje Violet het wegrukt, en Dustin in tranen uitbarst.

Een hete douche, de laatste spullen inpakken en hij is klaar om te vertrekken. Hij loopt nog even terug naar de slaapkamer om Sarah een zoen op haar wang te geven. 'Ik hou van je, Bunks,' fluistert hij. Dat is hun koosnaampje voor elkaar, iets wat ze al zo lang zeggen dat ze niet eens meer weten waar het vandaan komt.

11

Sarah beweegt en doet haar ogen open. 'Hou ook van jou,' mompelt ze. 'Hoe laat is het?'

'Iets over zes. De auto is er. Sta je ook op?'

'Ja. Zo meteen. Ik moet de kinderen de deur uit helpen voor hun eerste schooldag.'

'Beloof me dat je foto's van Dustin maakt.'

'Goed, schatje. Wees voorzichtig in de trein.'

'Dat zal ik doen. Ik bel je nog wel voor ik op de trein stap.'

'Oké.' Met een glimlach laat Sarah zich terugzakken in het kussen en nog voor Tom bij de voordeur is, slaapt ze alweer als een roos.

Net als Toms auto de oprit afrijdt, ontwaakt Holly Macintosh aan de andere kant van de Atlantische Oceaan. Een uur 's nachts. De middag ervoor had ze vrijgenomen omdat ze uitgeput is. De laatste tijd heeft ze alleen maar slapeloze nachten gekend die altijd hetzelfde verlopen: ze stommelt door haar slaapkamer, drukt op het lichtknopje van de piepkleine badkamer en laat haar gezicht in haar handen zakken terwijl ze op het toilet zit. Tegenwoordig gebeurt dat elke nacht. Holly wordt steeds op ongeveer dezelfde tijd wakker omdat ze moet plassen en als ze weer in haar bed kruipt, schieten er allerlei gedachten door haar hoofd en de afgelopen paar nachten lag ze nog altijd wakker als de zon opkwam.

Gisteren was ze er net in geslaagd om weer in slaap te vallen toen Daisy de kamer in was gekomen, met ongelijke sokken aan, in de veel te grote spidermanpyjama van haar broer en met Holly's favoriete kasjmieren sjaal om haar hals. Daisy wilde Weetabix hebben en Holly strompelde uit bed terwijl ze boze blikken op Marcus wierp omdat ze ervan overtuigd was dat hij alleen maar deed alsof hij diep in slaap was.

En nu heeft ze weer het gevoel dat ze de hele nacht wakker heeft gelegen. Ze ligt in bed, haar ogen dicht en ze doet haar best om het sporadische gesnurk of geknor van haar man te negeren. Hij slaapt te vast om haar op te merken. Als zijn gesnurk onverdraaglijk wordt, duwt ze net zo lang tegen hem aan dat hij op zijn rug gaat liggen, zelfs al is ze klaarwakker en neemt ze niet eens de moeite om te doen alsof ze weer in slaap wil vallen. 'Je snurkt,' snauwt ze dan, terwijl ze de neiging bedwingt om hem niet het bed uit te duwen.

Uiteindelijk doet Holly het licht aan en wacht tot haar man in beweging komt en zich omdraait. Ze pakt een tijdschrift van de stapel naast haar bed en legt zich neer bij weer zo'n lange, lange nacht.

12

Zo'n nacht waarna ze zich 's ochtends helemaal suf voelt.

Gisterochtend was Holly erin geslaagd om als een zombie in een herenpyjama en mocassins de kinderen uit bed te halen en aan te kleden. 'Waag het niet,' had ze waarschuwend tegen Oliver gezegd, die 's ochtends nooit op zijn best is, vooral niet nu zijn vierjarige zus heeft ontdekt hoe ze hem aan het huilen kan maken en dat vol enthousiasme in haar ochtendroutine heeft opgenomen.

Frauke de au pair was binnen gestrompeld toen ze bijna klaar waren met het ontbijt en Holly glimlachte dankbaar toen Frauke zich vooroverboog om de kleding van de kinderen goed dicht te knopen. Ze deed vlug wat ham en kaas op een snee roggebrood en hield die tussen haar tanden geklemd terwijl ze Daisy en Oliver bij de hand nam.

'Ik ga vandaag niet naar kantoor,' zei Holly. 'Ik ben uitgeput. Ik heb vannacht weer geen oog dichtgedaan. Zou je voor vanmiddag kunnen regelen dat ze bij iemand gaan spelen of zo? Ik moet echt slapen. Is dat goed?'

'Ja.' Frauke knikte met haar strakke ochtendgezicht, het gevolg van een avondje stappen met zes andere au pairs waarbij ze tot veel te laat koffie van Starbucks hebben gedronken. 'Ik bel Luciana wel, al was ze de laatste keer dat ik probeerde met haar af te spreken zesendertig minuten te laat. En dat was niet goed. Maar ik zal het nog eens proberen. Maak je geen zorgen, Holly. Ik zal zorgen dat de kinderen vandaag niet thuis zijn. Misschien kunnen we naar een museum gaan.'

Holly had dankbaar naar Frauke geglimlacht, die ze aan vrienden voorstelt als 'mijn volwassen dochter uit mijn eerste huwelijk'. Haar vriendinnen klagen altijd over hun au pairs, maar Holly kan alleen maar dankbaar zijn dat Frauke in haar leven is gekomen. Ze is goed georganiseerd, streng, liefdevol en vrolijk. Als Marcus naar zijn werk gaat en Holly en Frauke alleen zijn met de kinderen voelt het huis altijd lichter en blijer en verandert de sfeer volledig.

Nu ze vannacht weer om één uur wakker is, staat Holly op en zet een kop thee voor zichzelf. Ze geniet van de rust in het huis, zo midden in de nacht. Dit was het huis waar Marcus en zij al woonden lang voordat de kinderen werden geboren. Het was het huis dat ze had gekocht met de verwachting dat het zou volstromen met kinderen en dieren en waar voortdurend buren en vrienden zouden komen aanwaaien. Een huis waarin we ons kunnen ontplooien, had ze gedacht. Een huis dat werkelijk een thuis zal zijn.

Holly's moeder was binnenhuisarchitecte en elk huis waarin

13

Holly als kind had gewoond was een project geweest. Zodra het project af was, verhuisde het gezin Macintosh weer. Holly had slaapkamers gehad in alle kleuren van de regenboog. Ze had blauwe elfjes gehad, gele Laura Ashley-patronen, fel fuchsia en goudblad. Ze had geprobeerd om zich niet te hechten aan die huizen, maar toch had ze bij elke verhuizing de stiekeme wens gekoesterd dat dit misschien het huis zou zijn waar haar moeder verliefd op zou worden, dat ze deze keer misschien een echt thuis zou krijgen.

Toen Marcus en zij dit huis in Brondesbury hadden gevonden, wist Holly dat ze er nooit zou weggaan. Vijf slaapkamers voor alle kinderen waarvan ze zeker had geweten dat ze die zouden krijgen, een grote tuin voor een barbecue en schommels, een gigantische vervallen keuken die Holly direct in gedachten begon te renoveren.

Er bestond geen enkele twijfel over dat dit hun thuis was. Holly had elk meubelstuk zelf gekocht, ze had stoffige, muffe antiekzaken bezocht, ze was maandenlang naar rommelmarkten gegaan, op zoek naar die ene bijzondere vondst. Ze had zelfs een paar stukken op eBay gekocht en maar twee keer een miskoop gedaan. (Een was een bank die zogenaamd in prima staat verkeerde, maar de foto op eBay bleek van een andere bank te zijn, en de ander was een antiek kersenhouten dressoir dat vol houtworm bleek te zitten.)

In heel veel opzichten leidt Holly het leven waarvan ze altijd heeft gedroomd. Ze krijgt nog altijd een fijn gevoel als ze uit haar werk komt en minstens vier keer per week dwaalt ze door het huis, bekijkt ze de kamers en glimlacht ze bij het zien van het thuis dat zij heeft geschapen.

Ze heeft haar prachtige, schattige kinderen. Daisy die net een kleine uitvoering van Holly is en Oliver die ernstiger en bedachtzamer is en meer op haar man lijkt.

Ze heeft een baan die ze geweldig vindt, ze is freelance-illustratrice, en ze heeft een man die in elk geval op papier de volmaakte echtgenoot lijkt. Hij is succesvol; als advocaat bij een van de meest vooraanstaande kantoren in familierecht wordt hij tegenwoordig veel gevraagd door beroemdheden, om hun echtscheiding te regelen. Hij is lang en ziet er gedistingeerd uit in zijn maatpakken en nette zijden dassen. Zijn peper-en-zoutkleurige haar geeft hem een plechtstatigheid waar hij alleen nog maar van kon dromen toen hij Holly leerde kennen. Hij is ontzettend veranderd, maar daar probeert Holly niet bij stil te staan, of in elk geval niet over te piekeren. Zijn oude vrienden hebben hem zelfs goedaardig geplaagd toen hij zijn naam, Mark, in Marcus veranderde, maar dat viel niet in goede

14

aarde. De paar vrienden die ze nog over hebben, hebben geleerd om Marcus niet te plagen met het verleden.

Had hij ooit gevoel voor humor gehad? Holly neemt aan van wel, ze weet nog dat hij haar vroeger aan het lachen kon maken, dat ze uitgingen met vrienden en ze de tranen van het lachen van haar wangen moest vegen. Maar ze lijkt al heel lang niet meer met hem gelachen te hebben. Marcus is steeds langere dagen gaan maken toen zijn carrière een grote vlucht nam.

Ze hebben trouwens ook al een poosje geen vrienden meer gezien. Holly, die graag kookt, gaf vroeger regelmatig etentjes. Eigenlijk hield ze niet zo van stijve etentjes, ze had liever een ontspannen maaltijd in de keuken, waarbij hun vrienden om het kookeiland stonden met een groot glas wijn terwijl zij een salade maakte, maar Marcus staat erop dat alles correct gebeurt.

Hij wil per se dat er wordt gedekt met het beste kristal en het zilveren bestek. Hij wil in de eetkamer eten, aan de mahoniehouten tafel met de Chippendale-stoelen. Die waren een geschenk geweest van een oudtante van Holly, maar zij had er altijd een hekel aan gehad. Ze zijn natuurlijk heel mooi, maar ze lijken zo formeel, zo ongeschikt voor het leven dat ze voor zichzelf in gedachten had gehad.

Op een avond hadden ze een etentje bij de buren en hun eetkamer was een lichte kamer met openslaande deuren naar een terras, elke muur was van onder tot boven bedekt met boekenplanken, de houten vloeren waren wit gelakt en er stond een oude ronde tafel met retro formicastoelen. De kamer was hip, warm en enig en Holly had hem prachtig gevonden.

'Zou het niet leuk zijn als onze eetkamer er zo uitzag?' had ze tegen Marcus gezegd toen ze om negen uur in hun auto waren gestapt. (Holly was graag langer gebleven, ze had niets liever gedaan want ze had in geen tijden zo veel plezier gehad, maar Marcus had per se naar huis gewild omdat hij midden in een grote zaak zat en nog wat werk moest doen als hij thuis was.)

Marcus had gehuiverd. 'Ik vond het vreselijk,' zei hij. 'Eetkamers zijn om in te eten, niet om in te lezen.'

O, val dood, had Holly gedacht en ze had haar ogen ten hemel geslagen terwijl ze uit het zijraampje had gekeken. Sinds wanneer had hij verstand van eetkamers?

Marcus liep over van de theorieën over wat 'goed' en wat 'fout' was; hoe je je hoorde te gedragen, hoe de kinderen zich hoorden te gedragen, wat ordinair was en wat niet.

15

Het lukt Marcus de meeste mensen voor de gek te houden, ze te laten geloven dat hij is wie hij lijkt, maar er zijn er ook heel wat die hij niet kan bedotten. Dat beseft Holly echter niet. Nog niet. Zij gelooft dat de mensen Marcus zien zoals hij gezien wil worden. Zij gelooft dat hij erin is geslaagd om door te gaan voor iemand die uit een gegoede familie komt, uit de aristocratische intelligentsia. Waarom hij dat überhaupt wil, is iets waar Holly niet bij stil wil staan.

Meestal slaagt Marcus erin de schijn op te houden. Toegegeven, de paar vrienden die hij nog heeft uit zijn studententijd die zich zijn ouders en zijn ouderlijk huis herinneren, weten dat het allemaal komedie is, en hij gaat alleen nog met hen om omdat ze hebben geleerd om discreet te zijn.

Hij heeft manieren, tact, hoffelijkheid en charme van Holly geleerd. Maar het blijft bij een imitatie van haar en de anderen om hem heen die hij zo graag wil evenaren. Omdat het allemaal niet van nature bij hem hoort, verdwijnen de charme en de manieren nogal eens, met name als Marcus zich superieur voelt.

Hij doet wanhopig zijn best om zijn moeder toch vooral in Bristol te houden, want hij is doodsbang dat ze zijn verleden zal verraden. En de arme Joanie, die ernaar snakt om haar kleinkinderen te zien, maar die niet weet hoe ze zich moet gedragen in gezelschap van de zoon die ze niet langer herkent, zit alleen in haar kleine huis, omgeven door foto's, en is in verwarring.

In verwarring over het feit dat ze zo'n zoon heeft voortgebracht; een zoon van wie ze inmiddels begrijpt dat hij zich behoorlijk voor haar schaamt. Een zoon die voortdurend sjaals van Hermès en regenjassen van Burberry voor haar koopt, niet omdat ze die nodig heeft of omdat ze erom heeft gevraagd, maar omdat hij haar wil veranderen in iemand die ze niet is, zoals ze heel goed beseft.

Toevallig voldoen haar plastic regenkapje en haar regenjas van Marks & Spencer, die ze al jaren heeft, nog uitstekend. Als de cadeautjes komen maakt ze er een pakje van dat ze naar Oxfam brengt, behalve als ze voor die tijd een bridgeavondje heeft, want dan hebben haar vriendinnen natuurlijk eerste keus.

Ze weet niet wat ze moet denken van deze zoon die meer hete aardappels in zijn keel lijkt te hebben dan de koningin. Toch is ze ontzettend trots op alles wat hij heeft bereikt. Ze is de enige moeder in de stad wier zoon advocaat is en hard op weg om vennoot te worden. Een vennoot! Wie had dat kunnen denken? Maar eerlijkheidshalve moet ze bekennen dat ze hem niet erg graag mag.

16

Ze vindt het vreselijk om zoiets te moeten zeggen over haar zoon. Hoe kan ze zo denken over haar eigen vlees en bloed? Maar Joanie Carter is ongelooflijk nuchter en al zal hij dan altijd haar zoon blijven en zal ze altijd van hem houden, het is zonneklaar dat ze hem niet mag.

Wat denkt hij wel niet? vraagt ze zich af als er weer een sjaal komt. Maar het antwoord op die vraag kent ze al. Hij denkt dat hij beter is dan de andere mensen.

Ze is dol op Holly. De problemen die zo veel van haar vriendinnen met hun schoondochters hebben, kent zij niet. Haar vriendinnen worstelen met vrouwen die weigeren te begrijpen dat een moeder de belangrijkste vrouw in het leven van hun zoon is, vrouwen die hun schoonmoeder verwaarlozen omdat ze zich bedreigd voelen. Vrouwen die hun best doen om hun schoonmoeder uit hun leven te bannen.

Tot ze kinderen krijgen natuurlijk, want op dat moment wordt babysitten hun recht, en o wee als de grootouders een gelegenheid om hun geliefde kleinkinderen te zien durven af te wijzen omdat ze al andere plannen hadden.

Joanie is dol op Holly omdat ze met beide benen op de grond staat. Haar zoon wordt almaar gewichtiger en verwaander en ze hoopt, zoals ze altijd heeft gehoopt, dat Holly dat uit hem zal slaan. Als iemand Marcus aankan, is het Holly wel, heeft ze altijd gedacht.

Marcus. Joanie snuift elke keer dat ze aan die naam denkt. Voor haar is hij niet Marcus. Voor haar zal hij altijd Mark zijn, hoe vaak hij haar ook opbelt en zegt: 'Moeder, ik heet Marcus.' En 'moeder'? Het is altijd 'mam' geweest, tot Mark naar de universiteit ging, zijn regionale accent kwijtraakte, begon te praten als prins Philip en zichzelf 'Marcus' en haar 'moeder' ging noemen. Belachelijk. Zelfs nu staat Mark erop dat de kinderen haar grootmoeder noemen in plaats van oma. Ze zou veel liever oma genoemd worden. Of opoe.

Maar dat vindt Mark ontzettend ordinair.

Ach, het zou nog erger kunnen. Stel je voor dat ze grootmama van hem moesten zeggen.

Joanie is dus dol op Holly en ze begrijpt niet hoe die het met hem uithoudt. Ze houdt van die kinderen en ze vindt het heerlijk dat Holly niet naar Mark luistert als hij er niet is, wat tegenwoordig bijna voortdurend het geval lijkt. Maar onwillekeurig vraagt ze zich wel af waarom ze nog samen zijn. Het is het gekste stel dat ze ooit heeft gekend.

Al vanaf het begin had ze het een vreemde combinatie gevonden,

17

hoe blij ze er ook mee was. Marcus was met Holly en haar thee gaan drinken in het Ritz Hotel, en Holly was zo bruisend dat ze bang was dat ze zo door het plafond zou borrelen. De hemel zij dank, had ze opgelucht gedacht. Misschien maakt mijn zoon toch nog een kans. Misschien zal dit lieve, oprechte meisje hem op zijn nummer zetten en ervoor zorgen dat zijn bekrompenheid verdwijnt.

En toen volgde de verloving met een ring met de grootste diamant die Joanie ooit had gezien, en plannen die een eigen leven gingen leiden. Holly had gebeld om te zeggen dat het een kleine plechtigheid zou worden, misschien in een hotelletje, of een dienst in hun kerk gevolgd door een lunch voor hun vrienden.

Uiteindelijk werd het gevierd in het Savoy Hotel. Tweehonderd gasten. Holly was beeldschoon geweest in haar nauwsluitende jurk van Jenny Packham. Toch had ze er op een vreemde manier ingetogen uitgezien, had Joanie gedacht. Sereen en oogverblindend, maar ze had ook een glimp van verdriet gezien die ze uit haar gedachten had verbannen. Ze had geweigerd toe te geven wat dat zou kunnen betekenen.

Zelfs Holly had niet willen erkennen wat het zou kunnen betekenen. Marcus had haar precies zo ten huwelijk gevraagd als ze van tevoren had geweten: geknield op de oever van de Theems, naast het London Eye. Hij had de ring bij zich, precies zoals ze van tevoren had geweten, en ze kon geen enkele reden bedenken om nee te zeggen.

Tenslotte was dit precies wat ze dacht dat ze wilde en al snel werd ze helemaal in beslag genomen door de organisatie van de bruiloft – die veel grootser werd dan zij had gewild, maar het was ook Marcus' grote dag – dat ze niet de tijd nam om stil te staan bij haar twijfels of ze tijd te gunnen om groter te worden.

Achteraf beschouwd zou een toeschouwer kunnen zeggen dat Holly zwaar leek op haar trouwdag. Niet qua gewicht – Holly was broodmager op de dag zelf want de stress om Marcus tevreden te stellen eiste toen al zijn tol – maar qua gemoed. Er leek een loodzware last op haar schouders te rusten, een zware kracht.

Ze kuste Marcus en ze danste, ze begroette haar gasten en ze leefde op als ze praatte met de mensen van wie ze hield, maar het was wellicht niet zoals je zou verwachten van een bruid op de dag die de mooiste van haar leven zou moeten zijn.

Joanie kon niet precies zeggen wat het was, maar als je het haar vroeg, als je het voor haar op de juiste manier onder woorden zou brengen, zou ze verbaasd knikken, want dat was exact wat zij had

18

gevoeld. En ook na al deze jaren is ze nog steeds bang dat Holly niet gelukkig is. En ze vreest dat Marcus, ondanks de uiterlijke schijn en de kinderen, te lastig, te dominant is geworden voor Holly om nog langer bij hem te blijven.

Holly zou Marcus terecht kunnen wijzen, ze zou zijn gebreken die zijn moeder onverdraaglijk vindt, kunnen bekritiseren, maar uiteindelijk doet ze dat niet. Ze weet dat er een andere Marcus is, want ze zou natuurlijk niet nog altijd bij hem zijn, als er geen andere Marcus schuilging achter alle pretentie en dikdoenerij.

Holly weet dat er ergens diep in hem een angstig jongetje zit dat zich te min voelt. Een jongetje dat zich moet omringen met mensen die hij het aanzien waard vindt, zodat hij zich beter voelt. Vriendschap met mensen boven wie hij zich verheven voelt, zou zijn aanzien in de ogen van anderen verminderen en daarom negeert hij die mensen.

Dat was een van de redenen waarom hij verliefd is geworden op Holly. Zij was alles wat hij wilde worden, en bovendien iemand waar je mee voor de dag kon komen. Maar toen ze eenmaal van hem was, moest hij haar subtiel op haar plaats zetten om ervoor te zorgen dat ze nooit dacht dat ze beter was dan hij, zodat hij zich nog altijd superieur kon voelen.

Ondanks dat alles heeft Marcus ook goede eigenschappen. Uiteraard, anders was Holly toch niet met hem getrouwd? Om te beginnen houdt hij van haar, of in elk geval gelooft Holly dat hij dat doet. Hij doet vaak lieve, attente dingen. Als hij in een supermarkt is en hij ziet het laatste nummer van *Hello!* of *Heat!* dan koopt hij dat altijd voor haar. Hij stuurt haar vaak prachtige boeketten en soms neemt hij een Crunchie of een Kit Kat mee naar huis, Holly's verboden lievelingsrepen.

Als hij thuis is, is hij een geweldige vader voor de kinderen. Weliswaar nooit erg lang en alleen als ze zich gedragen zoals hij vindt dat het hoort. Dat wil zeggen dat ze niet mogen gillen, jammeren, huilen of slaan, gedrag dat Holly zich overigens voortdurend moet laten welgevallen. Maar de kinderen durven zich bij hem niet anders dan keurig te gedragen en bij die gelegenheden kijken Holly's vriendinnen goedkeurend naar hem en mompelen ze dat hij zo'n fantastische vader is.

En hij is ook een geweldige echtgenoot, houdt Holly zich voor, telkens wanneer ze midden in de nacht paniekerig wakker wordt en bang is dat haar huwelijk niet eeuwig zal duren, dat ze zich nog nooit zo eenzaam heeft gevoeld als nu, dat ze hem nooit ziet, dat ze

19

niets met hem gemeen heeft en dat ze verder en verder uit elkaar groeien.

Dat ziet Marcus niet zo. Waarom zou hij ook? Tenslotte is Holly, net zoals de meeste vrouwen, een volmaakte kameleon. Overdag, als Marcus er niet is, kan ze zichzelf zijn. Dan kunnen haar vriendinnen met hun kinderen bij haar komen lunchen, maakt ze snel een salade en zet ze pitabrood en dipsauzen op het aanrecht terwijl de kinderen aan de keukentafel een kliederboel maken van vissticks en ketchup.

Dan kan ze flessen wijn opentrekken en een cd van Shakira draaien waar Frauke en zij heupwiegend op dansen terwijl Daisy hen probeert na te doen. Dan is ze geschokt als ze ziet hoe volwassen een vierjarige kan lijken, hoe vrouwelijk en hoe – jeetje, ze kan niet geloven dat ze dit echt denkt – sexy. Ze kan lol hebben, ze kan oude versleten broeken en gympen dragen en sweaters met capuchon en ze hoeft zich niet op te maken omdat er toch niemand is op wie ze indruk hoeft te maken.

Wanneer Marcus thuiskomt, trekt ze vlug iets aan wat hem wél bevalt. Als ze thuisblijven doet ze snel een schone donkere spijkerbroek en een kasjmieren trui aan, met kleine diamanten knopjes in haar oren en als ze uit eten gaan een mooie wollen broek, laarzen met hoge hakken en een fluwelen jasje.

De muziek gaat uit en de kussens worden keurig opgeklopt. Elke avond voor Marcus thuiskomt, loopt Holly snel door het huis om te controleren of alles precies is zoals hij het graag heeft. De kinderen mogen geen hutten bouwen van de bankkussens in de woonkamer en het is Fraukes taak om ervoor te zorgen dat Marcus er niet achter komt dat vrijwel alle kussens in huis 's middags in het midden van die kamer liggen opgestapeld.

De kinderen mogen niet poedelnaakt door de tuin rennen en op de zeldzame zomerdagen dat Marcus aankondigt vroeg thuis te komen, moeten Frauke en zij de kinderen smeken en bidden om hun zwemgoed aan te trekken voor pappie thuiskomt.

Holly's eigen vader heeft kort na de scheiding zijn belangstelling voor haar verloren. Ze weet nog heel goed dat ze negen was en haar vader haar meenam naar de limonadefontein in Fortnum & Mason om wat te gaan drinken. Onder het genot van een enorme chocoladesorbet zei hij dat hij van haar hield, dat hij altijd voor haar zou klaarstaan en dat hij haar elke week en om het weekend zou zien, wat er ook zou gebeuren.

Hij vertelde er niet bij dat de scheiding het gevolg was van zijn

20

onverbeterlijke ontrouw. Dat ontdekte Holly pas later.

Het eerste halfjaar hield hij zijn woord wat betreft zijn ontmoetingen met Holly. Toen ontmoette hij Julia Benson en opeens vloog hij naar Parijs of Florence of St. Tropez, en al snel had hij een nieuw gezin, en werd Holly min of meer genegeerd.

Als volwassene beseft ze dat haar vader een zwakkeling was. Julia Benson wilde het kind uit zijn eerste huwelijk niet en hij stemde in, stond zichzelf toe om Holly op te geven. Tot op de dag van vandaag neemt Holly dat Julia kwalijk.

Is Holly gelukkig? Over die vraag denkt ze zelden of nooit na. Ze heeft alles wat een vrouw zich wensen kan om gelukkig te zijn, dus waarom zou ze het niet zijn? Het feit dat ze in een gigantisch kingsize bed slapen, zo ver mogelijk uit elkaar, met een enorm stuk ruimte in het midden en dat Holly woedend wordt als er een arm of been op haar helft terechtkomt, wil toch zeker niet zeggen dat ze ongelukkig is? Het feit dat ze bijna niet met elkaar naar bed gaan en dat als ze het doen het een verplicht nummertje is, wil toch zeker niet zeggen dat ze ongelukkig is? Het feit dat ze merkt dat ze zich meer en meer terugtrekt uit het leven en al een paar vrienden heeft opgegeven die Marcus 'ongeschikt' vond, betekent niet dat ze ongelukkig is.

Nee toch?

Door alle afleiding heeft ze geen tijd om te piekeren over haar leven, dat niet echt is wat ze ervan had verwacht. Om te beginnen zijn er de kinderen. Het huis. En haar werk natuurlijk. Als freelance-illustratrice bij een firma die wenskaarten maakt, kan Holly zich opsluiten in haar studio, op de bovenste verdieping van het huis, en urenlang opgaan in de tere waterverftekening van een meisje met haar puppy. Ze komt pas weer onder de mensen als Frauke en de kinderen terugkomen uit het park. Een paar dagen per week gaat ze naar de studio van het bedrijf, maar voornamelijk om een vinger in de pap te houden, om zich niet al te geïsoleerd te voelen door het thuiswerken, om betrokken te blijven bij het bedrijf.

De laatste tijd is ze er niet vaak geweest, onder andere vanwege haar vermoeidheid. Slapen wordt een steeds groter probleem en Holly's verdedigingsmechanismen zijn volledig afwezig als ze midden in de nacht met bonzend hart wakker wordt door angsten die ze weigert te erkennen. Ze slaapt steeds vaker overdag, maar hoe lang ze ook slaapt, ze voelt zich nooit echt uitgerust.

Nu ze aan het aanrecht zit nadat ze weer overdag een dutje heeft

21

gedaan, vraagt ze zich ineens af wanneer ze voor het laatst echt gelukkig is geweest. Op school? Nou, nee. Op school had ze zich niet gelukkig gevoeld, maar na schooltijd wanneer Olivia, Saffron, Paul, Tom en zij samen waren wel.

En op de universiteit ook. Tom en zij, hartsvrienden, al verliefd op elkaar sinds de dag dat ze elkaar op hun vijftiende hadden leren kennen, al waren ze er op een of andere manier nooit in geslaagd eraan toe te geven... Dat waren gelukkige tijden geweest.

Met een glimlach denkt Holly eraan terug. Ze heeft Tom al in geen maanden gesproken. Ze hebben heel lang contact gehouden, per telefoon en vervolgens via e-mailtjes die steeds sporadischer werden. Maar toen leerde Tom Sarah kennen die op hun kantoor in Londen werkte en was hij naar haar geboortestad in Amerika verhuisd om met haar te trouwen. Daarna leek hun vriendschap te vervagen, afgezien van de jaarlijkse kerstkaart en wat sporadische mailtjes.

Holly heeft ontdekt dat Olivia voor een dierenbeschermingsorganisatie werkt. Af en toe googelt ze de namen van vrienden uit een vorig leven, vandaar haar ontdekking van een foto waarop Olivia met een glimlach een jong poesje vasthoudt bij een geldinzamelingsactie voor haar organisatie. Ze leek nog geen spat veranderd, behalve dan dat haar prachtige haar dat tot op haar middel had gereikt nu in een kort bobkapsel was geknipt. Holly had haar een mailtje gestuurd, waarop Olivia warm had gereageerd, maar vreemd genoeg was het hun niet gelukt om verdere stappen te ondernemen.

Saffron is tegenwoordig een min of meer beroemde actrice – zoals hoort bij iemand die Saffron heet – en ze probeert nu filmster te worden in Los Angeles. Ze heeft in een aantal Britse lowbudgetfilms gespeeld en in Britse tijdschriften en kranten wordt vaak voorspeld dat ze het helemaal gaat maken, maar Holly weet dat de kans klein is dat Saffron op haar negenendertigste, al zou ze dat zelf nooit toegeven, iets zal bereiken in Hollywood.

Holly heeft Paul in geen jaren gezien. Tom en hij hebben wel contact gehouden. Sterker nog, Tom lijkt met iedereen contact te hebben gehouden, zij het sporadisch, maar af en toe stuurt hij Holly mailtjes waarin hij vertelt wat Paul, de eeuwige vrouwenversierder, nu weer heeft uitgehaald, mailtjes die haar altijd aan het lachen maken.

Tom zou zeggen dat hij na zijn huwelijk met Sarah zijn wilde jaren van vroeger verder beleeft via Paul, maar Holly weet dat Paul het afgelopen jaar is getrouwd met een beeldschone vrouw, iemand

22

die heel succesvol is, als ze het zich goed herinnert. En Paul heeft gezworen dat ze hem volledig heeft veranderd.

Holly weet nog dat ze bij de kapper door een *Vogue* bladerde en verbaasd bleef hangen toen ze een pagina omsloeg en een foto van Paul zag. Hij zat ontspannen op een beige Eames-bank, van top tot teen in Prada gestoken en hij leek verdacht veel op een mannelijk model. Tussen zijn benen zat een adembenemende blondine in een Chloe-jurk waarin haar spectaculaire figuur mooi uitkwam. Ze had haar hoofd in de nek geworpen waardoor haar haar als een zijden sluier over zijn arm viel.

Haar mond was opengevallen toen ze het artikel had gelezen over dit nieuwe invloedrijke stel: Paul Eddison, journalist en playboy, was getrouwd met Anna Johansson, oprichtster en CEO van Fashionista.uk.net.

Tom had haar natuurlijk wel verteld dat Paul ging trouwen, maar ze had niet geweten dat het zo'n grootse gebeurtenis was. Ze had de foto's grondig bekeken, stomverbaasd dat Paul zo trendy was geworden, maar toen ze Tom opgewonden had gebeld om erover te vertellen, had hij alleen gelachen.

'Schijn bedriegt,' had hij gezegd.

'Ik heb het met eigen ogen gezien,' had Holly volgehouden. 'Hij lijkt verdomme wel een model. Wat is er gebeurd met zijn altijd aanwezige stoppels omdat hij te lui was om zich te scheren? Zijn haar was altijd een warboel en de Paul die ik kende, had Prada van geen potlood kunnen onderscheiden.'

'Geloof me.' Tom had in een deuk gelegen. 'Paul is niks veranderd. Ik was zijn getuige en ik moest met een scheermes naast hem staan en de haargel meebrengen om hem er een beetje fatsoenlijk uit te laten zien. Hij draagt nog steeds het liefst een oude spijkerbroek en een T-shirt met gaten.'

'Ik weet het niet,' had Holly twijfelend gezegd. 'Het lijkt er verdomd veel op dat hij is veranderd. Hoe is ze eigenlijk? Ze ziet er angstaanjagend uit.'

Treurig had Tom zijn hoofd geschud. 'Doe niet zo jaloers, Holly. Ze is enig. Jij denkt automatisch dat ze een trut is omdat ze haar uiterlijk mee heeft, maar zo zit het niet. Ze is ontzettend lief en ze aanbidt hem.'

'Ja, ja. Je hebt gelijk. Ik trok conclusies omdat ze echt beeldschoon is. Paul heeft mazzel. Zij hebben mazzel,' zei ze met een zucht. 'Het lijkt erop dat ze het volmaakte luxe-leventje leiden.'

'Ik dacht het niet,' zei Tom ernstig. 'Die indruk heeft *Vogue* wel gewekt, maar geloof me, hun leven is lang niet zo volmaakt als het lijkt, dat is niemands leven.'

'Het mijne wel,' zei Holly droog, en Tom had gesnoven.

Met die herinneringen loopt Holly weg bij het aanrecht en ze zet haar computer aan. Waarom zou ze Tom nu niet e-mailen? Hoe lang is het al geleden? Zeven maanden? Acht maanden? In elk geval een hele poos sinds ze voor het laatst contact hebben gehad en ze mist hem. Tussen Marcus en hem heeft het nooit echt geklikt en Sarah was niet echt Holly's type, vandaar dat ze uit elkaar zijn gegroeid.

Niet dat Sarah onvriendelijk was, ze was altijd heel aardig geweest als ze hadden afgesproken tijdens de zeldzame gelegenheden dat Tom haar mee had genomen naar Engeland om zijn familie te bezoeken. Holly had Sarah echter kil en afstandelijk gevonden. Beleefd, zonder dat ze meer van zichzelf gaf dan nodig was.

Holly had Sarah voor het eerst ontmoet toen ze terugkwam van haar reis naar Australië waarbij ze Marcus had leren kennen, met wie ze een jaar later zou trouwen.

Het halfjaar dat ze was weggeweest had ze niet met Tom gesproken en toen ze vlak na haar terugkomst contact met hem had opgenomen, had hij verteld over een schattig Amerikaans meisje dat in hun kantoor in Londen werkte.

'Hoe bevalt de yank?' had Holly plagend gevraagd. Omdat zij Marcus had, voelde ze zich weer veilig in hun vriendschap, en ze kon niet meer geloven dat ze ooit gevoelens voor Tom had gekoesterd, dat ze hem ooit als meer dan haar beste vriend had gezien, zelfs na die ene nacht…

'Ze is echt fantastisch,' had Tom aarzelend gezegd, en vervolgens had hij Holly verzekerd dat ze deze Sarah heel aardig zou vinden, dat hij hen dolgraag aan elkaar wilde voorstellen, dat ze met zijn vieren een keer uit moesten gaan.

Zo gezegd zo gedaan. Op een avond waren ze met zijn vieren naar een pizzeria in Notting Hill gegaan. Holly was opgewonden dat ze eindelijk het meisje zou ontmoeten over wie Tom het zo vaak had. Het meisje dat zijn vriendin was en met wie hij wilde gaan samenwonen.

Holly had van haar willen houden. Ze was ervan overtuigd dat ze van haar zou houden, ze benaderde Sarah met een warme glimlach en een open hart, maar kwam tot de ontdekking dat Sarah keurig, stijfjes en kil was.

24

'Jezus, ze is afschuwelijk,' had ze tegen Marcus gefluisterd toen ze weer veilig in hun eigen auto op weg naar huis waren. 'Wat ziet hij in haar?'

'Ze is heel sexy op een afstandelijke manier,' had Marcus gezegd, maar hij had zijn woorden direct betreurd toen hij zag dat Holly haar ogen tot spleetjes kneep.

'Sexy? Wat is er dan zo sexy aan haar? Nou? Is ze soms sexy omdat ze zo duidelijk verslaafd is aan fitness? Ze heeft echt geen enkel gevoel voor humor en ik heb nog nooit iemand gekend die zo bloedserieus was. Godsamme, er kon echt geen lachje af. Het ging de hele avond over de verschillen tussen mannen en vrouwen. Doe me een lol. Kent die vrouw de betekenis van het woord ontspannen soms niet?'

'Dus je mocht haar wel?' had Marcus met opgetrokken wenkbrauwen en een grijns gevraagd.

'Vond je haar aardig?' Tom had 's ochtends vroeg van kantoor gebeld.

'Ik vond haar geweldig,' had Holly soepeltjes gelogen.

'Ja, hè? Ik wist wel dat je dat zou vinden.'

'Maar ze is wel heel ernstig,' had Holly gezegd.

'Vind je? Volgens mij komt dat omdat ze jou nog niet zo goed kent, maar je zult haar veel beter leren kennen nu ze bij me komt wonen.'

'En wat vond ze van ons?' Holly's nieuwsgierigheid kreeg de overhand. 'Vond ze ons aardig?'

'O, absoluut,' had Tom diplomatiek gelogen. 'Heel aardig. Ze vond jullie allebei geweldig.'

En dat was het begin van de wig die zich tussen Tom en Holly dreef. Eerst was het een splinter, maar hoe meer de vier probeerden om een manier te vinden om de vriendschap tussen Tom en Holly te veranderen in een vriendschap tussen hen alle vier, hoe groter die splinter werd. Uiteindelijk waren Tom en Holly genoodzaakt om af en toe stiekem met elkaar te gaan lunchen, elkaar te bellen vanaf kantoor. Hun vriendschap leed onder het gebrek aan contact, maar werd daardoor ook waardevoller.

Jaren terug belde Holly Tom soms in Massachusetts, terwijl ze bad dat Sarah niet zou opnemen, dat ze niet met haar over de verplichte koetjes en kalfjes hoefde te babbelen. Uiteindelijk was ze opgehouden met bellen.

25

Ze dacht altijd aan Sarah als Enge Sarah. Dat had ze een keer per ongeluk gezegd toen Tom en zij zaten te lunchen, en Tom had zo hard moeten lachen dat hij bijna zijn drankje had uitgespuugd. Het was nog altijd een privégrapje tussen hen beiden, iets wat wees op de vertrouwelijkheid die er vroeger tussen hen was geweest.

Hé, vreemdeling, typt ze. Haar thee is op en ze is nog altijd niet moe.

Zoals gewoonlijk ben ik midden in de middag wakker geworden... Ik weet het, ik weet het, maar 's nachts slaap ik helemaal niet. Dus daar zat ik met een kop thee in mijn hand, en in plaats van me zorgen te maken om mijn toekomst, dacht ik aan het verleden en toen bedacht ik dat het tijden geleden was dat we elkaar hebben gesproken. Hoe gaat het met je? En met Sarah? En met jullie koters? Mijn eigen koters zijn even schattig als altijd. Heb jij de laatste tijd nog contact gehad met iemand? Ik heb pas iets over Saffron gelezen; ze heeft een rolletje in een nieuwe film met Jim Carey, wat denk je, zou dit de grote kans zijn waar we allemaal op hebben gewacht? (Mij lijkt het heel onwaarschijnlijk. Au.) Hoe gaat het met Paul? Heeft hij al kinderen? Ik wil dolgraag iets van je horen. Eigenlijk wil ik je dolgraag zien – kun je niet op zakenreis hierheen komen? Stel je voor, dan kunnen we lekker lang lunchen, met veel drank erbij, net als vroeger. Doe Enge Sarah de groeten van me. Dikke zoen, Holly xxxxxx

Veel later zou Holly horen waar Sarah was toen Holly dat mailtje verstuurde.

Precies op dat moment stond Sarah onder aan de trap en schreeuwde naar boven dat Violet moest opschieten omdat ze anders te laat op school kwam. Violet is vier en het is haar laatste jaar op de peuterspeelzaal voor ze naar de kleuterschool gaat. Ze is zo traag als dikke stroop, vooral als haar moeder haast heeft.

'Kom op, schatje!' had Sarah geschreeuwd. 'Het is je eerste dag en we moeten op tijd komen. O, Violet!' had ze gezegd toen Violet in de deuropening van haar slaapkamer verscheen, naakt met haar tot op de draad versleten speelgoedolifant in haar armen geklemd. 'Ik zei toch dat je je moest aankleden!' had Sarah gesnauwd toen Violet begon te huilen.

'O, Lieve Heer,' had Sarah gemompeld. 'Schenk me vanochtend geduld.' Vorig jaar had ze tegen Tom geklaagd dat het altijd zo ging, dat ze altijd te laat was, te laat opstond, te lang deed over het ontbijt,

26

vergat om de kleren van de kinderen de avond van tevoren al klaar te leggen en nooit haar autosleutels kon vinden.

Het jaar ervoor had ze elke dag bij het ontwaken gezworen dat deze dag anders zou zijn, dat ze een lieve, aardige mammie zou zijn, maar tegen de tijd dat ze allemaal in de SUV zaten die op de oprit stond, was ze toch weer een gespannen, schreeuwende mammie. Ze vond het afschuwelijk dat ze zich zo gedroeg, maar ze leek er niets aan te kunnen doen.

Een uur later – er zijn ook zo veel moeders om mee bij te praten op de parkeerplaats – wilde Sarah net in de auto stappen, toen Judy, een andere moeder, met een geschrokken gezicht naar het groepje toe rende.

'Heb je het al gehoord?' vroeg ze, haar ogen groot van opwinding en afschuw.

'Wat? Wat?' vroegen de moeders om haar heen terwijl sommigen zich omdraaiden toen er tegelijkertijd allerlei mobieltjes afgingen.

'Een nieuwe terroristische aanslag! Hier! Ze hebben de Acela opgeblazen!'

Opeens werd Sarahs blikveld wazig. De Acela Express. De hogesnelheidstrein van Amtrak in het noordoosten. Dat kan niet kloppen. Tom zat in de Acela.

'Nee!' zei een koor van stemmen. 'Wat is er gebeurd? Is het erg?' en vervolgens klonken er kreten van 'niet weer'.

'Ik weet het niet,' had Judy gezegd toen een van de moeders iets schreeuwde. 'Overal liggen lichamen,' zei ze. 'Het is vlak buiten New York gebeurd. O god, er is ongetwijfeld iemand bij die we kennen.' En opeens keek iedereen naar Sarah die tot haar verbazing merkte dat ze op de parkeerplaats zat, dat haar benen haar gewicht niet langer hadden kunnen dragen.

'Sarah?' klonk een vriendelijke stem naast haar oor. 'Gaat het wel?'

Maar Sarah had geen woord kunnen uitbrengen. Dit soort dingen hoorden mensen als Tom en haar niet te overkomen, maar nu leek dat toch gebeurd te zijn.

27

2

Sinds ze het nieuws gehoord heeft voelt Holly Macintosh 's ochtends bij het wakker worden een zwaar gevoel van verdriet op haar borst drukken.

Het kost haar de grootste moeite om op te staan, naar de keuken te gaan en met trillende handen koffie in te schenken. Ze zit aan de keukentafel en verliest zich in herinneringen, van dingen die nooit gezegd zijn, dingen die hadden kunnen gebeuren en ze mist Tom – de Tom met wie ze is opgegroeid, de Tom die ze nooit meer zal zien – ze mist hem verschrikkelijk.

Tijdens het ontbijt schudt ze het van zich af, ze moet wel, voor de kinderen. Marcus is fantastisch geweest. De avond dat ze het bericht kreeg, is ze in tranen uitgebarsten terwijl Marcus zijn armen om haar heen sloeg. De kinderen keken toe vanaf hun plek aan de keukentafel, met een angstige blik in hun oogjes.

'Waarom huilt mammie?' had Oliver gevraagd.

'Mammie is verdrietig omdat ze een van haar vrienden is verloren,' had Marcus zacht gezegd, over Holly's hoofd heen.

'Zal ik je helpen om hem te zoeken?' vroeg Daisy na een korte stilte, en Holly slaagde erin om door haar tranen heen te glimlachen, wat slechts tot een nieuwe huilbui had geleid.

Nog geen drie dagen daarvoor had Holly met Marcus de beelden op het nieuws gezien. Honderdzevenenveertig mensen dood. Haar vriendinnen en zij hadden hun hoofd geschud en gezegd hoe ongelooflijk het was, dat ze in een andere wereld leefden, dat ze zich afvroegen of er ooit een einde aan zou komen.

En toen, een middag op internet, vond ze een lijst met namen op de website van het BBC-nieuws. Ik vraag me af of er iemand bij is die ik ken, had ze gedacht. Ze wist dat het niet erg waarschijnlijk was. Het was ook vreemd, want gedurende haar jeugd was er de ene na de andere tragedie geweest – verschillende IRA-aanslagen, geen van alle ver van waar zij woonde – en het was nog nooit bij haar opgekomen dat daar een bekende bij betrokken zou zijn.

28

Maar deze keer klikte ze op het artikel en begon ze te lezen.

Namen. Korte levensbeschrijvingen. Een bankier uit Islington die op zakenreis was in New York; een moeder en dochter uit Derbyshire die een korte vakantie hielden; Tom Fitzgerald, een softwaredirecteur...

Holly las verder, maar toen ging haar blik terug naar zijn naam en ze herlas hem een paar keer. Tom Fitzgerald. Een softwaredirecteur. Tom Fitzgerald. Tom!

Tom.

Dat kon onmogelijk waar zijn. Dit was vlak buiten New York gebeurd. Tom woonde in Boston. Met Tom moet alles goed zijn. Vol verwarring pakte ze de telefoon om Tom op zijn werk te bellen, maar het was avond, dus belde ze naar zijn huis.

'Hallo, dit zijn Tom, Sarah, Dustin en Violet,' hoorde ze Sarah zangerig zeggen. Daardoor leek het telefoontje heel normaal en kreeg Holly het idee dat ze zich dit alles misschien alleen inbeeldde. Want hoe kon het antwoordapparaat zo normaal klinken, hoe kon de boodschap erop nog dezelfde zijn als Tom echt iets verschrikkelijks was overkomen?

Weer keek ze naar zijn naam die haar vanaf het computerscherm tegemoet leek te springen.

Tom Fitzgerald.

'O, hoi. Sarah, Tom, met Holly.' Ze sprak aarzelend, onzeker en ze googelde Toms naam terwijl ze praatte, op zoek naar meer informatie. 'Eh... Ik las net... Ik las net... Jezus. Sorry. Maar kunnen jullie me bellen? Alsjeblieft? Ik...' Verder viel er niks te zeggen. Nog een artikel. Tom Fitzgerald, de chief executive officer van Synopac was aan boord geweest van de getroffen Acela Express, op weg naar een zakelijke bespreking...

Langzaam zette ze de telefoon weer terug in de houder.

'Holly?' Frauke was de kamer in gekomen en ze had Holly's trillende rug gezien. 'Is alles goed?'

En Holly had zich ontdaan naar haar omgedraaid. Haar blik was verdrietig en geschrokken. Ze probeerde iets te zeggen, maar alles kwam er anders uit dan de bedoeling was.

'Het is Tom,' slaagde ze er uiteindelijk in te fluisteren. 'Hij is mijn oudste vriend. In de trein...' Haar gesnik werd zo heftig dat ze ophield met praten. Ze liet zich in Fraukes armen vallen toen die zich naar haar toe haastte om haar te troosten.

29

Ze is negenendertig en het is wellicht niet zo verwonderlijk dat Holly nog nooit echt verdriet heeft gekend. Ze is er natuurlijk wel bekend mee, want in de loop der jaren zijn verscheidene oudere familieleden overleden, waar ze uiteraard verdrietig om was, maar ergens had ze het gevoel dat dat nou eenmaal bij het leven hoorde. De mensen van wie je hield werden oud, soms werden ze ziek, af en toe eerder dan zou moeten, en uiteindelijk stierven ze.

Je kon accepteren dat hun tijd gekomen was, en zelfs al was het nog niet hun tijd, dan hadden ze in elk geval een lang en gelukkig leven geleid. Ze hadden op aarde gedaan wat ze moesten doen en ze lieten degenen die van hen hielden achter met gelukkige herinneringen, al wensten sommigen dat er minder dingen ongezegd waren gebleven.

Maar dit? Dit was iets heel anders. Dit was een diep, hartverscheurend, rauw verdriet. Dit was meer dan emotioneel. Dit was fysiek. Dit onverwachte verdriet droeg Holly de hele tijd met zich mee. Het maakte haar 's ochtends wakker door zich op haar borst te nestelen, zeeg met haar neer op de grond als ze zich huilend naast haar bureau liet vallen. En samen met zijn vriend, de zwaartekracht, zorgde het ervoor dat haar ogen en mond zo treurig neertrokken dat vreemden haar op straat en in winkels vroegen of het wel goed met haar ging. Vervolgens bleven die dan ongemakkelijk bij haar staan als Holly knikte terwijl de tranen over haar wangen stroomden.

Ze had een week niet gewerkt. Daarna was ze nog altijd verdoofd weer naar de studio in Jubilations gegaan in de veronderstelling dat ze beter in gezelschap van anderen kon zijn, dat ze gesprekken moest voeren en net moest doen alsof alles normaal was.

Tijdens een vergadering met de marketingafdeling had iemand Holly's mening gevraagd, iemand die in een ander gebouw werkte en die wel had gehoord dat Holly een bekende had verloren, maar die niet begreep waarom dat anders was dan de dood van bijvoorbeeld een grootouder.

'Ik heb gehoord dat jij een van de slachtoffers aan boord van de trein kende,' had de man nonchalant gezegd. 'Vreselijk, nietwaar?' Hij had zijn hoofd geschud en door willen gaan met de zaken die besproken moesten worden. Holly had tekeningen van olifanten gepresenteerd voor hun nieuwe lijn te laat-verjaardagskaarten. 'Echt treurig. Ik begrijp niet wat er tegenwoordig allemaal gebeurt in de wereld.'

Holly zag in gedachten de beelden van de trein die werd opge-

30

blazen – een toerist had precies dat moment vastgelegd op camera, korrelig, wazig, de trein ver weg, maar het waren de enige beelden die er waren. Ze zag het moment van Toms dood op tv en probeerde te bedenken of hij het had beseft. Was het snel gegaan, was hij levend verbrand of uiteengereten door de bom? En ze keek naar de man en opnieuw begonnen de tranen te stromen.

'Het spijt me,' zei ze. 'Ik begrijp het gewoon niet. Ik begrijp niet hoe dit Tom heeft kunnen gebeuren. Het slaat gewoon nergens op...' Haar schouders hadden geschokt en haar lichaam had getrild van de snikken terwijl haar collega's elkaar zenuwachtig aankeken. Niemand wist wat hij moest zeggen bij deze openlijke uiting van verdriet, niemand wist hoe hij dit moest goedmaken, maar iedereen wilde weg uit deze ongemakkelijke situatie en ze wilden de oude Holly terug.

'Ik neem haar wel mee naar buiten,' had Simone zacht gezegd en ze leidde Holly het kantoor uit, naar de kleine kitchenette. Daar nam ze Holly in haar armen en liet haar rustig uithuilen.

'Je moet er even tussenuit,' had Simone gezegd toen Holly tot bedaren was gekomen. 'Rouw is een proces en dat moet je verwerken, en hier hoor je zeker niet te zijn. Je hebt ontzettend hard gewerkt aan de olifantencampagne en we hebben geen haast. Neem een poos vrij. Het kan minstens een maand wachten.' Holly knikte zwijgend en staarde omlaag naar haar handen, niet in staat om Simone in de ogen te kijken.

Dit soort dingen horen mensen als Tom en mij niet te overkomen, dacht ze toen ze haar spullen bijeenzocht en zich in een taxi naar huis liet zetten. Zo hoort mijn leven niet te verlopen.

Dit had niet mogen gebeuren.

Maar ze kan niet thuiszitten en niks doen. Dan beleeft ze alle herinneringen opnieuw en spoken alle horrorverhalen door haar hoofd: hoe Tom kan zijn gestorven, hoe het moet hebben gevoeld, of hij het wist, of het snel was gegaan.

Weten de anderen het al? Hun vriendenclub van school, de mensen die ze in geen jaren heeft gesproken, maar met wie ze zich plotseling even innig verbonden voelt als vlak na hun eindexamen. Ineens voelt ze de onbedwingbare behoefte om haar oude vrienden terug te zien.

Als eerste belt ze Paul. Dankzij zijn bekende vrouw is hij gemakkelijk op te sporen. Een telefoontje naar Anna Johansson bij Fashionista waar ze bij een assistent een dringende boodschap

31

achterlaat voor Paul om haar te bellen was genoeg. Die middag had ze hem al aan de lijn.

'Holly Mac!' had hij gezegd. 'Wat leuk om iets van je horen, wat een verrassing!'

'Nou, weet je,' Holly zweeg even. Ze wist nog niet precies wat ze moest zeggen, welke woorden ze moest kiezen. Er waren haar een paar zinsneden ingevallen, maar die klonken zo afgezaagd, die konden zo uit een film komen, dat ze had bedacht dat ze het beste maar gewoon kon bellen en dan zouden de juiste woorden hopelijk vanzelf komen.

Maar de juiste woorden om te zeggen dat iemand van wie je hebt gehouden dood is bestaan natuurlijk niet. De afgelopen veertien dagen heeft Holly meer gehuild dan ze voor mogelijk had gehouden. Ze voelt zich suf en uitgeput, bovendien heeft ze een voortdurende bonkende hoofdpijn omdat ze te veel heeft gehuild. En nu ze Paul aan de lijn heeft, Paul, van wie ze weet dat hij nog contact had met Tom, Paul die altijd bevriend was gebleven met Tom, kan ze niet geloven dat zij degene is die Paul het nieuws moet vertellen.

Ze had stiekem gehoopt dat Paul al op de hoogte zou zijn. Maar Paul weet het nog niet; zij is degene die het hem moet vertellen.

'Ik ben bang dat ik slecht nieuws heb,' zegt Holly, en haar stem wordt zachter. 'Het is Tom.' Ze wacht om te horen of Paul het eventueel al weet.

'Tom?'

'Ja. Je weet toch dat Sarah en hij in Boston wonen? Hij was op zakenreis, op weg naar New York en hij zat in de trein die is opgeblazen...' Haar stem klinkt opmerkelijk kalm. Ze had verwacht dat ze opnieuw in tranen zou uitbarsten, maar als rouw inderdaad een proces is, dan is dit misschien het eerste deel daarvan: dat je in staat bent om mensen het slechtste nieuws te brengen dat je ooit iemand hebt moeten vertellen, en dat je het kunt vertellen met medeleven en smart maar zonder tranen met tuiten te gaan huilen.

Ze hoort Pauls adem stokken en er volgt een lange stilte.

'Bedoel je dat hij dood is?' Pauls schrik lijkt in golven door de telefoon heen te komen.

'Ja. Tom is dood.'

Een lange stilte. Vervolgens fluistert hij: 'Dat geloof ik niet.' Er klinken wat gedempte geluiden als hij de telefoon van zich afhoudt. Wanneer hij weer wat zegt, breekt zijn stem. 'Geef me je nummer, dan bel ik je straks terug.' Hij klinkt verstikt als hij ophangt. Een uur later belt hij terug.

32

'Wanneer is de begrafenis?' vraagt Holly. 'Weet jij dat?'

'Die is alleen voor de familie,' zegt Paul. 'Saffron heeft Toms vader gesproken. Hij zei dat hij wist hoeveel mensen zouden willen komen en daarom hebben ze besloten om twee herdenkingsdiensten te houden. Ik geloof dat er een in Amerika is, en dan een hier, in de kerk waar ze altijd heen gaan, en daar mag iedereen komen omdat ze de begrafenis besloten houden. Dus de dienst is op de dertigste. Ik dacht dat we misschien allemaal bij elkaar konden komen. Ik heb al met Olivia gesproken en Saffron komt bij mij logeren. Ik weet dat het gek is en dat we elkaar in geen jaren hebben gezien, maar ik wil gewoon weer met zijn allen zijn. Ik dacht dat we de avond van tevoren misschien met elkaar konden eten...'

'Ja,' zegt Holly zacht. 'Eten. Dat is een fantastisch idee. Ik zou het leuk vinden als jullie hier kwamen.'

'Dat zullen we doen,' zegt Paul. '29 oktober.'

'29 oktober,' herhaalt Holly zacht. 'Tot dan.'

Paul zet de telefoon in de houder en merkt niet hoeveel lawaai dat maakt, hoe heftig zijn hand beeft.

Hij loopt van het bureau naar de bank, verdoofd, zonder dat hij merkt dat de ketel op het fornuis fluit en dat hij het stuk waaraan hij werkte toen de telefoon ging niet heeft bewaard. En gezien de kuren die zijn computer de laatste tijd vertoont is het heel goed mogelijk dat hij het verdomde artikel kwijt is. Toch blijft hij op de bank zitten, wezenloos voor zich uit starend.

Zijn gedachten zijn een grote warboel. De telefoon gaat weer, maar hij kan zich niet bewegen, kan hem niet opnemen. Pas als hij Anna's stem hoort, rent hij erheen. Het veilige en bekende gevoel dat de vrouw van wie hij houdt hem geeft, brengt hem weer bij zijn positieven, voor even.

'Hoi,' zegt Anna als hij opneemt. 'Waar was je? Ik dacht dat je de hele middag achter je bureau zou zitten.'

'Ik...' Hij weet niet hoe hij het moet zeggen, hoe zijn mond de woorden kan vormen.

Er volgt een stilte en Anna haalt hoorbaar adem. Opeens weet ze dat er iets heel erg mis is.

'Wat is er aan de hand, Paul? Wat is er gebeurd?'

'Het is Tom,' zegt hij, zijn stem vlakker en onheilspellender dan Anna ooit heeft gehoord. 'Hij zat in die trein in Amerika. Hij is dood.'

Weer haalt Anna scherp adem, en dan neemt haar zakelijke kant

33

het over. 'Blijf waar je bent,' beveelt ze. 'Ik ga nu naar huis.'

Anna komt binnen en treft Paul aan op dezelfde plek waar hij met haar had getelefoneerd. Hij zit op de bank, nog in zijn boxershort en het T-shirt waarin hij heeft geslapen, en hij staart naar de muur.

Langzaam kijkt hij op als Anna zich naar hem toe haast en ze is sprakeloos bij het zien van de schok en het verdriet in zijn ogen. Ze kijken elkaar aan terwijl Anna naast hem gaat zitten en haar armen om hem heen slaat. Een poosje zit hij alleen met zijn hoofd op haar schouder terwijl zij zijn rug streelt. Hij is te aangeslagen om te huilen, te aangeslagen om iets anders te doen dan hier te zitten waar hij zich veilig, warm en behaaglijk voelt.

De meisjesschool waar Holly, Olivia en Saffron elkaar leerden kennen ligt hoog op een heuvel in een van de meer lommerrijke voorsteden van Londen.

ST. CATHERINE'S, PRIVÉSCHOOL VOOR MEISJES, staat er buiten op het bord. Maar als je er op een doordeweekse dag om tien voor half vier langsrijdt, staan er zo veel meisjes voor de school dat je het bord niet zult zien. Grote en kleine meisjes, allemaal hetzelfde gekleed in bordeauxrode plooirokken en witte blouses. De kleintjes dik ingepakt in mutsen en sjaals en de oudere, de coolere, die denken dat ze niet gezien kunnen worden, liggen languit op de bank onder de overdekking om de hoek. Ze hebben een sigaret in hun hand, de afkeurende blikken van de moeders brutaal trotserend.

In de vallei van de groene voorsteden, een paar straten verderop, ligt St. Joseph's privéschool, de yang bij de yin van St. Catherine's. Daar gaan de mannelijke tegenhangers van St. Catherine's heen, de jongens waar duizenden schoolmeisjes in de loop der jaren verliefd op zijn geworden.

De meisjes van St. Catherine's en de jongens van St. Joseph's waren voorbestemd om paartjes te vormen. Een paar van de meer rebelse meiden kregen iets met een jongen van Kingsgate, een school in Kilburn, maar wat had het voor nut om zo ver te moeten reizen wanneer alle koren, alle kermissen, alle feesten en sociale evenementen, bij St. Catherine's en St. Joseph's waren?

Er deed zelfs een gerucht de ronde dat mevrouw Lederer – de strenge doch rechtvaardige directrice van St. Catherine's met haar staalharde blik – een aantal jaren een verhouding had gehad met meneer Foster-Stevens – de strenge doch rechtvaardige directeur van St. Joseph's met zijn staalharde blik – maar dat had niemand

34

kunnen bewijzen. Wel hield Adam Buckmaster uit de vijfde vol dat hij ze had zien knuffelen na de voorstelling waarbij de scholen gezamenlijk *Het belang van Ernst* hadden opgevoerd.

Holly was een laatbloeier geweest wat jongens betreft. De andere meiden in haar klas leken ze rond hun twaalfde te hebben ontdekt, maar Holly had niet echt gesnapt waar iedereen zich zo over opwond, op een verliefdheid op Donny Osmond na, maar toen was ze nog een klein meisje geweest. Olivia, haar beste vriendin sinds ze op de middelbare school zaten, was precies hetzelfde, en ze maakten zich allebei nogal ongerust over Saffron. Die was altijd net zo als zij geweest, maar in het afgelopen halfjaar was ze plotseling naar de Ken-markt gegaan om zwarte leren schoenen met ontzettend spitse punten te kopen en ze had haar schoolrok zo strak genaaid dat hij meer op een dwangbuis dan op een kokerrok leek.

Na schooltijd was Saffron nog altijd hun beste vriendin, maar op school ging ze tegenwoordig om met een groep die al make-up gebruikte, vriendjes had en elke dag een groep van St. Joseph's ontmoette. Meestal gingen ze dan bij iemand thuis in de slaapkamer het zoenspelletje 'draai de fles' doen of gewoon naar lp's luisteren – Madness, The Police, David Bowie – terwijl een ongeïnteresseerde moeder aan de keukentafel zat met een kop thee en een sigaret, onwetend, of het kon haar niet schelen, van wat een groep van acht tienerjongens en -meisjes deed achter een gesloten slaapkamerdeur.

En toen kwam Saffrons feestje. Haar vijftiende verjaardag. Van haar ouders had ze een jongerencentrum mogen afhuren en ze was vastbesloten om het beste feest aller tijden te geven. De oudere broer van iemand zou voor de muziek zorgen, vrienden van diezelfde oudere broer zouden de uitsmijters zijn, want er waren dat jaar al drie feestjes gehouden in het jeugdhonk waar tieners uit de hele buurt op af waren gekomen, uitgenodigd of niet. En een paar feestjes waren een tikkeltje uit de hand gelopen. (Niets was mooier dan het verhaal van Matt Elliott die een fuif had gegeven toen zijn ouders weg waren waarbij ongenode gasten de trap hadden laten afbranden. Matt Elliott zou niet naar Saffrons feestje komen, want hij had een jaar huisarrest, en dat in Engeland, waar eigenlijk niemand wist wat huisarrest betekende.)

Holly en Olivia droegen vrijwel hetzelfde: grijze strokenrok, roze sweatshirt dat van de schouder viel, gestreepte beenwarmers en – dank je, mam! – jazz-schoenen. Echte jazz-schoenen van Pineapple Dance Studios die iedereen wilde, maar die niemand had.

35

Holly ging naar Olivia's huis – sterker nog, daar zou ze blijven slapen – en ze krulden elkaars haar. Niet voor de jongens, natuurlijk, maar in een poging om er net zo uit te zien als Jennifer Beale uit *Flashdance*.

'Je ziet er geweldig uit,' fluisterde Olivia tegen Holly toen ze klaar was haar haar te schroeien met haar moeders krultang, waarbij ze haar eigen hand maar liefst drie keer had gebrand toen ze probeerde om Holly's haar te krullen zonder het stomme ding aan te raken.

'Jij ook!' Holly had gegrijnsd en ze hadden de soundtrack van de film opgezet en hun dansje op 'Fame' van Irene Cara geoefend voor de spiegelmuur in Olivia's slaapkamer.

De zaal van het jeugdhonk was zo donker dat het bijna onmogelijk was om iets te zien. Zoals beloofd had Saffron de langzaam draaiende discobal opgehangen en de lichtgevende vierkantjes roteerden door de zaal en verlichtten groepjes mensen die langs de kanten stonden. In een hoek stonden de verwaande meiden. In een andere de gemengde groep jongens en meisjes die elkaar ontmoetten na school, en die elk een vriendje of vriendinnetje hadden. Sommigen van hen deden 'het' al met elkaar en hoefden niet te wachten op de langzame nummers. Duran Duran was romantisch genoeg.

De uitsmijters bleken geen enkel effect te hebben. Het zag ernaar uit dat de hele vijfde van St. Joseph's was komen opdagen, al of niet op uitnodiging. En ze kwamen nog binnen ook. Ze stonden aan de zijkant van de zaal naar de meiden te kijken en ze gedroegen zich macho, een groep mannelijke pauwen die rondparadeerden om hun veren te tonen terwijl de meisjes giechelden en het spelletje meespeelden.

'Wil je dansen?' Holly had naast Olivia gezeten en ze keek op in een stel lieve, gretige bruine ogen.

'Tuurlijk,' zei ze onhandig, en ze wendde zich met een grijns en een schouderophalen tot Olivia, alsof ze wilde vragen: wat had ik dan moeten zeggen? Ongemakkelijk volgde ze de jongen naar de dansvloer, opgelucht dat het donker was in de zaal omdat ze wist dat iedereen naar hen zou kijken. Eindelijk begon ze een beetje te begrijpen wat het inhield om een meisje te zijn, hoe het is om jongens aan te trekken, hoe verslavend dat gevoel van macht is.

'Ik ben Tom,' zei hij, voor haar dansend.

'Ik ben Holly,' zei ze, terwijl ze van de ene voet op de andere bewoog en hoopte dat ze er cool uitzag.

36

'Dat weet ik,' zei hij met een grijns. 'Ik heb je al eerder gezien.'
'O. Oké.' Een stilte van een paar seconden. 'Waar dan?'
'Gewoon in de buurt.'

Ze dansten op Adam Ant, Michael Jackson en The Human League. Toen 'Every Breath You Take' van The Police werd gedraaid, trok Tom zijn wenkbrauwen op terwijl hij zijn armen spreidde, en Holly sloeg de hare om hem heen.

Samen stonden ze daar, nauwelijks bewegend, en ze wiegden langzaam heen en weer. Holly had zich nog nooit zo veilig gevoeld, met haar hoofd op iemands schouder, stevig in iemands armen.

Tijdens Culture Club, Lionel Richie en Christopher Cross bleven Tom en Holly zo dansen. Holly had het gevoel dat ze hier haar hele leven op had gewacht en plotseling ging haar een lichtje op en begreep ze waar iedereen het over had. Ze begreep alles van jongens. Van liefde. En aan het einde van die avond wist ze dat Tom Fitzgerald haar zielsverwant was.

Toen Tom haar telefoonnummer vroeg, was ze bang dat ze uit elkaar zou spatten van geluk. De volgende dag belde hij en ze praatten anderhalf uur met elkaar. Anderhalf uur! Opgetogen herhaalde ze het gesprek zin voor zin tegen Olivia, die zich een tikkeltje buitengesloten voelde en niet helemaal begreep waar al die drukte om werd gemaakt. Daarom zocht Holly haar heil bij Saffron en al snel belden zij elkaar elke avond en praatten ze over Tom of over zijn beste vriend Paul, op wie Saffron gemakshalve een oogje had.

Holly vond het helemaal niet gek dat Tom en zij elkaar nooit kusten. Ze wist dat het slechts een kwestie van tijd was. Wat ze wel deden, was praten. En lachen. Ze gingen elk weekend uit, al snel met een grote groep vrienden. Op zaterdagmiddag stapten ze in een trein en gingen naar het platteland. Of ouders van iemand brachten hen naar de schouwburg. Ze ontmoetten elkaar in het park waar ze urenlang op de schommels zaten, geen kinderen meer, maar ook nog niet volwassen. Ze wilden dolgraag volwassen en werelds zijn, maar ze waren nog jong genoeg om te gillen van de lach als ze zich met moeite van de glijbaan lieten glijden die ontworpen was voor kinderen die veel kleiner en magerder waren.

Al snel was Holly's kalverliefde voor Tom voorbij. Daniel voegde zich bij de groep – langer, luidruchtiger en grappiger dan Tom – en binnen een paar weken stonden Holly en hij tegen elke muur die voorhanden was en liefkoosden ze elkaar urenlang. Of Holly lag op een feestje tussen Daniels benen op een bank en voelde zich vol-

37

wassen en werelds, alsof ze er eindelijk bij hoorde.

Tom werd haar beste vriend. Toen Daniel Holly dumpte voor Lisa – een verwaand meisje uit haar klas – had Tom haar getroost. Hij bekende dat hij Holly helemaal had zien zitten toen ze elkaar net leerden kennen, maar dat hij nu blij was dat ze gewoon vrienden waren, vooral omdat hij net iets met Isabelle had.

En natuurlijk was Holly, die helemaal over Tom heen was, direct weer smoorverliefd op hem geworden. Maar tegen de tijd dat Isabelle en hij uit elkaar gingen, had zij iets met Dom Parks en waren Tom en zij een tijdje van elkaar vervreemd, want Dom Parks en hij trokken met totaal verschillende vrienden op. En toen Holly en Tom hun vriendschap herontdekten stonden de examens van het A-niveau voor de deur, en bovendien kenden ze elkaar zo goed dat ze nooit iets anders dan vrienden konden zijn.

Olivia was een laatbloeier. Ze had meer belangstelling voor dieren dan voor jongens, maar uiteindelijk, in het jaar dat ze zich voorbereidden voor hun examens op O-niveau, werd ze verliefd op haar bijlesleraar voor wiskunde. Ben was eerstejaarsstudent aan de universiteit van Londen, slechts drie jaar ouder dan Olivia, en hij was briljant in wiskunde. Zijn moeder was een vriendin van Olivia's moeder, vandaar dat hij haar bijlesleraar was geworden, iets waar Olivia in eerste instantie woedend over was.

Tot Ben binnenkwam. Rustig. Vlijtig. Lief. Eindelijk begreep Olivia waar alle anderen het over hadden gehad en twee jaar lang was haar hart zwaar van verliefdheid. Ze fantaseerde dat Ben haar over de rekenmachine zou aankijken en zou bekennen dat hij verliefd op haar was geworden, ze droomde van de dag waarop Ben haar niet langer alleen als zijn jonge wiskundeleerlinge zou zien.

Die dag kwam eindelijk in haar laatste schooljaar. Voor haar wiskunde-examen op O-niveau had ze een zeven gehaald en ze had geen smoesjes meer om Ben nog te kunnen zien. Op een dag had Olivia's moeder gezegd dat ze bij Bens ouders op bezoek zou gaan en dat Ben thuis was van de universiteit. Olivia was direct in de auto gesprongen, in haar wanhoop hem te laten zien hoe volwassen ze was, hoezeer ze was veranderd, hoe volmaakt ze voor hem zou zijn.

En dat had hij gezien. Hij had gezien dat het een jonge vrouw was die ongemakkelijk voor hem stond in de hal bij hem thuis, en niet het kind dat hij twee jaar eerder voor het laatst had gezien. Wat hij had gezien was hem bevallen en toen ze naar de hobbykamer gingen om over school en de universiteit te praten had hij tot zijn

38

verbazing gemerkt hoe gemakkelijk hij met haar kon praten, hoe lief ze leek.

Datzelfde weekend was hij met haar naar de bioscoop gegaan, en een paar dagen later naar de Queen's Arms om iets te drinken. Olivia had hem in dat weekend meegevraagd naar een feestje, een beetje angstig bij het vooruitzicht dat Ben haar vrienden zou ontmoeten, dat hij ze te jong zou vinden. Maar nadat hij haar had verteld hoe aardig hij ze vond, had hij haar gekust en was Olivia op een roze wolk naar haar A-niveau examens gezweefd.

Ze studeerden met de hele groep voor de A-examens. In de plaatselijke bibliotheek bezetten Holly, Olivia, Saffron, Tom en Paul, en soms nog een paar anderen, gauw een tafel boven. Ze sloegen hun boeken open en fluisterden tegen elkaar terwijl ze aan het werk waren. Halverwege de ochtend liepen ze allemaal naar beneden, als een grote golf, en gingen ze naar het plaatselijke Italiaanse koffiehuis voor cappuccino en kingsize Silk Cut-sigaretten.

Het is bijna twintig jaar geleden maar Holly herinnert het zich als de dag van gisteren. Ze weet nog dat ze elkaar ontmoetten, dat Holly van Tom hield en wist dat er nooit een andere Tom zou zijn, dat Tom en Paul hetzelfde jack hadden gehad, maar in een andere kleur. Die hadden ze zelfs samen gekocht, op een zondagochtend op de Camden Market, toen ze zich met zijn vijven een weg hadden gebaand over Chalk Farm Road, stoer, vol zelfvertrouwen en onoverwinnelijk.

Toms jack was marineblauw en dat van Paul groen. Elke keer dat ze Toms jack zag, had Holly's hart een sprongetje gemaakt. In die vroege dagen was een glimp van marineblauw genoeg om haar hart te laten zweven en een glimlach op haar gezicht te toveren die wekenlang bleef zitten.

Holly weet nog hoe Tom naar haar glimlachte vanaf de andere kant van de tafel terwijl ze aan het werk waren in de bibliotheek. Soms ging ze helemaal op in de lesstof en dan keek ze op en ving ze Toms blik, en dan grijnsde hij. En zelfs toen – zelfs toen ze over haar verliefdheid voor hem heen was en wist dat Tom waarschijnlijk niet de ware voor haar was en ze niet langer 's avonds in bed lag en steeds opnieuw naar de soundtrack van *Endless Love* luisterde – wist ze dat wat ze deelde met Tom bijzonder was.

En dat ze elkaar misschien ergens in de toekomst weer zouden vinden.

39

Holly spreidt de foto's op de grond uit en legt ze telkens op een andere plek. Ze bekijkt de schoolfoto's, foto's van Tom omdat ze hem nog een keer moet zien, al is het maar op een foto.

Ze trekt er een van de stapel. Van Tom en een of ander meisje. Holly weet niet eens meer wie het was, ze herinnert zich alleen nog dat ze haar niet erg aardig vond. Holly was in Toms flat geweest toen ze de foto had gezien, in een van haar fases waarin ze een beetje verliefd op hem was geweest, een van die berustende fases waarin ze niet verwachtte dat het iets zou worden. Dat had ze al zo vaak meegemaakt en het was altijd weer voorbijgegaan. Ze had de foto gezien en hem per se willen hebben, omdat Tom er zo knap had uitgezien. Hij had glimlachend naast het meisje, dat zij niet mocht, gestaan. Hij had net een model geleken en Holly was ontzettend trots op hem geweest.

Tom had het uitgeschaterd toen Holly had gezegd dat zij hem meenam. 'Ik ga haar eruit knippen en mij erin plakken,' had ze met een gemene blik gezegd, en Tom had zijn hoofd geschud alsof hij niet had geweten wat hij met haar aan moest. Wat hij inderdaad niet wist. Ze was, achtereenvolgens, grappig, uniek, warm, wijs, onuitstaanbaar, jaloers, onzeker en onmogelijk. Hij hield van haar, maar hij wist niet of hij met haar kon leven. Hij hield van haar, maar hij was niet verliefd op haar. In elk geval vandaag niet.

Ze was er gewoon.

Holly Mac.

Een onontkoombaar feit.

Iemand die altijd deel van hem zou uitmaken.

Zoals hij altijd deel van haar zou uitmaken.

Holly verzamelt alle foto's van Tom en bekijkt ze een voor een, terwijl ze terugdenkt aan vroeger. Ze ontwaakt uit haar mijmeringen als de telefoon gaat.

'Hallo?'

'Holly?' Het is een bekende stem. Een stem van lang geleden. Die baant zich een weg door haar bewustzijn en neemt het verleden met zich mee.

Er volgt een stilte als Holly knikt en de stem voor zichzelf probeert te plaatsen, waardoor ze niets zegt.

'Met Saffron.'

'O, Saff.' Holly begint te huilen. 'Tom.'

Aan de andere kant van de lijn klinkt ook gesnik. 'Ik weet het,' zegt Saffron, haar stem bibberig en benepen. 'Tom.'

40

3

Olivia gaat haar souterrainappartement in en doet het licht aan terwijl haar drie katten en twee honden opgewonden op haar af stormen. Ze bukt zich om ze aan te halen en trekt haar lippen naar binnen als de honden over haar hele gezicht likken. Daarna loopt ze door haar appartement om alle lampen en alle schemerlampen aan te doen tot alles in een warme gloed baadt.

Ze pakt de riemen van de ouderwetse haken bij de deur en haakt ze aan de halsbanden van de honden die opgetogen om haar heen springen. Ze laat zich de buitentrap op trekken en bovenaan kijkt ze een keer om naar haar appartement dat er nu warm en uitnodigend uitziet, zelfs gezien vanaf de drukke straat.

Vroeger deed Olivia nooit alle lampen aan, maar sinds George en zij uit elkaar zijn, voelt ze zich eenzamer dan eigenlijk nodig is als ze thuiskomt in een donker huis. Daarom neemt ze de honden tegenwoordig snel mee voor een wandeling zodat ze vervolgens terugkeert naar een appartement waar je bijna – maar alleen bijna – een echtgenoot met de krant op de bank zou verwachten.

Alleen is dat niet zo. Niet meer.

Niet dat George haar man was, maar aangezien ze zes jaar een relatie met hem heeft gehad, had hij dat net zo goed wel kunnen zijn. Bovendien zou ze niet zo lang bij hem gebleven zijn als ze niet had geloofd dat ze op een zeker moment samen voor het altaar zouden staan.

Olivia was tweeëndertig toen ze George leerde kennen. Ze was ontzettend tevreden met haar werk in het asiel en ze dacht nooit aan dates, tenzij een van haar goedbedoelende vriendinnen een blind date voor haar regelde. Tot haar ontzetting was ze ongewild een echte expert geworden op dat gebied en volgens Tom werden de meeste mannen smoorverliefd op haar terwijl zij in geen van allen echt geïnteresseerd was.

Ze had nooit kinderen gewild – ze zei altijd dat haar dieren haar

41

kinderen waren en ze had een hechte band met Oscar en Ruby, haar neefje en nichtje, precies zo hecht als ze gewenst had – zodat ze haar biologische klok niet zo dwingend hoorde tikken als veel van haar vriendinnen van rond de dertig. Ze was heel tevreden met haar leven. Tot George op een dag voor haar neus stond omdat hij een hond wilde, en haar leven op zijn kop werd gezet.

Ze viel voor hem vanwege zijn vriendelijkheid. En omdat hij even liefdevol omging met zijn driejarig kind als met de dieren. Niet dat ze hem had laten merken dat ze hem heel aardig vond want dat zou vreselijk onprofessioneel zijn geweest. Maar ze had tegen de deursponning geleund om toe te kijken terwijl hij met Lady, een van haar lievelingshonden, speelde. Lady was al maanden in het asiel en niemand wilde haar adopteren omdat ze al elf jaar was, niet erg mooi en doodsbang voor mensen.

George had zijn dochtertje Jessica meegenomen naar de kamer waar de mensen de dieren konden leren kennen en Olivia had Lady binnengebracht. Ze was naast haar geknield en had haar getroost terwijl Lady wild rondkeek naar een hoekje om zich te verstoppen.

En George had niet gedaan wat de meeste andere mensen in die situatie zouden doen. Hij was niet zacht pratend op Lady afgelopen om haar op haar gemak te stellen. Dat zou haar bang hebben gemaakt. Hij had gewoon aan de andere kant van de kamer gezeten, met Jessica naast zich, en hij had naar Lady gekeken terwijl hij met Olivia praatte.

De gewone vragen. Over Lady. Over het asiel. Hoe hield ze het vol. Wilde ze niet alle dieren mee naar huis nemen. En vervolgens stelde hij een paar vragen over haar. Hoe ze hier was begonnen. Had ze als klein meisje al geweten dat ze met dieren wilde werken.

'Zie je wel?' had hij tegen Jessica gezegd. 'Als je groot bent ga je misschien wel ergens werken om dieren te helpen.' Het ronde gezichtje van het meisje was opgeklaard.

'We hebben volgende week zondag open huis,' had Olivia gezegd. 'Onze grote jaarlijkse inzamelingsactie. We hebben kraampjes, spelletjes en pony's om op te rijden. En de kinderen mogen met een aantal van de dieren spelen.'

'O, dat vinden we hartstikke leuk,' had George gezegd. 'Volgende week ben je bij mammie, maar ik weet zeker dat je met me mee mag van haar. Als we thuis zijn, zullen we haar bellen.'

Aha, had Olivia gedacht, en haar hart had gefladderd op een manier die ze al bijna was vergeten. Gescheiden. Maar hij kon niet single zijn, niet deze tedere, aardige, zachte man. Hij had vast een

42

vriendin. En zelfs al had hij die niet, dan ziet hij heus niks in mij. Niet zoals ik eruitzie op het werk.

Olivia was veel langer bezig dan anders om zich klaar te maken voor het open huis. In plaats van haar haar in een paardenstaart te doen en een oude spijkerbroek, sweatshirt en kaplaarzen aan te trekken, liet ze haar haar los op haar schouders vallen en deed ze lipgloss en een beetje mascara op. Ze trok een ribbroek en een blouse aan en deed kleine zilveren oorbellen in. Ze zei tegen zichzelf dat ze die extra moeite alleen nam omdat dit een bijzondere gelegenheid was, een inzamelingsactie, en als directeur van het asiel moest ze een professionele indruk maken.

Wat kon het schelen dat ze bij de voorgaande vier inzamelingsacties haar oude spijkerbroek en sweatshirt had gedragen.

'Ooo,' zei de ene na de andere vrijwilliger toen ze binnenkwam. 'Wat zie jij er mooi uit.'

'Heb je een sollicitatiegesprek?' Ze lachten.

En tot slot: 'Waarom zie je er zo chic uit?'

'Negeer ze gewoon,' had Sophie, haar kundige en beeldschone assistente, gezegd. 'Je ziet er fantastisch uit, Olivia. Je moet je vaker mooi aankleden.'

'Zulke mooie kleren zijn dit nou ook weer niet.' Olivia had onderhand het gevoel gekregen dat ze in een baljurk rondliep, zo opgelaten had ze zich gevoeld.

'Toch zie je eruit om door een ringetje te halen.'

'Dank je.' Olivia was linea recta naar het toilet gegaan om zichzelf in de spiegel te bekijken. Ze had het gevoel dat ze had overdreven, maar dat was niet zo, besefte ze, alleen hadden zij haar nog nooit zo gezien.

George en Jessica bleven de hele dag. Hij kocht vierentwintig lootjes en won een serie ponyritjes voor Jessica (ik denk dat je moet wachten tot ze wat ouder is, zei Olivia glimlachend), een enorme zak hondenvoer en een etentje voor twee bij Chez Vincent in de hoofdstraat.

'Ik hoop dat je, als directeur van het asiel, mijn gast wilt zijn bij Chez Vincent,' had George gezegd toen hij zijn prijzen ophaalde.

'O... Eh...' Olivia had gebloosd. 'Ja, graag. Dat lijkt me leuk.'

'Fijn.' De blijdschap in zijn ogen was duidelijk te zien geweest. 'Ik bel je morgen wel om een afspraak te maken. En bedankt voor

43

een fantastische dag. Jessie en ik hebben van elke minuut genoten.' Na die woorden had hij zich voorover gebogen en een zachte zoen op haar wang gedrukt.

Ze was naar huis gezweefd.

Eén etentje werd een heleboel etentjes, vervolgens werd het een relatie die maanden en toen een jaar duurde.

Na een jaar had Olivia's moeder een ernstig gesprek met haar waarin ze vroeg of George van plan was om met Olivia te trouwen. Olivia's moeder was vijf jaar eerder gescheiden van haar vader en gezien die onverwachte koerswending verbaasde het Olivia altijd dat haar moeder het huwelijk nog steeds leek te beschouwen als de hoogst haalbare prestatie voor een vrouw.

Haar moeder bleef regelmatig vragen of ze van plan waren om binnenkort te trouwen, tot ze uiteindelijk snuivend zei: 'Dat gaat hij natuurlijk nooit doen. Waarom zou je de koe kopen als je de melk gratis kunt krijgen?'

'Mam!' had Olivia scherp gezegd omdat ze er genoeg van had. Uiteindelijk was Fern opgehouden, al kon ze het niet nalaten om van tijd tot tijd te vragen of Olivia dacht dat het er ooit nog van zou komen.

'Ik weet niet wanneer we gaan trouwen,' had Olivia gezegd. 'Of we überhaupt gaan trouwen. Op een gegeven moment waarschijnlijk wel, maar we hebben geen haast. Neem een voorbeeld aan Goldie Hawn en Kurt Russell, die zijn nooit getrouwd en lijken een geweldige relatie te hebben. We zijn heel tevreden met hoe het nu gaat.'

En dat was waar. Olivia had nooit geloofd dat ze een ring om haar vinger nodig had om zich helemaal verbonden te voelen met iemand, bovendien twijfelde ze er niet aan dat George en zij elkaar volkomen toegewijd waren.

Jessie was om het weekend bij hen, wat ook geen probleem was voor Olivia. Hoewel ze zich nooit helemaal op haar gemak gevoeld had bij kinderen die geen familie waren, vond ze het fijn dat Jessie dol was op dieren, wat altijd een pluspunt was. Door de dieren kregen ze een goede band met elkaar en dat gaf Olivia de kans om Jessies vriendin te worden.

Ruby en Oscar waren gek op Jessie. Jen, Olivia's zus, bracht haar kinderen bijna elk weekend dat zij Jessie hadden naar hen toe. En als George en zij met de kinderen op stap gingen, maakte iedereen hun complimentjes met hun prachtige kinderen en na een poosje hield ze op met uitleggen dat ze in feite geen van allen van haar waren.

Een jaar werden er twee, toen drie en na zes jaar wist Olivia dat ze de rest van haar leven bij George zou blijven, ring of geen ring.

Tot de avond dat ze uit eten waren en George aankondigde dat het reclamebureau waar hij werkte een Amerikaans filiaal ging oprichten en dat hij een van de mensen was die naar New York ging om de boel op poten te zetten.

'New York?' Olivia had het gevoel dat ze een stomp in haar maag kreeg. New York. Wat moest zij daar in vredesnaam doen? Hoe moest het met het asiel? Ze kon nu niet weg, ze had zo hard gewerkt om alles op te bouwen en waar moesten ze gaan wonen? En haar vrienden? Haar appartement? Maar terwijl ze dat allemaal dacht, dacht ze ook: New York! Wat opwindend! Hoeveel mensen krijgen de kans om zelfs maar naar New York te gaan, laat staan om daar te werken?

'Ik ga alleen,' had George teder gezegd, en hij had zijn hand op de hare gelegd.

'Hoe bedoel je?' Olivia had het niet begrepen. Eigenlijk begreep ze het nog altijd niet. 'En Jessica dan?'

George had een zucht geslaakt. 'Ja, dat wordt het moeilijkste. Ik krijg haar alle feestdagen en alle schoolvakanties en ik zal proberen een paar keer per jaar terug te komen, dus hopelijk verandert er niet zoveel voor haar. Maar als ik zeg alleen…' Hij had zijn hoofd opgeheven en haar recht aangekeken. '… Dan bedoel ik…' Hij had gezucht. 'Jezus, wat is dit moeilijk. Ik ga niet met jou, Olivia. Ik hou van je en ik zal altijd van je houden, maar volgens mij is dit de volmaakte kans om elk onze eigen weg te gaan.'

'Wat?' Olivia was verstijfd, en ze had het gevoel dat ze gevangenzat in een nachtmerrie. Wat was er gebeurd met haar veilige, voorspelbare wereldje? Waarom leek dat stuurloos rond te tollen? 'Waar heb je het over?' had ze met moeite weten uit te brengen. 'Maak je het uit?'

'Zo zie ik het niet,' had George gezegd. 'Maar ik zie gewoon niet waar dit heen gaat, ik heb het gevoel dat we maar wat aanmodderden en ik geloof dat dit met een reden is gebeurd. Dat het voor ons allebei tijd is om verder te gaan.'

'Maar ik wil niet verdergaan,' had Olivia gezegd, en er waren al tranen in haar ogen opgeweld. Ze vond het vreselijk dat ze klonk als een vijfjarige. 'Ik wil dat we samen zijn. Ik dacht dat we gelukkig waren.'

'Dat waren we ook,' had George treurig gezegd. 'Maar ik ben dat niet meer.'

Die avond had Tom aan de telefoon gezeten toen Olivia in de hoorn had gesnikt.

'Hoe kan hij me dit aandoen?' bleef ze herhalen.

'Inderdaad,' had Tom van tijd tot tijd gezegd. 'Klootzak. Zal ik naar hem toegaan om zijn benen te breken?'

'Ik wil hem alleen terug,' had Olivia gesnikt, en daarop had Tom helemaal niks gezegd.

Een halfjaar later hoorde het gemakkelijker te zijn geworden, maar de werkelijkheid was anders. Tom kwam regelmatig poolshoogte bij haar nemen, andere vrienden namen haar mee uit en hoewel ze zich op haar werk stortte en vaak als laatste het asiel verliet, lag ze thuis nog altijd urenlang verdoofd op de bank.

In bed was het niet veel beter. Midden in de nacht werd ze wakker en herbeleefde hun relatie, vroeg zich af waar het mis was gegaan en probeerde redenen te verzinnen waarom ze niet goed genoeg voor hem was geweest om te blijven.

'O, verdomme,' zei Tom dan, en zijn stem klonk schril door de telefoon terwijl hij op kantoor was in Boston. 'Het ligt niet aan jou, dat mag je echt nooit denken. Blijkbaar heeft hij problemen die hij moet verwerken, maar je mag echt nooit denken dat je niet goed genoeg voor hem was, Olivia.'

Ze had zelfs een paar dates gehad, al was dat niet vrijwillig gebeurd. Ze had gehoopt dat ze een welkome afleiding zouden zijn, maar het was vreselijk om aan een tafeltje te zitten met een vreemde en opnieuw je verhalen te delen terwijl je je afvroeg hoe snel je weg kon gaan om in bed te kruipen. Olivia had gedacht dat die tijd achter haar lag, dat ze die hel nooit meer zou hoeven trotseren.

En toen belde George op een avond met nieuws. Hij had zo opgetogen geklonken, helemaal in de wolken, en Olivia wachtte op de woorden waar ze al maanden op had gewacht: Het was een vergissing. Ik mis je. Ik hou van je en ik kom naar huis.

In plaats daarvan had George haar verteld dat hij ging trouwen. Zich niet bewust van de pijn die dat veroorzaakte, zei hij dat Olivia Cindy geweldig zou vinden, dat hij hoopte dat Olivia op de bruiloft aanwezig zou zijn, en dat hij zeker wist dat Olivia ook een liefde zoals de zijne zou vinden.

46

'Cindy!' had ze die avond woedend tegen Tom gezegd aan de telefoon. 'Hoe kon hij? Hoe kon hij me dit aandoen? En waarom gaat hij trouwen? Waarom wilde hij niet met míj trouwen? Wat mankeert er aan mij?'

Tom had geluisterd en een paar weken later had hij gebeld en gezegd dat het hem het beste voor Olivia leek dat ze een avontuurtje beleefde met een leuke kerel om George te vergeten. En hij wist precies de juiste man.

'O god, Tom,' had ze gekreund. 'Begin jij nou ook al?'

'Hoor eens, ik probeer je niet aan je grote liefde te koppelen, maar het kan toch geen kwaad om uit te gaan en wat lol te beleven? Dan merk je in elk geval dat George niet de enige man ter wereld is, dat er heel veel geweldige kerels zijn die dolgraag iets met iemand als jij willen hebben. Er werkt hier een man op kantoor – Fred – die echt fantastisch is, en hij heeft gezegd dat hij volgend jaar een keer naar Londen wil, dus heb ik hem verteld dat ik een vriendin heb die hij moet ontmoeten en die hem de stad kan laten zien. Hij woont hier, dus ik denk echt niet aan een vaste relatie, maar je zult hem aardig vinden en een paar leuke dagen met hem hebben.'

'Fred? Dat roept niet direct het beeld op van een knappe vent,' had Olivia gezegd.

Tom had gesnoven. 'Nee, George is pas een sexy naam.'

'Denk eens aan George Clooney.'

Tom had gezucht. 'Daar zeg je wat. Maar uitgerekend jij moet toch weten dat je een man niet op zijn buitenkant kunt beoordelen. Of op zijn naam.'

'Vertel dan eens wat meer over hem,' had Olivia schoorvoetend gezegd.

'Hij is drieëndertig, single, ontzettend fit... Hij doet mee aan van die triatlons die hartstikke populair zijn bij ons op kantoor. Die zijn echt van de gekke en vreselijk verslavend.'

Olivia was in lachen uitgebarsten. 'Aan je conditie werken is voor jou zeker nog altijd een beetje over een cricketveld slenteren?'

'Ja. Nou. Precies. In elk geval voor ik hier werkte. Bekijk zijn foto maar eens. Die staat op onze website.'

Olivia had hem bekeken terwijl ze met Tom aan het praten was en Fred mocht er zijn, ook al was zij helemaal niet op zoek naar iemand. Het was veel te kort na George, maar misschien had Tom gelijk, misschien moest ze als wraak met een ander naar bed.

'Toe dan maar,' had Olivia gezegd. 'Geef hem mijn nummer maar.'

47

De volgende dag had Fred haar ge-e-maild en ze waren een leuke e-mailcorrespondentie begonnen, waarin veel meer werd geflirt dan zij had verwacht.

Hij klonk jongensachtig en ook al had ze altijd gedacht dat George de volmaakte man voor haar was, op zijn zevenenveertigste waren zijn gewoontes nogal vastgeroest, en Freds drieëndertig jaar, zijn jeugd, vervulde haar met een gelukzalige verwachting.

'Kwam ik maar eerder,' had hij geschreven. 'Het lijkt nog zo lang te duren voor ik je zal ontmoeten. Pas in januari. Ik overweeg in november een ontmoeting in Londen te regelen. Wat vind jij daarvan?'

'Ik vind het een prima idee,' had Olivia teruggeschreven. 'Dan weet ik eindelijk welk gezicht bij de naam hoort.'

Olivia gaat haar appartement weer in en maakt de riemen van de honden los. Daarna vraagt ze zich af wat ze moet eten. Het afgelopen halfjaar is ze wat voedsel betreft een gewoontedier geworden. Toen ze hier nog samenwoonde met George, bedacht en bereidde ze uitgebreide maaltijden of ging ze in elk geval elke avond naar de voedselafdeling van Marks & Spencer of een soortgelijke zaak.

Tegenwoordig kan ze de gedachte aan eten nauwelijks verdragen. Ze heeft een voorraad gesneden kalkoenfilet in de koelkast en eet dat meestal met een halve zak wortelen en een paar eetlepels hummus.

Als ze eraan denkt, zorgt ze er ook voor dat ze kant-en-klaarmaaltijden heeft. Niet omdat die zo lekker zijn, maar ze vindt het wel makkelijk en ze denkt dat ze daarmee alles binnenkrijgt wat ze nodig heeft. Bovendien kan ze ze in de magnetron klaarmaken zonder erbij na te hoeven denken en zonder dat het te veel moeite kost.

Als gevolg daarvan is ze vreselijk afgevallen. Niet omdat ze dat wilde, zegt ze snel tegen iedereen die vraagt welk wonderdieet ze heeft gevolgd, maar door stress en verdriet. Haar kleren slobberen om haar heen en ze weet dat ze binnenkort nieuwe nodig heeft, maar ze heeft altijd een hekel gehad aan kleren kopen.

Maar toch. Soms heeft ze wel zin om te eten, en vanavond is dat het geval. Het is natuurlijk logisch dat ze bijna alleen maar wit ziet als ze de deur van de koelkast opent. Er ligt nog een korst van een plak kaas die weggegooid had moeten worden toen de kaas op was; in de groentela ligt een doorzichtige plastic zak met groenig zwart slijm, waarvan ze denkt dat het ooit gemengde sla was en er staat een halve liter bedorven melk.

48

In de kast staat niet veel meer. Een paar Ritz-crackers in een doos, een volle doos cornflakes waarin ze zonder melk niet veel trek heeft en een paar theezakjes.

Op zo'n avond zit er maar een ding op. Ze pakt haar sleutels, gaat naar buiten en rijdt naar Maida Vale. Ze gaat naar haar zus, of eigenlijk naar de koelkast van haar zus die altijd propvol staat met heerlijke kliekjes.

'Jen!' roept ze. Ze gooit haar jas op de stoel in de gang, iets waar hun moeder altijd een hekel aan had en iets wat Jen en Olivia al sinds hun tiende doen, maar nu Jen getrouwd is en zelf moeder, heeft ze er een bijna even grote hekel aan. 'Jen?'

Ze weet dat ze thuis is want haar auto staat op de oprit. Daarom loopt Olivia naar de keukendeur. Ze is van plan om iets van de kliekjes te kiezen terwijl haar zus een kop thee voor haar zet. Dat kan nu, want de kinderen zijn al lang naar bed.

Als ze de deur opendoet, ziet ze Jen aan de keukentafel zitten en ze weet direct dat er iets mis is. Haar zus legt net de telefoon neer, ze is lijkbleek.

'Jen?' Olivia voelt hoe de angst haar naar de keel grijpt. 'Jen? Wat is er gebeurd? Wat is er aan de hand? Is er iets met mam?' Ze gaat harder praten en haar stem klinkt een tikje hysterisch.

'O, Olivia,' zegt Jen en er verschijnt een treurige blik in haar ogen. 'Dat was Elizabeth Gregory, een schoolvriendin van me. Ze kent... Nee, haar man kent jouw vriend, Tom. Ik weet niet hoe ik dit moet zeggen. Hoe ik je dit moet vertellen, maar Tom zat in die trein.'

'Welke trein? Waar heb je het over?'

'Hij zat in de Acela. In Amerika. Hij heeft het niet gehaald.'

'Hoe bedoel je: Tom zat in de Acela? Waar heb je het over?' Langzaam dringt het tot haar door. 'Tom? Bedoel je mijn Tom? Is hij dóód?' Zonder dat ze het zelf merkt, zakt Olivia met een lijkbleek gezicht op de grond.

49

4

'Dank je wel, schat.' Holly gaat op haar tenen staan en drukt een zoen op Marcus' wang terwijl hij Oliver en Daisy naar buiten dirigeert. 'Ik vind het echt heel aardig dat je dit doet.'

'Denk daar maar aan als ik in het weekend wil uitslapen,' zegt Marcus. 'Moet ik nog iets tegen je moeder zeggen?'

'Nee, behalve dan dat ze een schat is en dat ik haar morgen wel bel.'

De kinderen logeren vanavond bij Holly's ouders en Marcus gaat terug naar kantoor om te werken, zodat Holly zich op het etentje kan richten voor de mensen van wie ze ooit dacht dat ze hen beter kende dan wie dan ook. Mensen die ze in geen jaren heeft gezien.

Om precies te zijn in geen eenentwintig jaar. En vanavond is niet alleen hun reünie, het is ook een privéherdenkingsdienst, hun kans om elkaar te steunen en om de Tom te gedenken van wie zij allemaal hebben gehouden. Van wie ze nog steeds houden.

Saffron is overgevlogen uit New York waar ze een bespreking had met een filmproducent. Op het moment dat de trein exploodeerde, logeerde ze in het Soho Grand. Net als veel andere inwoners van New York die met een klap terug waren op 9/11, was ze de stad uit gevlucht in de veronderstelling dat het de eerste van een reeks terroristische aanslagen zou zijn. Ze was bij vrienden in de auto gesprongen om naar hun huis in Bedford te gaan. Ze hadden stapvoets op de West Side Highway gereden en de hele weg zitten rillen. Iedereen was verbijsterd geweest dat New York opnieuw het doelwit was.

Olivia was op dat moment thuis geweest en had door de *Guardian* gebladerd terwijl de honden bij haar voeten om eten bedelden, toen Holly haar had gebeld.

Zodra ze Holly's stem hoorde, had ze geweten wie het was. Ze had haar niet meer gesproken sinds de zomer na hun eindexamen, toen Olivia een jaar naar Griekenland was gegaan en bij haar terug-

50

komst had besloten om zich voortaan als een volwassene te gedragen.

Ze had in geen jaren aan Holly gedacht. Ze hadden elkaar een keer ontmoet, een paar jaar na de universiteit, en ze hadden allebei moeten lachen omdat ze zo waren veranderd. Olivia's middellange haar was in die tijd een korte donkere coupe geweest en Holly's vaalbruine krullen waren een glanzend steil gordijn geworden met kastanjebruine strepen.

Olivia had langer willen blijven. Ze had meer te weten willen komen over Holly, al hoefde ze niet per se weer bevriend te raken, maar ze had toen net een relatie met Andrew gehad. En die was jaloers en onzeker en hij was achter Olivia blijven staan en had minachtend naar Holly geknikt toen hij aan haar werd voorgesteld. Hij had ervoor gezorgd dat de sfeer zo gespannen was dat Olivia zich bij de eerste de beste gelegenheid had laten wegtrekken van Holly.

En nu heeft ze iemand aan de telefoon die naar Olivia vraagt en hoe gek het ook klinkt, haar stem lijkt precies op die van Holly.

'Holly?' vraagt Olivia na een poosje ongelovig.

'Jij bent het!' zegt Holly. 'Ik wist het niet zeker.'

'O, Holly,' zegt Olivia terwijl ze in tranen uitbarst. 'Is het niet verschrikkelijk? Heb je iedereen gesproken? Heb jij contact gehad met Saffron? En met Paul?'

'Ja,' zegt Holly, en ze krijgt ineens een brok in haar keel. 'Ik heb iedereen gesproken.'

Het enige wat Holly wilde, in de aanloop naar de herdenkingsdienst, was over Tom praten. Maar iedereen had het over deze laatste aanval. Ze kon er niet aan ontsnappen, en door over Tom te praten hield ze hem voor zichzelf levend. Ook al wilden vreemden niets over hem weten, ging het er hen enkel om dat ze met iemand spraken die een persoonlijke band met de tragedie had, Holly praatte en praatte en praatte maar.

'Bij de aanslag op de Acela heb ik iemand verloren van wie ik hield...'

'Tom was mijn eerste grote liefde...'

'Hij was een van mijn beste vrienden...'

'Tom was slim, knap en lief. Hij was gewoon een geestige, charmante, geweldige man...'

Misschien wilden mensen de details horen, misschien ook niet. Maar iedereen liet haar praten, iedereen wilde Holly's privétragedie delen. Iedereen wilde thuis kunnen zeggen dat ze die dag iemand

51

hadden ontmoet die een vriend had verloren bij de aanslag op de Acela, alsof zij er ook een band mee hadden. Alsof ze daardoor een ander, dieper begrip kregen van de pijn, het verdriet en de bijwerkingen van een dergelijke ramp.

Holly vertelde de busconducteurs over Tom. De man in de krantenwinkel op de hoek van haar straat. Het Duitse meisje in de bloemisterij. De bezorger van de Chinees, al wist ze niet zeker of hij haar had begrepen, maar hij knikte zwijgend waarna hij langzaam achteruit bij de deur vandaan liep. Talloze onbekenden stopten om te vragen of alles goed met haar was omdat er op ongelegen momenten tranen over haar wangen stroomden.

Marcus was fantastisch geweest. Hij had haar gesteund en haar de tijd en ruimte gegeven om te huilen als dat nodig was. Hij was, dacht ze toen ze op een dag naar hem keek, haar steunpilaar en onmiddellijk wist ze dat ze daarom met hem was getrouwd.

Alles aan Marcus straalt kracht uit. Van de vorm van zijn kaak tot zijn kalme maar vastberaden overtuiging dat zijn manier de beste is. Holly voelde zich veilig en geborgen als ze bij Marcus was. Er waren nooit problemen met Marcus, want – dacht ze – de mensen respecteerden hem direct en Holly had nog nooit zo iemand ontmoet.

Het hielp ook dat hij de tegenpool van haar vader was, en Holly had gezworen dat ze nooit de vergissing zou maken om iets te krijgen met een man als haar vader.

De eerste keer dat ze Marcus had gezien, had Holly geweten dat hij loyaal was. Ze wist dat hij niet het type was dat een verhouding zou beginnen, dat hij geen man was die zijn vrouw en dochter in de steek zou laten, spoorloos zou verdwijnen en alleen vage beloften zou achterlaten. Hij zou geen verhouding beginnen met een van haar vriendinnen, zoals haar laatste vriend, Russ, had gedaan.

Ze was bij vrienden in Sydney voor een barbecue toen ze Marcus ontmoette. Ze zat op het gras, gekleed in een spijkershort en een T-shirt. Haar huid was gebruind van het reizen en de sproetjes rond de rug van haar neus waren zo in aantal toegenomen dat ze bijna zelf voor de bruine kleur zorgden.

Het was er heel erg druk. Er waren vooral surfers, buren en vrienden. Iedereen die kwam was vrolijk en nam meer eten en meer bier mee. Zelfs toen was Marcus uit de toon gevallen met zijn vreemd formele houding. Hij had zijn Ralph Lauren-polo in zijn kaki short gestopt en dat vastgesnoerd met een gevlochten bruine riem. Hij zag eruit als een saaie Engelse advocaat. Holly had naar hem gekeken terwijl hij ongemakkelijk van zijn bier dronk zonder

52

een gesprekje aan te knopen en ze had medelijden met hem gehad. Medelijden omdat hij naast haar de enige was die uit Engeland kwam en omdat hij hier zo overduidelijk niet op zijn plaats was.

'Ik ben Holly,' had ze gezegd. Ze was opgestaan, naar hem toegelopen en ze had haar hand uitgestoken. 'Jij moet Marcus zijn.' Ze had namelijk gehoord dat er bij een van de buren een saaie Engelse advocaat logeerde, dat moest hij wel zijn.

Zijn gezicht was opgeklaard. 'Jij bent Engels!' Het was een vaststelling, geen vraag, en hij was op een lieve, innemende manier dankbaar dat ze hem had gered. Holly vond het niet vervelend om de hele avond met hem te praten en het kon haar ook niet schelen dat hij de volgende dag belde om te vragen of ze met hem wilde lunchen, en ze vond het niet erg dat hij haar een paar avonden later kuste bij het afscheid, toen hij haar had thuisgebracht.

Eigenlijk was hij haar type niet, maar misschien, had ze gedacht, was dat zo slecht nog niet. Tenslotte had haar type haar tot nu toe niks opgeleverd. Niets meer dan een reeks waardeloze, teleurstellende relaties waarin Holly altijd degene leek die gekwetst werd. Misschien was het juist goed dat Marcus haar type niet was. Bovendien mankeerde er niks aan hem. Op papier kon hij er prima mee door. Hij was redelijk lang, best knap, duidelijk succesvol en hij leek haar te aanbidden. Eigenlijk was het hartstikke leuk om een keer aanbeden te worden.

Ik ga er gewoon van genieten, dacht Holly. Ik weet dat hij niet de man van mijn dromen is, maar hij verschilt heel erg van alle anderen met wie ik iets heb gehad. Misschien is dit beter voor me, misschien hoort een echte relatie zo te zijn. Misschien was ik wel degene die het mis had, misschien had ik niet op zoek moeten zijn naar een zielsverwant of een volmaakte partner, misschien hoor ik in plaats daarvan hiernaar op zoek te zijn.

Holly was op zoek naar veiligheid. Ze wilde geborgenheid in een periode waarin ze zich niet geborgen voelde. Haar hart was te vaak gebroken, en ze dacht niet dat ze iets beters zou kunnen vinden, ze geloofde niet dat ze recht had op een gelukkig einde. Ze hield zich voor dat dat alleen bestond in Hollywoodfilms. Dat vriendschap, veiligheid, gedeelde hoop en gedeelde dromen veel verstandiger waren en veel meer kans boden op een lang en gelukkig huwelijk.

Ze hield zich voor dat het niet erg was om met iets minder genoegen te nemen. Ze zou laten zien dat ze zich voor één keer volwassen kon gedragen en een volwassen besluit kon nemen. Dat het voldoende zou zijn. Maar gedurende haar huwelijk had Tom altijd

53

symbool gestaan voor wat er had kunnen zijn. Hij was niet alleen de ene man die was ontsnapt, de weg die ze niet had gekozen, de liefde waar ze niet voor had gekozen.

Nee, diep in haar hart wist Holly dat Tom degene was bij wie ze eigenlijk hoorde te zijn. Daarom komt het verlies dubbel zo hard aan. Ze rouwt om haar beste vriend, een man van wie ze houdt, en ze rouwt om het leven dat ze nooit heeft kunnen krijgen.

En voor vanavond, bij het etentje op de vooravond van de herdenkingsdienst, hoopt Holly op een soort loutering. Ze hoopt dat ze hun verdriet kunnen delen en verder zullen kunnen gaan met hun leven.

Ze is nerveus voor de ontmoeting met de anderen. Wel opgewonden, maar bezorgd. Die ene keer dat ze Olivia in de bioscoop was tegengekomen met haar afschuwelijke vriend, was Olivia heel stekelig geweest en haar vriend was arrogant en grof overgekomen.

'Het is echt ongelooflijk dat ik Olivia tegenkwam en dat ze met een afschuwelijke vent was,' had ze een op avond kort daarna tegen Tom gezegd. Ze zaten in een Grieks restaurantje in Bayswater. 'We hadden elkaar al die jaren niet gezien, dus dan zou je denken dat het een fantastisch weerzien zou zijn, maar hij sleurde haar min of meer mee. Je moet echt iets zeggen over haar smaak voor mannen.'

Tom had gelachen. 'Het zijn mijn zaken niet, Holly. Zij vindt hem leuk en dat is het enige wat telt.'

Holly had gezucht. 'Ja, je hebt gelijk. Maar Olivia was altijd heel lief en naïef wat mannen betrof, en ze lijkt niks te zijn veranderd. Wat doet Saffron eigenlijk? Heb je haar onlangs nog gesproken?'

'Waarom vraag je haar dat zelf niet? Ze vindt het vast leuk om iets van je te horen.'

'Het is te lang geleden. Ik vind het enig om over haar te horen, maar we zijn uit elkaar gegroeid en ik betwijfel of ze echt iets van mij zou willen horen.'

'Volgens mij wel,' had Tom gezegd. 'Ik weet het wel zeker. Jullie vragen allemaal naar elkaar, maar geen van jullie pakt een keer de telefoon.'

'Dat komt omdat ik ervan overtuigd ben dat we niks meer gemeen hebben,' had Holly gezegd. 'Behalve een gedeelde geschiedenis, dan. Maar ja, hoe vaak kun je herinneringen ophalen aan schuifelen in kerkzalen, gekleed in een duffelse jas en werkschoenen?'

54

'O, god,' had Tom lachend gezegd. 'Dat was ik vergeten. Je zag er echt vreselijk uit.'

'Nee, jij dan met je slechte imitatie van Suggs van Madness.'

'O, hou op. Dat probeer ik te vergeten. Maar volgens mij hebben jullie heel wat met elkaar gemeen, dat is toch logisch? We waren niet voor niks bevriend.'

'Ik weet het niet,' had Holly twijfelend gezegd. 'Volgens mij kwam dat omdat we zo lang gedwongen samen zijn geweest. Maar jij bent echt raar. Ik kan niet geloven dat je nog contact hebt met iedereen. Hoe doe je dat toch? Ik heb 's avonds nauwelijks tijd om op de boodschappen op mijn antwoordapparaat te reageren, laat staan allerlei mensen uit mijn verleden te bellen. Jij bent echt wonderbaarlijk.'

'Ik weet het. Daarom hou je ook van me.'

'Over houden van gesproken.' Holly had de welbekende nervositeit gevoeld. Daar was dat gevoel weer. Als een voortdurende draaimolen. Ze was vijfentwintig en ze zat aan een tafeltje terwijl ze keek naar het gezicht dat ze beter kende dan dat van wie ook, dat van haar beste vriend, en het enige waaraan ze kon denken was hoe het zou zijn om hem te zoenen.

'... heb je... een relatie?' Zenuwachtig draaide ze op haar stoel.

'Hoezo? Vind je me weer aantrekkelijk?'

Dat was een grap tussen hen geworden, het dan weer wel en dan weer niet verliefd zijn, maar tot Holly's schaamte kon ze geen woord meer uitbrengen, en er trok een diepe blos over haar gezicht.

'O, shit.' Tom schaamde zich dood. 'Zo bedoelde ik het niet. O, verdraaid, Holly. Had me dat twee maanden geleden maar verteld.'

'Twee maanden geleden had ik verkering met Jake.'

'Ik weet het.' Tom had geglimlacht. 'Ik was vreselijk jaloers.'

'Nou, waarom heb je toen niks gezegd?'

'Omdat je wat met Jake had. Wat had het voor verschil gemaakt?'

'Misschien had ik hem wel voor je aan de kant gezet.'

'Holly, Holly, Holly.' Tom had zijn hoofd geschud en het toen in zijn handen gelegd. 'We zijn niet voorbestemd om samen te zijn, dat weet je best.'

Holly's blos was even snel verdwenen als hij was opgekomen. 'Ja,' had ze verzucht. 'Maar stel dat we op ons dertigste allebei nog single zijn, wat dan? Zullen we afspreken dat we met elkaar trouwen als we allebei nog vrij zijn op ons dertigste?'

'Dertig?' Tom had een beetje geschrokken gekeken. 'Dat duurt nog maar vijf jaar. Kunnen we er niet vijfendertig van maken?'

55

'Oké.' Holly had haar hand uitgestoken en Tom had hem stevig geschud. 'Op ons vijfendertigste trouwen we.'

'Afgesproken.'

'Nou, vertel eens,' zei Holly na een paar minuten, met een mond vol pizza en tzatziki. 'Wie is ze?'

En zo ging het verder.

Holly heeft de moed niet gehad om te koken, maar ze heeft een salade gemaakt en een luxe pastaschotel, een paar stokbroden en een tiramisu gekocht bij de Italiaanse delicatessenwinkel bij haar in de straat. In de koelkast staat een aantal flessen wijn klaar.

De herinneringen blijven komen. Holly dekt de tafel voor vier personen en alles kost vijf keer zo veel tijd als anders omdat ze zich telkens verliest in een stroom herinneringen aan Tom.

Als ze klaar is met de tafel gaat ze naar de badkamer in een poging om de pijn te verhullen die de afgelopen weken zijn sporen heeft nagelaten op haar gezicht. Murine-oogdruppels om de roodheid uit haar ogen te spoelen, gekleurde vochtinbrengende crème om haar huid te egaliseren die vlekkerig is van de tranenstroom. Oogschaduw om haar ogen groter te maken, blusher om haar gezicht wat kleur te geven, want de laatste tijd had ze een ongezonde, grijze tint gekregen.

Niet beeldschoon. Niet nu. Maar toonbaar. Meer kan ze niet verlangen. De deurbel gaat als Holly zuchtend haar haar achter haar oren strijkt en de trap af loopt.

Ze heeft vaak gedacht aan een schoolreünie, maar ze had nooit gedacht dat die onder deze omstandigheden zou plaatsvinden.

5

Olivia is er als eerste. Ze staat onhandig op de drempel met een fles wijn in haar hand. Olivia is verbaasd hoe natuurlijk Holly en zij elkaar in de armen vallen en als ze zich weer losmaken, wrijven ze allebei over hun ogen, glimlachen en schudden hun hoofd, te emotioneel om iets te kunnen zeggen.

Een Saab rijdt met een slakkengangetje over de weg en ze draaien zich om. Holly kijkt met samengeknepen ogen naar de auto en ziet een man en een vrouw uit het raampje turen. Ze wuift heftig als de auto een plekje vindt, en even later lopen Paul en Saffron over het pad. Ze glimlachen allemaal treurig tegen elkaar, waarna ze elkaar een voor een met betraande ogen omhelzen. Geen van allen kan geloven dat ze na al die jaren weer bij elkaar zijn, of de reden die hen heeft samengebracht...

De groep loopt al babbelend Holly's keuken in, en ze is ineens opgelucht dat ze bij haar thuis zijn. Olivia had voorgesteld om uit te gaan om Holly de moeite van het koken te besparen, maar Holly had geweten dat ze dit niet aankon in het openbaar. Ze had een intieme ambiance nodig om over Tom te praten, ze had de warmte en de knusheid van een huis nodig.

'Hoe gaat het met je?'

'Je ziet er fantastisch uit.'

'Kijk jou nou toch!'

'Onze vriendin, de filmster!'

'Jezus. Hoe lang is het wel niet geleden?'

Hun stemmen weerklinken door de keuken en ze glimlachen elkaar toe. Olivia grijnst naar Saffron, Paul knijpt in Holly's schouders en Saffron heeft voor het eerst in jaren het gevoel dat ze niet Saffron Armitage de filmster hoeft te zijn, maar dat ze eindelijk Saff kan zijn. Gewoon Saff.

'Fijn om hier te zijn.' Paul laat zich op een keukenstoel zakken en drinkt met grote teugen van zijn wijn. 'Vreselijke omstandigheden, maar jezus, het is fijn om jullie weer te zien.'

57

'Vergeef me het filmcliché, maar ik heb het gevoel dat ik ben thuisgekomen,' zegt Saffron, en haar stem klinkt gesmoord door emoties.

Olivia doorbreekt de stilte door Paul een por te geven. 'Je hebt er al die jaren blijkbaar goed van gegeten,' zegt ze met een grijns.

'Wat onaardig van je.' Paul slaat zijn ogen ten hemel. 'Ik heb je vijftien jaar niet gezien en het eerste wat je tegen me zegt, is een belediging. Blijkbaar ben jij niks veranderd.'

Olivia slaat een arm om Pauls schouders en drukt hem tegen zich aan, waarna ze een zoen op zijn wang drukt. 'Je ziet er geweldig uit. Ik plaag je maar. En je moet juist blij zijn dat ik me nog altijd zo op mijn gemak voel bij jou.'

Saffron drentelt de woonkamer in en bekijkt de foto's die her en der staan. Ze pakt er een op, Holly en Marcus die grijnzend in de camera staren, zittend op een houten hek ergens op het platteland.

'Holly,' roept Saffron. 'Is dit je man?' Ze steekt de foto omhoog.

'Ja.' Holly kijkt even om de hoek. 'En daar is er een van mijn kinderen.'

'Ongelooflijk.' Saffron schudt haar hoofd. 'Holly Mac die getrouwd is en kinderen heeft. Toe maar.'

Holly loopt met een glimlach de keuken uit. 'Hé, Paul, over getrouwd gesproken. Ik heb een fotoreportage van je gezien in *Vogue* van vlak na je huwelijk. Meneertje Prada! Ik had je bijna opgebeld om je uit te lachen.'

Paul buigt schaapachtig zijn hoofd. 'O, ja. Toen voelde ik me wel een beetje een aansteller. Ik ben er wekenlang mee gepest en ik heb het alleen gedaan omdat Anna dacht dat het goede publiciteit zou zijn.'

'En was dat ook zo?'

'Ja.'

'Ik vind die website echt te gek!' zegt Holly. 'Vroeger gaf ik kapitalen uit op die andere kledingsite, maar hun service was waardeloos. Alles kwam altijd veertien dagen te laat omdat er geen voorraad was en ze boden nooit hun verontschuldigingen aan, en daar kon ik niet tegen. Daarom koop ik nu alleen nog bij Fashionista en die is geweldig. Echt waar, de verpakking, de snelheid. Zeg maar tegen je vrouw dat ik een enorme fan ben en dat ze het ongelooflijk goed doet.'

'Je vrouw wil ons zeker geen vriendenprijsjes geven?' probeert Saffron.

'Tuurlijk wel. Dan moet je haar wel eerst een keer ontmoeten en

58

ze moet je aardig vinden, wat natuurlijk een probleem wordt, maar ik zal een goed woordje voor je doen.' Paul glimlacht.

'Waarom koop je zo veel spullen bij hen?' vraagt Olivia.

Holly haalt haar schouders op. 'Twee redenen. Ten eerste heeft de inkoper van die website de allerbeste smaak die je je maar kunt voorstellen.'

Paul knikt zelfvoldaan. 'Dat is mijn vrouw wel toevertrouwd.'

'En...' gaat Holly verder. 'Naarmate ik ouder werd, bleek een van mijn slechte gewoontes dwangmatig winkelen te zijn.'

Saffron barst in lachen uit. 'Welkom bij de club, meid. Het lijkt erop dat dwangmatig consumeren de grootste vloek van de eenentwintigste eeuw is.'

'Dat en terrorisme,' zegt Olivia, en er valt een stilte als er een schuldgevoel op hen neerdaalt. Een schuldgevoel omdat ze lachen, omdat ze zich vermaken terwijl Tom dood is.

'Het spijt me,' zegt Olivia. 'Laten we een toost uitbrengen. Op Tom...' Ze kijkt omhoog. '... waar je ook mag zijn.'

'Op Tom,' herhalen ze allemaal. 'Was je maar hier.'

En zo gaat het verder... Als de avond vordert, verdwijnen de remmingen en worden de wederzijdse banden aangehaald. Wat hen ook al die jaren bij elkaar vandaan heeft gehouden is spoorloos verdwenen.

Olivia, die zo zenuwachtig was om deze mensen, bij wie ze zich altijd zo minderwaardig voelde, na al die tijd weer te zien is verbaasd en ontroerd als ze beseft dat ze Saffron niet langer als knapper of Holly als slimmer beschouwt. Dat zijn ze misschien nog wel, maar het stoort haar niet langer, ze zijn niet langer de standaard waar zij niet aan kan voldoen.

Saffron is rustiger en bedachtzamer. De oude Saffron was iemand die het vaak uitgilde, maar de Saffron die hier nu zit, lijkt rustig, ondanks haar verdriet. De aanstelster van weleer zit nu lekker in haar vel en is daardoor veel mooier dan vroeger.

Paul is geen spat veranderd. Hij is niks veranderd, ook al haalt Holly een exemplaar van *Vogue* tevoorschijn (ze had er direct een gekocht). Tom had gelijk, denkt Holly verdrietig, en ze herinnert zich haar gesprek met Tom toen ze Paul net in de *Vogue* had zien staan. Hij is nog altijd een sloddervos, maar wel een die er bij tijd en wijle ook heel netjes uit kan zien.

En Holly? Over haar moet je je waarschijnlijk de meeste zorgen maken. Zij is degene die verloren lijkt te zijn. Zelfs hier, te midden van mensen die haar langer kennen dan wie dan ook, zelfs al lijkt ze zich op haar gemak te voelen met haar benen onder zich getrokken in een hoek van de lange, zachte bank, zelfs hier lijkt ze verloren.

'Tom was waarschijnlijk de meest constante factor in mijn leven.' Olivia pakt de fles wijn van de salontafel en schenkt zich nog eens in terwijl ze een zucht slaakt. 'Wat er verder ook in mijn leven speelde, wie me ook in de steek had gelaten of hoe waardeloos mijn baan ook was, Tom stond altijd voor me klaar. Niet dat ik hem vaak zag, maar hij was zo ontzettend loyaal naar zijn vrienden toe, je kon altijd een beroep op hem doen. Als twintiger heb ik mijn best gedaan om van hem af te komen, maar hij wilde gewoon niet weg...'

De anderen lachen.

'Weet je wat ik het leukste vond aan Tom? Dat hij nooit veranderde. Dat hij nooit onder de indruk was van mensen of dingen, en hij kende me al zo lang dat hij weigerde zich geïmponeerd te voelen door mijn acteerwerk of de films waarin ik speelde. Vroeger stoorde me dat echt vreselijk,' geeft Saffron schouderophalend toe. 'Nadat ik in die film met Dennis Quaid had gespeeld dacht ik dat hij me eindelijk met wat meer respect zou behandelen, maar het kon hem geen zak schelen. Volgens mij heeft hij zelfs een keer gezegd dat ik een toontje lager moest zingen.'

'En heb je dat gedaan?' vraagt Paul met een geamuseerde grijns.

'Wat denk je?' Langzaam draait ze haar hoofd om en kijkt hem met opgetrokken wenkbrauwen aan.

'Dat leek me al niet.'

'Ik weet dat het vreselijk klinkt,' zegt Holly zacht, 'maar zeg je niet altijd dat je pas weet wat je hebt als het er niet meer is? Jarenlang ben ik regelmatig verliefd geworden op Tom, en toen leerde ik Marcus kennen en waren Tom en ik natuurlijk alleen nog maar vrienden, maar ik wou dat ik vaker met hem had gepraat, dat ik hem had laten weten hoeveel ik van hem hield. Ik bedoel, hoe kun je nou weten dat er zoiets zal gebeuren?'

'Dat kun je natuurlijk niet weten,' zegt Saffron, 'en dat wist hij best. Hij wist hoeveel we allemaal van hem hielden. Daarom wilde hij per se deel blijven uitmaken van ons leven.'

'Wil er nog iemand koffie?' Met een zucht strekt Holly haar benen en komt overeind van de bank. Zij weet dat haar relatie met Tom anders was, maar dat wil ze niet tegen de anderen zeggen. Nog niet.

'Ik heb liever nog wat wijn,' zegt Paul terwijl hij de laatste slok van zijn vierde glas neemt.

60

Het was niet lang na het etentje in Bayswater. Voor haar reis naar Australië waar ze halsoverkop verliefd werd op Marcus, voor de tijd waarin ze alleen een vriend zag als ze naar Tom keek.

Een ander etentje. Ditmaal in Holland Park. Gewoon om wat bij te kletsen. Holly was die ochtend naar de enorme uitverkoop van Ghost geweest. Ze had zich tussen honderden wanhopige vrouwen uit West-Londen door gevochten om alles te grijpen wat min of meer haar maat leek. Ze had het heel gewoon gevonden om zich midden in een vertrek met kledingrekken tot op haar beha en slipje uit te kleden, om de spullen aan te passen.

Ze had een prachtig doorschijnend lila jasje gevonden. Het was dun en ruimvallend en wapperde achter haar aan als ze liep. Rond de hals zat het vast met een teer kralensnoer en ze had het gecombineerd met een doorzichtige wijde broek en een topje.

Die avond zag ze er schitterend uit. Het was een warme middag geweest en ze was met Jody en een paar van Jody's vriendinnen naar Primrose Hill gegaan. Iemand had een grote deken meegenomen, een ander stokbroden en weer iemand anders kaas. Holly had de wijn meegebracht en ze hadden allemaal hun T-shirt uitgetrokken en hun strokenrok zo ver als ze durfden opgerold. Ze hadden heerlijk in de zon gelegen terwijl de frisbees en ballen over hun hoofden scheerden en honden langsrenden om wat van hun eten te stelen.

Holly had een huid die de zon maar even hoefde te zien of hij werd al bruin. Die avond boog ze haar hoofd naar beneden en schudde haar haren los om een enigszins wilde, sexy look te bewerkstelligen, ze deed wat glanspoeder op haar wangen en zilveren ringen in haar oren. Dat deed ze niet voor Tom, maar voor zichzelf, al wist ze dat Tom het zou waarderen.

Om zeven uur toeterde hij voor haar appartement, en Holly rende de trap af en sprong bij hem in de auto.

'Je ziet er fantastisch uit!' zei hij verbaasd, en ze boog zich naar hem toe en drukte een zoen op zijn wang.

'Ik weet het!' zei ze. 'Uitverkoop bij Ghost. Spotgoedkoop. Vind je het niet prachtig?'

'Ja, en hoe ben je ineens zo bruin?'

'Een combinatie van Primrose Hill en make-up. Vind je het mooi?'

'Je ziet er supergoed uit. Kom op. Ik heb een tafeltje gereserveerd bij Julie's.'

'O, wauw.' Holly ging recht in de autostoel zitten. 'Wat romantisch.'

61

'Ja, hè? Ik hoopte dat ik zou kunnen scoren.'

Holly trok haar wenkbrauwen op. 'Je weet nooit wat er kan gebeuren als je het slim aanpakt.'

Ze hadden een rustig, met kaarsen verlicht tafeltje in een hoek. Voor iedereen, behalve voor Tom en Holly, zou het belachelijk romantisch zijn geweest, maar in plaats van lieve woordjes tegen elkaar te fluisteren, babbelden ze honderduit en barstten ze voortdurend in lachen uit om elkaars grappen.

Ze deelden de crème brûlée en kruisten hun vorken als degens omdat ze allebei het meeste wilden hebben. En toen Tom stopte voor Holly's appartement, liep hij net als anders de trap met haar op om nog een laatste kop koffie te drinken.

Het was een volmaakte avond. Geen van beiden was verliefd geworden op de ander, ze hadden alleen van elkaars gezelschap genoten, en er waren geen valse verwachtingen gewekt die tot teleurstelling konden leiden.

Holly ging naast Tom op de bank zitten en legde haar benen over de zijne.

'Kalm aan,' zei Tom met een grijns. 'Je bent me toch niet aan het verleiden?'

'Echt niet,' zei ze, en ze nam een slokje van haar koffie. 'Toevallig heb ik in het verleden mijn lesje al vele malen geleerd.'

'Ik heb me vaak afgevraagd...' zei Tom, die niet naar Holly keek, maar zijn blik op haar in lila gehulde benen richtte, 'hoe het zou zijn om je te kussen.'

'O, hou toch op.' Holly begon te lachen. 'Zeg nou niet dat je me echt gaat versieren.'

Grijnzend haalde Tom zijn schouders op. 'Ik dacht er wel over na.'

'Nou, toe dan.' Ze trok haar wenkbrauwen op in de wetenschap dat het toch niet zou gebeuren, er was die avond geen seksuele spanning, geen hitte, geen bekentenis van seksuele aantrekkingskracht. 'Ik daag je uit.'

Een paar seconden bewogen ze zich geen van beiden en Holly wilde net in lachen uitbarsten en zeggen: 'Ik wist wel dat je deed alsof,' toen Tom zijn koffie neerzette en Holly weer aankeek. En opeens had ze geen zin meer om te lachen.

Het was de traagste, opwindendste zoen die ze ooit had gehad. Zelfs toen zijn lippen de hare raakten, had ze nog steeds niet het gevoel dat het echt gebeurde, had ze nog steeds een glimlach op haar ge-

62

zicht, dacht ze niet dat Tom het echt zou doorzetten.

Zacht, teder, alleen het gevoel van zijn lippen op de hare, en haar glimlach verdween. Toen opnieuw, kussen op haar bovenlip, haar onderlip, tot ze heel teder langs zijn bovenlip durfde te likken, over een wang durfde te strelen en haar vingers langs zijn nek durfde te laten gaan.

'Holly.' Een gefluisterde zucht van Tom.

'Sst.' Holly smolt tegen hem aan en ging toen een stukje naar achteren om naar hem te kijken. Tom. Haar Tom. Hij keek naar haar met halfgeloken ogen, glazig van lust. Ze zei niks, ze wilde het moment niet bederven, en ze boog zich weer naar hem toe om hem te zoenen en haar snelle, behendige vingers maakten vlug de knoopjes van zijn overhemd open.

'Tom.' Een gefluisterde zucht van Holly terwijl ze zoenen op zijn borst drukte en weer omhoogkwam om bij zijn lippen te kunnen.

Zo bekend. Zo veilig.

Dus zo hoort het te zijn.

Alsof je thuiskomt.

Tom ging weg voor het ochtend werd. Wat heel goed en natuurlijk aanvoelde in het duister, leek steeds onnatuurlijker naarmate de ochtendstond dichterbij kwam.

Hij liet Holly slapend in bed achter. Hij stond naast het bed en keek naar haar terwijl ze sliep, vlak voor hij de deur uit sloop, en hij voelde een grote droefheid. Hij had nooit gedacht dat dit echt zou gebeuren met Holly. Hij hield meer van haar dan van wie ook en hoe aantrekkelijk hij haar ook vond, je ging niet naar bed met je beste vriendin om te verwachten dat alles daarna weer normaal zou worden.

Je kunt niet naar bed gaan met je beste vriendin en dan iets met haar beginnen, uit eten gaan, je verhalen delen en kijken of het wat wordt.

Je kunt niet naar bed gaan met je beste vriendin zonder dat je meteen 'een stel' wordt. Er bestaat geen tussenweg. Als je met je beste vriendin naar bed gaat, zijn er twee mogelijke uitkomsten, en welke je ook kiest, de vriendschap is voorbij.

Tom houdt van Holly, maar dit had hij niet gepland, hier is hij niet klaar voor. Hij is pas vijfentwintig en hij is nog lang niet aan een vaste relatie toe. Zelfs niet met Holly. Hij heeft nog wilde haren die hij moet kwijtraken. Jezus. Woest schudt hij zijn hoofd. Wat heeft hem bezield? Maar Holly had er zo mooi uitgezien in lila, en later

63

in bed nog veel mooier, dus hoe had hij zich moeten beheersen? Geen enkele man had haar kunnen weerstaan.

En wat moet hij nu?

De volgende middag had Holly Tom gebeld. Ze had hem aan de lijn gekregen, en er was een ongemakkelijk, stijf gesprek gevolgd. Het ongemakkelijkste gesprek dat Holly ooit met iemand had gevoerd, maar een gesprek dat haar niet onbekend was. Dit zijn de gesprekken die je voert met mannen die het idee hebben dat je ze onder druk zet, had ze beseft. Dit zijn de gesprekken die je voert als je op het punt staat om aan de kant gezet te worden, wanneer jouw gevoelens duidelijk veel dieper gaan dan die van hen.

Maar hoe kan dat nou? Dit is niet zomaar iemand. Dit is Tom. Tom!

Ze namen afscheid, en Tom hing op en legde zijn gezicht in zijn handen. Dit vond hij echt vreselijk. Holly was wel de laatste die hij wilde kwetsen, maar hij had immers geen keus. Hij wist dat hij haar vriendje niet kon zijn en hoe konden ze na de afgelopen nacht weer gewoon vrienden worden?

Hij zou wat afstand nemen, besloot hij. Haar een poosje niet bellen. Niet dat hij haar in de steek liet, dat zou hij nooit doen, maar ze moesten wat afstand nemen van elkaar tot ze de vriendschap konden oppikken waar ze hem hadden afgebroken. Dat wilde zeggen, hun vriendschap van voor de afgelopen nacht.

Een paar weken lang was Holly er helemaal kapot van. In de loop der jaren had ze voldoende relaties gehad om te weten, ontsteld en met pijn, dat Tom hetzelfde was als de anderen, dat hun jarenlange vriendschap niets betekende en dat het nooit meer hetzelfde zou worden tussen hen.

Toen ze op een middag door *Time Out* bladerde, zag ze een advertentie voor een expeditie van drie maanden naar Australië. Haar leven in Engeland was nog nooit zo deprimerend geweest en de voortdurende aanmoedigingen van haar vrienden om eropuit te gaan en verder te gaan met haar leven waren aan dovemansoren gericht. Ze had een verandering nodig, ze moest weg van haar herinneringen, ze moest de videoband in haar hoofd verwisselen voor iets anders dan die ene nacht met Tom, dat gefluisterde 'Holly' waarvan ze had gedacht dat het betekende dat hij van haar hield, dat hij haar nooit in de steek zou laten.

64

Tom probeerde eindelijk weer contact te zoeken met Holly toen ze in Australië zat. Hij had haar gemist. Hij had aan veel andere dingen gedacht, maar uiteindelijk hadden alle wegen naar Holly geleid. Andere vrouwen waren niet wat Holly was en hij herinnerde zich voornamelijk het verlangen, het gevoel dat hij was thuisgekomen.

'Tom? Met Holly.'
'Holly? Waar ben je? Waar ben je geweest? Ik heb je gemist. Waar heb je in godsnaam uitgehangen.'
Holly had gelachen. 'In Australië. Ik zou eigenlijk drie maanden gaan, maar ik ben een halfjaar gebleven. Ik heb het echt geweldig gehad en ik heb iemand ontmoet! Ongelooflijk, hè? Dit is het, Tom, dit is de man met wie ik ga trouwen. Ik kan echt niet wachten tot je hem leert kennen.'
Die lieve Tom, dacht Holly, toen ze een afspraak had gemaakt zodat Tom Marcus kon ontmoeten. Wat heb ik hem gemist, dacht ze, en ze ging te veel op in haar eigen gevoelens om Toms verwarring te horen. Om te beseffen dat ze Toms hart misschien had gebroken, zoals hij het hare een paar maanden eerder had gebroken.

'Ik hield van hem,' wil ze schreeuwen, wil ze Paul, Olivia en Saffron vertellen, maar ze doet het niet. Ze weet namelijk wat ze dan zullen zeggen.
Dat zij ook van hem hielden.

65

6

'Allemachtig, wat is het druk,' mompelt Marcus. Hij draait hard aan het stuur terwijl hij voor de derde keer een blokje om rijdt.

'Er zijn waarschijnlijk heel wat mensen uit Amerika,' zegt Holly, die naar de mensen kijkt die naar de kathedraal lopen, in de hoop een bekende te zien. 'O, kijk!' zegt ze. 'Daar is Saffron. Saff! Saffron!' Ze steekt haar hoofd uit het raampje als Saffron zich omdraait, wuift en zich dankbaar naar de auto haast.

'O, gelukkig,' zegt ze hijgend. 'Ik wilde niet in mijn eentje naar binnen.'

'Mag ik uitstappen en met Saffron meegaan?' Holly kijkt naar Marcus, maar die is volledig hoteldebotel en ze onderdrukt een giechel. 'Jullie kennen elkaar nog niet, hè? Saffron, dit is mijn man, Marcus. Marcus, dit is Saffron.'

'Wat leuk om je te ontmoeten.' Saffron werpt hem haar stralendste glimlach toe, en Holly neemt die gelegenheid te baat om uit de auto te springen. 'Ik zie je binnen wel,' zegt ze. Achter hen toetert een auto en Marcus komt weer bij zijn positieven en rijdt langzaam verder. De twee vrouwen blijven staan en kijken elkaar lachend aan.

Want Marcus kan heel charmant zijn. De charmantste man die je ooit zult tegenkomen. In de rechtbankwereld staat hij bekend als Jekyll en Hyde. De ene dag kan hij heel hartelijk zijn, en de volgende zo afwijzend en kortaf dat de mensen geschokt blijven stilstaan terwijl ze hun hersens pijnigen om te bedenken wat ze in vredesnaam verkeerd hebben gedaan.

En hij is altijd charmant als hij iemand tegenkomt die hij wil imponeren.

'Ik dacht dat je man een arrogante klootzak was,' zegt Saffron.

Eigenlijk zou Holly gekwetst moeten zijn, maar ze hoort dit zo vaak dat het haar niet langer stoort. 'Dat is hij meestal ook, maar zoals je ziet, kan hij ook ongelooflijk charmant zijn.'

66

'Lag het aan mij of was hij nogal onder de indruk van me?' giechelt Saffron.

'Ja. Blijkbaar is Marcus niet zo koel en onaangedaan als hij oog in oog staat met een echte beroemdheid.' Holly rolt met haar ogen en geeft Saffron een arm. 'Maar wie heeft je eigenlijk verteld dat hij een arrogante klootzak is?'

'Mag ik Tom erbij lappen op zijn eigen herdenkingsdienst?'

'Ik had het kunnen weten,' snuift Holly, en ze voegen zich bij de grote menigte die de oprijlaan op loopt.

'Heeft Marcus *Lady Chatterley* gezien? Hij is vast als een blok voor me gevallen toen ik Lady Chatterley speelde.'

'Volgens mij is iedereen toen als een blok voor je gevallen.' Holly lacht. 'Oeps, voorzichtig. Straks krijg je nog sterallures.'

'O, verdomme. Doe niet zo gek. Ze vielen niet op mij, maar op het personage. De eerste keer dat ik helemaal naakt was in een film, en daar betaal ik nog steeds de tol voor. Bij elke man die ik ontmoet, hangt zijn tong uit zijn mond.'

'Dat lijkt mij geen probleem. Maar even serieus, Saff. Als je Marcus wilt, mag je hem hebben.'

'Dank je.' Saffron giert het uit. 'Maar ik heb mijn handen vol aan P.'

'Is dat je minnaar over wie je niet wilt praten? Noem je hem P?'

'Dat is gemakkelijker dan zijn hele naam en dan weet niemand over wie het gaat, mochten ze me per ongeluk horen. Ik... O, god. Jij kunt toch wel een geheim bewaren?'

'Tuurlijk.'

'Hij is heel erg beroemd, dus je moet beloven dat je het tegen niemand zult zeggen.'

'Op mijn erewoord.'

Saffron buigt zich vorover en fluistert een naam in Holly's oor.

'Maar... Hij is toch getrouwd met...'

'Precies. Daarom is het zo geheim. Sst.' Saffron legt een vinger op haar lippen als ze bij de deur komen. 'Ik zal je straks meer vertellen.'

Ze lopen het koele portaal in en volgen de menigte de kathedraal in. Alleen staanplaatsen. De zaal is helemaal vol, een paar honderd mensen staan dicht opeengepakt bij elkaar.

'Waar zijn zijn vader en moeder?' fluistert Holly en ze kijkt naar de voorkant.

'Die zoeken we straks wel op. Ik heb ze in geen jaren gezien. Jij wel?'

'Nee. Ik moet steeds denken hoe erg het voor hen moet zijn, om een zoon te verliezen.'

67

'En hoe zit het met zijn vrouw. Ze heet toch Sarah? Is zij hier met de kinderen?'

'Ze moet hier wel zijn. Sorry. Pardon.' Ze schuifelen langs groepjes mensen die net zo geschokt en verbijsterd kijken als zij zich voelen, tot ze een glimp kunnen opvangen van de preekstoel.

'Laten we hier maar blijven,' zegt Saffron. 'Hier kan ik tenminste ademhalen. Denk je dat je man ons hier kan vinden?'

'Ik hoop het niet.' Holly zucht, en Saffron kijkt haar fronsend aan.

'Zit het wel goed tussen jullie?'

Holly's lach klinkt hol. 'Ik doe alleen maar mal,' zegt ze. 'Let maar niet op me.'

'Holly Macintosh? Saffron? O, hemel!' Holly en Saffron zien een betraand gezicht, een enorme dramatisch zwarte hoed, een strak mantelpakje en hoge hakken met een scharlakenrode zool die direct verraden dat de schoenen van Louboutin zijn.

'Ongelooflijk!' zegt de vrouw, die eerst Holly en daarna Saffron stevig omhelst. 'Ik heb jullie niet meer gezien sinds we op school zaten. Is het niet vreselijk dat dit de eerste keer is dat we elkaar weer ontmoeten? Het is toch niet te geloven. Die arme Tom. En arme Sarah. Ik wil niet eens denken aan de kinderen. Het is hartverscheurend.'

Holly gluurt naar Saffron met een blik die zegt: Wie is dit in godsnaam? Maar Saffron lijkt het te weten, of weet in elk geval heel goed te verbergen dat dat niet zo is. 'Wat zie jij er goed uit, zeg,' zegt Saffron. 'Je bent geen spat veranderd.'

'Nu weet ik dat je liegt,' zegt de vrouw die zich een stukje voorover buigt en fluistert: 'Toen we nog op school zaten was mijn neus ongeveer even groot als de kathedraal. Gelukkig bestaat er plastische chirurgie en echtgenoten die daarvoor willen betalen! En nu we het daar toch over hebben, dit is mijn man, Eric.' Een kleine, lief uitziende man stapt naar voren. 'We zaten bij elkaar op school,' zegt ze tegen Eric, waarna ze weer naar Holly kijkt. 'Hebben Robin en jij niet kort iets met elkaar gehad?' Holly kijkt volslagen niet-begrijpend, maar Saffron gaat ineens een lichtje op. Als ze weet wie deze vrouw is, komt ze snel tussenbeide om de situatie te redden.

'Weet je dat niet meer, Holly?' vraagt Saffron. 'Dat is waar! Je hebt een hele poos verkering gehad met Robin Cartledge. Wat grappig dat je dat nog weet, Sálly!' Ze kijkt Holly veelbetekenend aan.

68

Holly kan haar ogen niet geloven. Is dit Sally Cartledge? Het meest timide meisje uit de klas met een neus die haar de bijnaam Concorde bezorgde. Ze was een van de slimme meisjes die nooit interesse aan de dag legde voor jongens, die na school naar Oxford ging en waar nooit meer iets van werd vernomen.

Maar hoe kan dit Sally Cartledge zijn? Deze slanke knappe brunette die perfect is opgemaakt en benen heeft die eindeloos lijken. Holly is verbijsterd en ze knijpt haar ogen wat samen als ze naar Sally kijkt, in een poging iets van de oude Sally te ontdekken, maar nee. Daar is niets van terug te vinden.

'Wij gaan daarheen,' zegt Sally zangerig. 'Maar het was heel leuk om jullie weer te zien. Kunnen we kaartjes uitwisselen? Het lijkt me heel leuk om een keer bij elkaar te komen.'

Nadat Eric en zij zijn weggelopen, slaakt Saffron een zucht van verlichting. 'Jezus. Godzijdank begon ze over Robin, anders had ik nooit geweten wie ze was.'

'Hoe kan dat Sally Cartledge zijn? Wat heeft ze met zichzelf gedaan? Sinds wanneer is ze zo mooi?'

'Nou, volgens mij nadat ze de plastisch chirurg had betaald voor de neusoperatie, lipimplantaten, botox op alle andere plekken en nadat ze haar tanden heeft laten rechtzetten en waarschijnlijk een paar jaar een dieet als The Zone heeft gevolgd.'

'Maar jezus, ik heb nog nooit zo'n gigantische gedaanteverandering gezien. Ik had nooit geraden dat zij het was.'

'Mooi, hè? Ik had de naam van haar chirurg moeten vragen.'

'Hoezo? Wat wil jij dan laten doen?' vraagt Holly vol afschuw.

'O, meid.' Saffron lacht. 'Ik heb mijn borsten al twee keer laten doen. Botox is net zo essentieel als tandenpoetsen en ik wil graag mijn ogen laten doen.'

'Waarom wil je je ogen laten doen? Wat wil je ermee laten doen? Er is niks mis mee.'

'Wel waar. Zie je die wallen?' Saffron wijst op de huid onder haar ogen. Holly buigt zich voorover, maar ze ziet niks.

'Nee.'

'Kom eens wat dichterbij? Zie je? Die kleine bobbel? Dat is vet dat is gezakt en dat wil ik dolgraag laten weghalen. Het is de eenvoudigste operatie die er is, en ik zal er jaren jonger door uitzien.'

'Wat is er gebeurd met waardig oud worden?'

'Dat kom je tegenwoordig niet meer tegen in het filmwereldje. Je moet alle hulp gebruiken die je kunt krijgen.'

'Volgens mij ben je knettergek. Ik zie helemaal niks.'

69

'Jij misschien niet, maar ik wel. Als ik in de spiegel kijk, zie ik alleen maar wallen. En trouwens, P heeft gezegd dat hij het wil betalen.'

'Echt waar? Waarom?'

Saffron haalt haar schouders op. 'Hij heeft ook voor de operaties van zijn vrouw betaald, en voor mijn twee borstoperaties. Hij verdient zeventien miljoen per film, dus het is niet meer dan een druppel op een gloeiende plaat. Bovendien vindt hij het fijn. Hij zegt dat hij zijn kleine meid graag verwent.'

'Hmm. Zo te horen hebben jullie een heel gezonde relatie.' Holly rolt met haar ogen. 'O, verdomme. Daar is Marcus. Snel. Buk je.' Ze grijpt Saffron en duikt weg achter een paar andere mensen.

'Ja,' zegt Saffron met een ironische glimlach. 'Jij hebt echt verstand van gezonde relaties. Maak je geen zorgen, je hoeft nu niks uit te leggen, maar er is duidelijk iets met jullie aan de hand. Godsamme, waar komen al die mensen vandaan?'

'Wie zal het zeggen? Ik bedoel, ik weet dat iedereen van Tom hield, maar de helft van de aanwezigen kijkt niet eens verdrietig. Sst. Ze gaan beginnen.'

Holly en Saffron staan zwijgend naast elkaar als er een stilte neerdaalt en er zachte muziek uit de boxen klinkt. De glasheldere stem van Linda Ronstadt galmt door de zaal.

So goodbye my friend
I know I'll never see you again
But the love you gave me through all the years
Will take away these tears
I'm okay now
Goodbye my friend

En het verdriet dat bij de deur had staan wachten, wordt verwelkomd als de mensen eindelijk beginnen te huilen.

Toms vader, Peter, houdt de eerste toespraak. Hij loopt naar het podium en schraapt zijn keel, en het eerste wat Holly opvalt als hij daar staat, is hoe oud hij eruitziet. In haar herinnering is hij een grote, imposante, hartelijke kerel. Niet een verloren, en... oude man, die onhandig zijn leesbril opzet en door zijn papieren bladert.

'Op 17 augustus 1968 stond ik voor het St. Mary's ziekenhuis een sigaar te roken, in afwachting van de geboorte van mijn eerste kind,' begint hij, en zijn stem klinkt verbazingwekkend krachtig en helder.

70

'In die tijd mochten vaders niet aanwezig zijn bij de bevalling, althans, dat had ik mijn vrouw verteld,' er gaat een golf opgelucht gelach door de menigte, 'en ik hoorde die sigaar toen nog niet op te roken, maar hij leek een gat in de zak van mijn colbert te branden, en ik kon niet langer wachten.

Nou, het kostte de verpleegkundigen een halfuur om me te vinden, maar uiteindelijk lukte het hun en ze vertelden me dat ik een prachtige zoon had, Thomas Henry Fitzgerald. Het is maar goed dat ik niet in de kamer was, want ik had andere namen in gedachten, Octavius Auberon was een van mijn keuzes...' meer gelach, 'maar Maggie won, en wat belangrijker was, Thomas Henry nam me helemaal voor zich in.

De naam Thomas betekent "betrouwbaar" en zelfs toen hij nog klein was, was Tom dat altijd. Er zijn heel veel andere woorden om hem te omschrijven, en de mensen die hem vergezelden op zijn jaarlijkse kroegentocht met oud en nieuw, kunnen vast wel een aantal treffende alternatieven bedenken, maar je kon altijd op Tom rekenen en hij was de trouwste zoon, en de trouwste vriend die een man zich kon wensen.'

Een lach en een traan. Vreugde en verdriet. Het scala aan emoties tijdens de dienst is zo groot dat Holly af en toe bang is dat ze het niet aankan. Ze kijkt om zich heen en ziet mensen met nietszeggende uitdrukkingen op hun gezicht, mensen die tegen elkaar fluisteren of ergens om lachen, en ze kan niet begrijpen hoe ze zo gewoon kunnen kijken. Hoe ze zich kunnen gedragen alsof er niets aan de hand is, terwijl het Holly zo veel moeite kost om de snikken die ze in haar keel voelt opwellen te onderdrukken dat ze vreest te zullen exploderen.

Ze gedragen zich allemaal zo waardig, denkt ze. Zijn vader die erin slaagt te glimlachen tijdens zijn rede, zijn moeder die bleek is, maar als een steunpilaar naast hem staat. Will, zijn broer, die grappige verhalen vertelt over dingen die ze als kinderen hebben uitgehaald, de idiote streken die ze elkaar hebben geleverd. Dat ze zo hecht met elkaar waren dat de mensen ze voor een tweeling aanzagen (waarvan Will, zo zei hij, de knappere, charmantere en succesvollere was, waarop Wills vrienden moesten lachen omdat zij wisten dat zijn carrière nogal wisselvallig is).

Er volgt nog een vriend, en dan is Sarah aan de beurt. Ze is kalm en ingetogen en er is iets betoverends aan haar eenzame Amerikaanse stem in deze o zo Britse dienst. Ze vertelt waarom ze ver-

71

liefd werd op Tom. Over hun kinderen. Wat een fantastische vader hij was. En terwijl ze praat, rent een klein meisje op haar af en trekt aan haar mouw.

'Mammie,' zegt ze hard. 'Waarom praat je over pappie? Kunnen we hem nu zien? Is hij in de hemel?' En Sarah tilt Violet op om haar te troosten terwijl de hele zaal zich opnieuw vult met tranen.

Sarah eindigt met een gedicht van Christina Rossetti en haar stem breekt als ze halverwege 'Denk aan mij wanneer ik ver weg ben' is, en het kost haar moeite om het uit te lezen. Als laatste klinkt Chopins Prelude nr. 6 door de boxen, wat de mensen de gelegenheid geeft om in tranen uit te barsten en elkaar te omhelzen. Ze lopen langzaam naar buiten en knipperen in het felle zonlicht, verkreukelde papieren zakdoekjes uit hun zak vissend om hun neus te snuiten terwijl ze treurig tegen onbekenden glimlachen.

Holly haalt een aantal keer diep adem om haar zelfbeheersing te hervinden en als ze zich omdraait ziet ze dat Marcus bij hen komt staan.

'Waar was je?' vraagt hij streng. 'Ik zocht je…' Dan ziet hij Holly's betraande gezicht en slaat hij zijn armen om haar heen.

'Dank je,' zegt Holly, die zich na een paar tellen losmaakt. 'Was het niet hartverscheurend?'

'Het was heel aangrijpend,' beaamt Marcus. 'En ik kende hem niet eens goed. Ik vond Sarah echt geweldig. Heel sterk en on-verstoorbaar.' Ja, hoor, denkt Holly. Echt iets voor Marcus om juist die kwaliteiten in een weduwe, of in wie dan ook, te bewonderen.

'Maar ik geloof niet dat het nodig is om naar zijn ouders te gaan,' zegt Marcus. 'Het is veel te druk, bovendien moet ik een hoorzitting voor morgen voorbereiden. We moeten gaan.'

Wat zijn we toch verschillend, denkt ze opnieuw, en dan, zoals tegenwoordig zo vaak gebeurt als ze aan Marcus denkt, komt er even een woord in haar op dat vervolgens weer verdwijnt.

Klootzak, denkt ze, maar ze dwingt zich tot een glimlach. 'Ik moet zijn ouders zoeken,' zegt ze. 'En Paul en Olivia zijn hier ook ergens. Ik vind het trouwens niet netjes om niet mee naar zijn ouderlijk huis te gaan. Het werk kan toch wel even wachten? Dit lijkt me belangrijker.'

'Belangrijker dan een voorbereiding op een hoorzitting?' vraagt Marcus kil. 'Ik begrijp dat je verdrietig bent, Holly, maar als je me van tevoren had verteld dat dit langer zou duren, zou ik een andere planning hebben gemaakt.'

72

Ja, hoor, denkt Holly. Doe maar net alsof het mijn schuld is, net als anders.

'Ik breng haar wel thuis,' zegt Saffron opgewekt. 'Ga jij maar aan het werk en maak je geen zorgen om Holly.'

'O, dank je, Saffron. Dat is heel vriendelijk van je.' Met een glimlach geeft Marcus Holly een plichtmatige zoen, en vervolgens geeft hij Saffron de gebruikelijke twee luchtzoenen. Ze kijken hem na als hij wegbeent naar de plek waar zijn auto staat.

Klootzak, denkt ze opnieuw, en ze wendt zich tot Saffron terwijl ze een gezicht trekt. 'Lieve hemel, het verbaast me dat hij zijn tong niet in je mond probeerde te steken.'

'Toe, gedraag je,' zegt Saffron. 'Hij komt er wel overheen. Eigenlijk is het best fijn om gewaardeerd te worden, vooral op een herdenkingsdienst.'

'Ja, er gaat niets boven wat ongepast flirten op een herdenkingsdienst,' zegt Holly.

'Over ongepast gesproken, heb je Will gezien?'

'Bedoel je Toms schattige, aaibare broertje Willy? Dat jochie dat bij ons binnen mocht komen toen we vreselijke tieners waren om toe te kijken hoe wij 'draai de fles' deden?'

'Ja, die bedoel ik. Maar heb je hem gezien?'

'Grote bruine ogen, slordig lang haar, prachtige glimlach met kuiltjes en ongetwijfeld een wasbordje onder zijn pak? Die?'

'Ja, precies.'

'Nee.' Holly haalt haar schouders op. 'Die is me niet opgevallen.'

'Wie had kunnen denken dat hij er zo uit zou zien als hij groot was!' zegt Saffron.

'Eigenlijk vind ik hem precies op Tom lijken,' zegt Holly peinzend. 'Een slordigere, meer ontspannen, jongere versie van Tom. Stel je hem voor met kort haar en in een poloshirt en spijkerbroek, dan heb je Tom min of meer.'

'Misschien wel, maar Tom heeft me nooit echt iets gedaan, en ik zie Will wel zitten.'

'Saffron!' Holly kijkt haar boos aan. 'Dat is ziek. Dit is de herdenkingsdienst voor zijn broer.'

'Dat weet ik ook wel,' gromt ze. 'En ik ben niet echt geïnteresseerd, ik zeg het alleen maar. Kom op, doe niet zo schijnheilig. Je mag dan getrouwd zijn, dat wil niet zeggen dat je niet kunt kijken. Je bent getrouwd, liefje. Niet dood.'

'Nou, vraag het me later nog maar een keer. Nu wil ik alleen Toms ouders zoeken.'

73

Holly blijft staan op een paar meter van de plek waar Maggie en Peter een rij mensen begroeten. Maggie kijkt op en vangt haar blik, ze wendt zich weer tot de mensen die haar condoleren en dan kijkt ze weer naar Holly.

'Holly?' vraagt ze, en als Holly verlegen knikt, opent Maggie haar armen waar Holly zich in stort voor een dikke knuffel. 'O, Holly!' zegt ze. 'Het is veel te lang geleden. Jaren en jaren. Nee maar, Holly! Peter, kijk eens!' roept ze naar haar man. 'Het is Holly Mac!'

Nadat Holly's ouders op haar veertiende waren gescheiden, had haar moeder een jaar zitten kniezen, maar daarna was ze uit bed gekomen, had ze een baan gekregen in een superhippe kledingboetiek en was plotseling in een helse moeder veranderd.

Ze begon zich heel dik op te maken, droeg alle kleren die Holly en haar vriendinnen wilden dragen maar die ze zich niet konden veroorloven (al hoorde niemands moeder kleding van Vivienne Westwood te dragen). Ze ging elke avond naar nachtclubs en bleef slapen bij een hele serie vrienden, de ene nog jonger en hipper dan de volgende.

Kortom: ze had er genoeg van om moeder te zijn, en al was Holly op haar vijftiende in feite oud genoeg om voor zichzelf te zorgen, dat wilde ze niet. Haar vrienden kwamen graag bij haar thuis, want op een Spaanse au pair na, die geen enkel contact met Holly en haar vrienden leek te willen hebben, was daar geen volwassene die hun vertelde wat ze moesten doen.

Bij Holly hoefden ze geen sigaretten naar binnen te smokkelen via balkons, of hun hoofd uit het raam te steken op steenkoude winterdagen. Sterker nog, bij Holly konden ze aan de keukentafel zitten en zo stoned als een garnaal worden, of dronken als een Maleier, net waar ze die dag zin in hadden. Eigenlijk had het veel weg van Saffrons huis, alleen waren Saffrons ouders er wel. Ze lieten Saffron vrij om te doen en laten wat ze wilde, maar in elk geval waren ze er.

Iedereen was jaloers op Holly terwijl zij alleen een normaal leven wilde. Ze wilde grenzen. Ze wilde een moeder die tegen haar zei dat ze geen make-up op mocht naar school en een vader die zei dat ze om elf uur thuis moest zijn.

Ze wilde bij een normale familie horen.

74

En wat ze kreeg, door haar vriendschap met Tom, was zijn familie. In hun keuken hingen altijd de heerlijke geuren van Maggies kookkunst, de thee leek altijd versgezet en op elk kussen zaten Labrador-haren van Boris of haren van een van de katten. Het was er rommelig, lawaaiig en gezellig. Er bleven steevast mensen eten, en Holly had altijd het gevoel gehad dat ze evenzeer bij het gezin hoorde als Tom en Will.

'Ik heb altijd al een dochter willen hebben,' had Maggie gezegd, en ze nam Holly vaak mee als ze naar de supermarkt moest. Of ze had Holly meegenomen naar Marks & Spencer om een nieuwe trui of een paar schoenen voor haar te kopen. 'Je hoort bij het gezin,' had ze dan gezegd, en Holly had altijd het gevoel gehad dat dat waar was.

Ze hadden haar zelfs een slaapkamer gegeven. Eigenlijk was het de rommelkamer, maar ze hadden wat spullen weggehaald die op het bed stonden, zodat Holly altijd ergens kon slapen. En Peter had op een rommelmarkt voor vijf pond een oude pick-up gekocht zodat Holly naar haar geliefde elpees van The Police kon luisteren.

Holly en Tom hadden vaak op de grond in zijn kamer gelegen (Tom had een veel betere pick-up en stereo, maar dat maakte haar niets uit, want tenslotte was dit zijn huis), en ze hadden verzamelbandjes gemaakt. Sommige met liefdesliedjes, andere met dansnummers en ze waren uren bezig om hun elpees zorgvuldig over te nemen en om de titels nauwgezet op de dunne lijntjes te schrijven. 'Tom, Will, Holly... eten!' werd er dan omhooggeroepen, en dan hadden zij teruggeschreeuwd: 'We komen zo.' Tom beklaagde zich erover en Holly deed mee voor de vorm, hoewel ze het in werkelijkheid heerlijk vond om behandeld te worden als een van de kinderen.

Tot haar huwelijk bleef ze heel dik met hen. Zelfs toen ze getrouwd was, bleef ze hen af en toe zien, maar dat veranderde na Toms verhuizing naar Amerika. Het was waar: ze had hen in geen jaren gezien.

Peters mond valt open als hij Holly ziet. 'Lieve hemel, Holly Mac! Je bent volwassen geworden,' zegt hij. Als hij haar omhelst, voelt Holly dat ze volschiet.

'Ik vind het zo erg,' zegt ze, en ze kijkt van Peter naar Maggie. 'Ik heb jullie geschreven en ik heb geprobeerd te bellen, maar jullie waren steeds in gesprek. Ik wilde jullie gewoon vertellen hoe ontzettend ik het vind, hoe erg ik Tom mis.'

75

'Dank je,' zegt Maggie, en ze geeft een kneepje in Holly's arm. 'Het is het ergste wat ons ooit is overkomen, maar je weet dat hij deze dienst prachtig zou hebben gevonden. Hij zou ervan hebben genoten dat Peter de mensen ondanks alles aan het lachen wist te maken. En waren Wills verhalen niet leuk? Hoe afschuwelijk dit ook is, hij zou niet hebben gewild dat we allemaal bij elkaar stonden te treuren, hij zou herinnerd willen worden om de goede dingen.'

'Ik weet het,' zegt Holly met een glimlach, om vervolgens met een vertrokken gezicht in snikken uit te barsten.

'O, lieverd,' zegt Maggie. Als ze haar armen om Holly slaat, merkt ze dat de kalmte verdwijnt die ze die dag heeft voorgewend – deze dag die ze heeft gevreesd. De pijn van het verlies van haar zoon is zo heftig dat ze tegen Holly aanleunt en ook in tranen uitbarst.

Zo blijven ze heel lang staan, stilletjes huilend, om zich uiteindelijk van elkaar los te maken en hun tranen weg te vegen.

'O, Holly, wat erg,' zegt Maggie. 'Ik wilde niet in jouw armen instorten.'

'O, Maggie, het was mijn schuld. Het spijt me ontzettend. Ik had nooit in jouw armen moeten huilen, niet na alles wat jij hebt meegemaakt. Ik schaam me dood en het spijt me oprecht.'

'Je hoeft je niet te schamen. Kom mee naar huis en drink een kop thee. Daar zullen we allemaal van opknappen.'

'Remember' van Christina Georgina Rossetti

Remember me when I am gone away,
Gone far into the silent land;
When you can no more hold me by the hand,
Nor I half turn to go, yet turning stay.
Remember me when no more, day by day,
You tell me of our future that you planned:
It will be late to counsel then or pray.
Yet if you should forget me for a while
And afterwards remember, do not grieve;
For if the darkness and corruption leave
A vestige of the thoughts that I once had,
Better by far you should forget and smile
Than that you should remember and be sad.

76

7

Het ruikt nog hetzelfde. Ondanks alle mensen die samendrommen in de gang, de woonkamer en alle overige beschikbare vertrekken, is dat het eerste wat Holly merkt als ze binnenkomt: Maggies en Peters huis ruikt nog hetzelfde.

Als thuis.

Nog altijd liggen dezelfde dhurries slordig in de gang, ze hebben nog dezelfde zachte bank, inmiddels met een aantal plaids erop, die tegen de achterwand staat met de enorme spiegel erboven.

De muren zijn volledig bedekt met schilderijen die Holly herkent, en door nieuwe. Grote olieverfschilderijen in mooi afgewerkte lijsten, litho's van Matisse, pentekeningen van interessante gezichten, landschappen, abstracte werken. Alles hangt door elkaar en toch vormt het een geheel.

En daar, boven een wandtafel, een ingelijste tekening van het gezin Fitzgerald. Maggie en Peter staan er grijnzend op, met hun armen om elkaar heen geslagen, en Tom, Will en Holly liggen voor hen op hun buik. FIJNE TROUWDAG, 1984! HEEL VEEL LIEFS, HOLLY staat eronder geschreven. Holly had een foto nagetekend met haar Rotring-pen en vervolgens zichzelf toegevoegd als lid van de familie.

Zoals altijd is Maggie in de keuken te vinden. Ze haalt cakes uit de verpakking en zet borden met sandwiches op het aanrecht terwijl haar vriendinnen bedrijvig om haar heen lopen, nieuw water koken en ervoor zorgen dat er voldoende kopjes zijn.

De keukentafel is nog altijd dezelfde, maar de keukenkastjes zijn gemoderniseerd – geen jaren zeventig werkbladen meer van vurenhout en kunststof. De kastjes zijn nu mooi antiek wit en de werkbladen zijn van dik hout. Maar de keukenkast waar de borden in staan is er nog, en de oude kerkbank die aan een kant van de geboende lange tafel staat is ook niks veranderd.

'Nou, wat vind je ervan?' Maggie kijkt op en ziet Holly. 'Er is niet veel veranderd, hè?'

Glimlachend schudt Holly haar hoofd. 'Behalve de kastjes ziet

77

alles er nog precies hetzelfde uit. Ik heb het gevoel dat Boris elk moment de keuken binnen kan springen.'

'O, Boris.' Maggie glimlacht. 'Wat een lieve hond was dat. Volslagen gek, maar wel lief. Tegenwoordig hebben we Pippa, een asielhond, al is ze best mooi. Wij denken dat ze een kruising is tussen een spaniël en een retriever.'

'Waar is ze?'

'Ze heeft een hekel aan drukte, dus we hebben haar in onze slaapkamer gestopt. Olivia is een stuk met haar gaan lopen.'

'Ja, natuurlijk, de dierenvriend.'

'Gelukkig kon ik zeggen dat we Pippa uit het asiel hebben gehaald. Ik geloof dat we daardoor direct in een goed blaadje bij haar kwamen.'

'Alsof je ooit in een slecht blaadje zou komen te staan.' Holly lacht. 'Kan ik je ergens mee helpen?'

'Nee, liefje. Ik ben bijna klaar. En op dit moment is het het beste dat ik iets omhanden heb. Ik vind het heerlijk dat al deze mensen op bezoek zijn, ik zou alleen willen dat het om een andere reden was.' Maggies ogen worden even vochtig, maar ze schudt haar hoofd om de gedachten weg te krijgen en ze pakt een paar bordjes die achter haar staan.

Holly loopt de keuken uit en zet haar speurtocht door het verleden voort. Ze baant zich een weg door de mensen die nu allemaal een kop thee in hun hand hebben en verhalen over Tom uitwisselen. Wanneer ze de trap op loopt, weet ze dat ze Toms kamer moet zien.

Als ze de deur opent, verwacht ze dat er weinig zal zijn veranderd. De rest van het huis is nog precies hetzelfde, dus waarom zou dat hier niet zo zijn? En in films zijn kamers altijd precies hetzelfde als vroeger. Maar vreemd genoeg is dit de enige kamer die een complete gedaanteverwisseling heeft ondergaan. De muren zijn fris geel, er hangen ingelijste afdrukken van *Babar* en *Le Petit Prince* en er staan mooie bedden met teddyberen op de kussens.

Holly glimlacht. Logisch, dit is nu de slaapkamer van Dustin en Violet voor als ze in Engeland zijn en komen logeren. Ze loopt naar het vensterzitje en neemt plaats, terugdenkend aan de keren dat Tom en zij uit het raam leunden om te kijken wie de mooiste rookkringen kon blazen.

De deur kraakt en Holly draait zich geschrokken om. Ze voelt zich direct schuldig omdat ze in Toms kamer is, een plek waar zij niet hoort, al hoort ze er natuurlijk wel.

Als ze ergens hoort, als Holly ergens ter wereld thuis is, dan is het hier.

'Ik dacht al dat ik je zag bij de dienst en ik had zo het vermoeden dat je hier zou zijn.' Will staat in de deuropening met een brede grijns en hij spreidt zijn armen zodat Holly erin kan rennen.

'O, Will,' zegt Holly met haar hoofd op zijn schouder terwijl ze hem stevig tegen zich aandrukt. 'Wat ben je volwassen geworden! Ongelooflijk! Het is enig om je te zien, en je lijkt sprekend op Tom. Een langharige versie van Tom, dan. O god, Will...' Ze voelt tranen in haar ogen opwellen. 'Het is echt verschrikkelijk. Ik vind het zo erg.'

'Ik weet het,' zegt Will terwijl hij over haar rug strijkt. 'Ik voel me nog steeds een beetje verdoofd en het is zo gek om al Toms oude vrienden hier te zien. De meesten heb ik in geen jaren gezien.'

Ze laten elkaar los en gaan naar het vensterzitje terwijl ze elkaar met een grijns aankijken.

'Je ziet er prachtig uit,' zegt Will. 'Jouw schoonheid komt met de jaren.'

'O, hou toch op.' Holly bloost heel licht. 'Ik ben helemaal niet mooi. Moet je die grijze haren en die rimpels maar eens zien.' Ze trekt haar wenkbrauwen op zodat er een stel bobbels op haar voorhoofd ontstaan.

'Nou, goed. Je ziet er niet zo mooi uit als je dat doet, maar even serieus, het is echt heel leuk om je weer eens te zien. Wat is er eigenlijk met je gebeurd? Je bent getrouwd, wij zijn allemaal op de bruiloft geweest, we hebben nog een paar kerstkaarten gekregen en toen ben je spoorloos verdwenen.'

'Ik weet het. Ik kan niet geloven dat ik het contact met jullie heb verloren. Ik denk dat er gewoon andere dingen tussenkwamen. Echtgenoot, kinderen, werk.'

'Ach, ja. De dingen die gewone mensen doen. Al heb ik daar zelf niet zo veel ervaring mee.'

'Nee? Waarom niet? Ben je nog altijd de losbandige zoon? Ben je soms in de tijd blijven steken, zo rond 1989?' Holly lacht.

'Als je het aan mijn ouders vraagt, zouden ze ja zeggen.' Will slaakt een zucht. 'Ik ben gewoon geen huisje-boompje-beestje-type.'

'O, nee? Heb je geen toegewijde vrouw en zes kinderen?'

'Echt niet. Ik ben meer iemand die langdurige monogame relaties heeft. Ook al ben ik er al een paar keer van beschuldigd dat ik bindingsangst heb, volgens mij ben ik nog niemand tegengekomen aan wie ik me wil binden.'

'Hoe oud ben je nu eigenlijk? Vijfendertig?'

'Ja. In een keer goed.'

Holly haalt haar schouders op. 'Dan heb je nog tijd zat. Ik ben getrouwd toen ik in de twintig was en eigenlijk was dat te jong. Niet dat het een vergissing was of zo, ik ben heel gelukkig...' Ze hakkelt een beetje en vraagt zich af waarom ze die leugen vertelt, en dan uitgerekend aan Will, maar de leugen voelt veiliger dan de waarheid. 'Ik vind dat het verboden moet worden om voor je dertigste te trouwen.'

'Waarom?'

'Omdat er na je dertigste nog zoveel verandert. Hoe kun je dan voorspellen of je een hechtere band zult krijgen of dat je juist uit elkaar zult groeien?'

'Nou.' Will bestudeert haar gezicht een paar tellen. 'Zijn jij en... Marcus, is het niet?' Holly knikt. 'Zijn jullie uit elkaar gegroeid?'

'Lieve hemel, Will. Wat een zwaar onderwerp op Toms herdenkingsdienst.' Die vraag wil Holly niet beantwoorden. Dat kan ze niet. Ze wil er niet eens aan denken wat het antwoord zal zijn.

'Genoeg over mij. Wat doe je voor werk? Ben je ergens heel succesvol in? Ben je een miljonair die aan elke arm een supermodel heeft?'

Will lacht. 'Niet echt. Nou, ik heb wel een paar knappe modellen gehad en ik ben best goed in mijn vak, als ik werk.'

'En wat doe je precies?'

'Ik ben timmerman, denk ik. Of meubelmaker. Ik bedoel, ik pak alles aan om mijn reizen mee te bekostigen. Ik probeer om hier een halfjaar te werken en dan genoeg geld te verdienen om een halfjaar te reizen en in het buitenland te verblijven.'

'Wauw.' Holly trekt haar wenkbrauwen op. 'Jij durft je echt niet te binden.'

'Begin jij nou ook al?' vraagt hij met een grijns. 'Zeker omdat ik geen eigen huis en een pensioenpolis heb?'

'Maar op die manier plaats je je wel een beetje buiten het echte leven.' Dat kan Holly alleen zeggen omdat het Will is. Tegen iemand anders zou ze dat nooit durven. 'Ik bedoel, ik zou het wel kunnen begrijpen als je vijfentwintig was, maar op je vijfendertigste?'

Will haalt zijn schouders op. 'Ik leid het leven dat mij gelukkig maakt, en dat is toch zeker het allerbelangrijkste? Ik kan naar eer en geweten zeggen dat ik mijn leven fantastisch vind, en hoeveel mensen ken jij die dat kunnen zeggen?' Er volgt een stilte en hij grijnst. 'Kun jíj dat zeggen?'

80

'Ik heb geweldige kinderen,' zegt Holly. 'En een geweldig leven. Ik ben dol op mijn werk en op het leven dat ik gerealiseerd heb.' Maar zodra ze het zegt, weet ze dat het niet waar is, vooral niet nu ze dit huis weer is binnengelopen.

Dit is namelijk waar Holly altijd naar heeft verlangd. Ze wilde prettig gestoord en chaotisch zijn, ze wilde een huis vol kinderen, gelach en vrolijkheid. Maar dat mag niet van Marcus, en het dringt pas net tot Holly door dat ze wellicht nooit het leven zal krijgen dat ze wil. Niet met Marcus.

'Maar ben je gelukkig?' houdt Will vol.

'Kan een mens echt gelukkig zijn?' Holly probeert nonchalant haar schouders op te halen. 'Als concept is het prima, maar eerlijk gezegd geloof ik dat ik meestal gewoon mijn leven probeer te leiden. Af en toe ben ik natuurlijk wel gelukkig, maar altijd? Volgens mij is dat niet realistisch.'

Will schokschoudert. 'Daar gaat het nou juist om. Ik kan misschien niet zeggen dat ik altijd gelukkig ben, maar wel het grootste deel van de tijd. 's Ochtends bij het ontwaken vind ik mijn leven fantastisch. Alles eraan. Daarom doe ik het. Als ik op een dag wakker word en besluit dat het tijd is om me te settelen, een huis te kopen, de twee verplichte kinderen te krijgen met alles wat daarbij komt kijken, dan zal ik dat zeker doen. Maar nu voel ik me hier goed bij.

Met een berustende glimlach haalt Holly haar schouders op. 'Als dat is wat jij wilt, is het prima. Echt waar. Ik vind dat we de keuzes die een ander maakt altijd moeten respecteren. Hoe kunnen we over anderen oordelen als we niet in hun schoenen hebben gestaan?'

'Zo denk ik er ook over. Trouwens... Heb jij Enge Sarah al gezien?'

Holly's mond valt open. 'Hoe weet jij dat ik haar zo heb genoemd?'

'Dat heeft Tom me verteld.' Wills ogen fonkelen van plezier. 'Hij vond het om te gieren.'

'O, verdomme. Ik schaam me dood,' kreunt Holly, en ze laat haar hoofd in haar handen zakken. 'Maar nee, ik heb haar nog niet gezien. Hoe gaat het met haar.'

Will kijkt treurig. 'Eigenlijk niet zo best. Ik had verwacht dat ze heel koel en stoïcijns zou zijn, en dat ze zich zou gedragen alsof ze alles aankan, maar ze barst steeds in huilen uit en niemand weet precies wat we voor haar kunnen doen. Het verbaasde me dat ze zich in de hand wist te houden tijdens de dienst.'

'Is ze beneden?'

81

'Ik denk het wel. Of misschien in de logeerkamer. Ik moet bekennen dat ik haar de afgelopen dagen veel aardiger ben gaan vinden. Ik noemde haar altijd de IJsprinses, maar volgens mij zien we nu de echte Sarah.'

'Kom mee.' Holly staat op. 'Ik moet haar zien, en we moeten weer eens naar beneden.'

Op de gang draaien ze zich spontaan naar elkaar toe en geven elkaar een knuffel.

'Het is zo leuk om je weer te zien,' zegt Holly in zijn oor 'Net alsof ik mijn verloren gewaande broertje heb teruggevonden.'

'Au.' Will maakt zich van haar los en glimlacht. 'Wist je dat ik vroeger smoorverliefd op je was?'

'Echt waar?' Holly is stomverbaasd.

'Ja. Jij was mijn eerste grote liefde.'

'Echt waar?' Holly's hand vliegt naar haar hart dat een slag over lijkt te slaan. 'Dat heb ik nooit geweten.'

'Ik heb het je nooit verteld. Kom, dan gaan we Sarah zoeken.' Will steekt zijn hand uit en leidt Holly teder de trap af.

'Kom morgen terug,' zegt Maggie als ze Holly een afscheidsknuffel geeft. 'Dan is iedereen weg en ik wil graag wat uitgebreider met je praten. Wat dacht je van morgenochtend?'

'Dat lijkt me heel leuk,' zegt Holly. 'Is Sarah er dan ook? Ik wil haar dolgraag spreken.'

'Ik hoop het,' zegt Maggie. 'Na de herdenkingsdienst kon ze het niet aan om mensen te zien. Het is allemaal heel uitputtend voor haar en bovendien zit ze onder de medicijnen. Haar dokter heeft haar allerlei pillen gegeven. Zoloft en Xanax tegen depressiviteit en Ambien om te slapen. Volgens mij slikt ze de hele dag pillen.'

'Dat klinkt nogal eng.'

'Dat vind ik ook, maar kennelijk is dat heel normaal in Amerika. Maar goed. Hopelijk is ze morgen op. Ik weet zeker dat ze je graag wil zien.'

Dat weet ik zonet nog niet, denkt Holly, maar ze doet er verder het zwijgen toe.

Zoals gewoonlijk is Holly om drie uur 's nachts klaarwakker. Ze probeert een poosje in bed naar Marcus' gesnurk te luisteren, maar uiteindelijk staat ze op, trekt een kamerjas aan en gaat naar boven, naar haar atelier. Ze gaat aan haar bureau zitten, trekt het stukje papier tevoorschijn waar Will zijn gegevens op heeft gekrabbeld en bestudeert zijn e-mailadres.

82

Ze opent haar mailprogramma en tikt zijn adres in. Met een glimlach schrijft ze een paar zinnen over hoe ontzettend leuk het was om hem weer te zien, hoe erg ze Tom mist, maar dan wist ze die regels en begint opnieuw.

Een paar zinnen over hoe fijn het was om eindelijk echt met iemand te kunnen praten, hoe zelden het gebeurt dat je zo'n sterke band hebt met iemand uit je kindertijd, maar ook die worden gewist en weer begint ze opnieuw.

Als ik de eerste was, typt ze met een glimlach om haar lippen, wie was dan de tweede? Van een slapeloze nieuwsgierige uit Brondesbury. En ze zet haar computer uit en gaat naar beneden om thee voor zichzelf te zetten.

Marcus buigt zich over haar heen om haar een afscheidszoen te geven, als altijd om half zes 's ochtends. Voordat hij met de auto naar het station rijdt om met de metro naar kantoor te gaan, maakt hij Holly even wakker. Als ze niet al wakker is, probeert ze daarna nog een uurtje te slapen voordat de kinderen haar komen wekken.

Vandaag ligt Holly in bed en ze hoort de voordeur dichtslaan, zijn auto starten en de oprit afrijden. Als het geluid weggestorven is, springt ze uit bed en rent naar boven naar haar atelier. Ze doet haar computer weer aan en gaat direct naar de nieuw binnengekomen mail. Ze glimlacht als ze een antwoord ziet van Will. Wauw, denkt ze. Dat heeft hij om vier uur gestuurd. Hij kan ook niet slapen.

Beste slapeloze nieuwsgierige uit Brondesbury,

Interessante vraag. Ik heb zo het idee dat ik slechts een grote liefde heb gekend in mijn leven, al was er ook een minder grote liefde voor Cynthia Fowler toen ik op de universiteit van Durham zat. Ik heb haar eerst een jaar van een afstandje aanbeden (dat lijkt kenmerkend voor mijn jonge jaren), en uiteindelijk heb ik een jaar een relatie met haar gehad, nadat ze het had uitgemaakt met haar gespierde maar domme vriendje dat rugby speelde. In de loop der jaren heb ik natuurlijk verschillende liefdes gekend, wat heel logisch is voor iemand van vijfendertig, maar geen van alle zo onschuldig of pijnlijk lief als mijn prepuberale dromen. Weet je nog dat we bijna een keer met elkaar hebben gevoosd? Van Tom en jou mocht ik meedoen met 'draai de fles' en ik draaide die fles rond en bad tot Onze-Lieve-Heer. Ik beloofde dat ik nooit meer iets ondeugends zou doen als ik jou kreeg, en het lukte me. We gingen de kast in en je gaf me een zoen op mijn mond,

83

en ik wilde je wanhopig graag echt zoenen, maar ik wist niet hoe dat moest. Die kus heeft me jarenlang warm gehouden (misschien doet hij dat nog steeds wel)...

Flirt hij met me? Flirt ik met hem? Wat is hier aan de hand? Waar ben ik mee bezig? Is dit niet hoe verhoudingen beginnen? Heb ik niet altijd gezegd dat ik nooit een verhouding zou hebben, niet zoals mijn vader? Heb ik niet altijd beweerd dat ontrouw het ergste is wat een mens kan doen? O, godsamme, Holly, dit is geen geflirt. Dit is gewoon een lolletje. Wie heeft hier iets gezegd over een verhouding?

Bovendien kan het geen flirten zijn. Hij is Toms broer, en Tom ligt nog maar koud in zijn graf. Het laatste waar Will nu aan denkt, is dit, en het is ook het laatste waar ik aan zou moeten denken. Flirten zou wel heel ongepast zijn. Zo. Punt uit. Dit is geen geflirt. Dit is vriendschap.

Toch is het misschien vreemd dat de vragen er zijn, al denkt Holly Mac er niet de hele dag aan, en daarom houdt ze zich voor dat ze een oude vriend heeft teruggevonden. Daarom zit ze om half zes achter de computer en kijkt ze of ze mail heeft. Omdat ze het heerlijk vindt dat ze de Fitzgeralds heeft teruggevonden en omdat ze opgewonden is dat ze Will na al die jaren heeft teruggezien.

Wat geeft het als er een beetje onschuldig wordt geflirt? Eigenlijk is het enig dat er weer met haar geflirt wordt nadat er jarenlang niemand naar haar heeft omgekeken.

Vroeger voelde Holly zich aantrekkelijk, maar de laatste tijd voelt ze zich gestrest. In de kleding die ze draagt om met de kinderen op pad te gaan voelt ze zich een overspannen moeder en als ze uitgaat met Marcus in haar kasjmieren truien en parels voelt ze zich een bedriegster.

Ze voelt zich bijna nooit Holly, de echte Holly. De Holly die Will heeft gekend. Daarom voelt ze zich misschien zo op haar gemak, denkt ze, terwijl ze nadenkt over wat ze moet terugschrijven.

En wat geeft het als hij een beetje flirt? Holly zou nooit iets doen en het is heel stimulerend dat een knappe single man belangstelling voor je heeft. Ze zullen gewoon vrienden blijven, besluit ze. Het is heel fijn om weer een mannelijke vriend te hebben, dat heeft ze gemist sinds Tom en zij zo ver uit elkaar zijn gegroeid.

Het komt niet bij haar op dat die dingen bijna altijd zo beginnen.

84

Paul belt later die ochtend. 'Maggie zei dat je vanochtend naar hen toegaat, en ik wil dolgraag met je mee. Ik heb je gisteren nauwelijks gezien en Saffron is al heel snel verdwenen omdat P belde. Ik haal Olivia om elf uur op en dan gaan we naar Toms ouders. Moet ik jou ook ophalen?'

'Dank je, Paul. Heel graag,' zegt Holly. Ze zet de telefoon terug en vraagt zich af hoe het komt dat je mensen in geen twintig jaar ziet, en dat het meteen als vroeger voelt als je ze dan weer tegenkomt. Dat het meteen bekend en vertrouwd is, alsof alle tussenliggende jaren zijn uitgewist.

Vandaag doet ze extra veel moeite voor ze naar Maggie en Peter gaat. Een beetje meer make-up dan anders, ze föhnt haar haar wat langer om ervoor te zorgen dat het glad en zijdeachtig is. Een sexy blouse en een marineblauwe broek, laarzen met hoge hakken – gelukkig is het oktober! – en mooie stenen oorbellen in de vorm van een bloem.

'Wauw! Jij ziet er goed uit.' Olivia grijnst als ze in de auto stapt. 'Heb je straks soms een sollicitatiegesprek?'

Holly bloost en voelt zich direct ongemakkelijk. Misschien moet ze zich omkleden, misschien heeft ze overdreven. Ze heeft Will een mailtje teruggestuurd om te zeggen dat ze vandaag naar zijn ouders gaat. Terwijl ze onder de douche stond, had ze gedacht: Als hij me leuk vindt, zal hij er zijn, en vervolgens had ze zichzelf meteen een standje gegeven omdat ze zo kinderachtig deed.

'Nee, maar ik heb wel een vergadering op de zaak,' liegt ze. 'Meestal probeer ik me een beetje netjes aan te kleden als ik naar kantoor moet.'

'Je ziet er fantastisch uit,' zegt Paul. 'Trouwens, als jullie iets van Fashionista.uk willen, moeten jullie het even zeggen. Ga maar gauw op de website kijken, want Anna heeft gezegd dat jullie alles tegen inkoopsprijs mogen hebben.'

'Ik geloof niet dat Fashionista.uk echt iets voor mij is,' zegt Olivia lachend, en ze gebaart naar haar oude spijkerbroek en werklaarzen. 'Ik ben bang dat ik mijn modebewuste dagen al lang en breed achter me heb gelaten.'

Ik wil er best eens kijken, denkt Holly. Ze mag dan hebben gezegd dat ze heel vaak bij die webwinkel koopt, maar in feite is dat niet waar. Ze heeft er wel dingen gekocht, en ze vindt alles er prachtig, maar Marcus leek de spullen die ervandaan kwamen nooit leuk te vinden. Te trendy, zei hij altijd. Ongeschikt, volgens hem. Gewoon verkeerd.

85

Daarom was het al een tijdje geleden dat Holly het online kledingaanbod van Fashionista.uk had bekeken.

Het wordt hoog tijd dat ik iets voor mezelf koop, iets wat ik mooi vind, ongeacht wat Marcus ervan vindt.

Voor ze Marcus kende, had Holly het heerlijk gevonden om zich via haar kleding te uiten. Ze had uren op Portobello Road gezocht naar de volmaakte tweedehands jurk, ze had altijd precies geweten wat dat jaar in of wat uit was, zelfs als ze het zich niet kon permitteren. Zij wist zich prima te redden met kleding van Miss Selfridge, Warehouse en de markt.

En toen ze het zich wel kon permitteren, toen Marcus na hun huwelijk veel begon te verdienen, ontdekte ze dat hij de kleren die zij kocht vreselijk vond. Prachtige hemdjurken van Egg in Knightsbridge, kaftans met kralen van boetiekjes in Notting Hill, lange oorbellen van amethist en kwarts.

De hippe kleding eindigde achter in haar kast en werd vervolgens cadeau gedaan aan de schoonmaakster. Marcus grapte altijd dat Ester, hun Filippijnse werkster, een duurdere garderobe had dan de meeste van hun vrienden.

Ze had geleerd zich te kleden zoals Marcus het wilde. Verstandig, conservatief, van goede kwaliteit. Haar sieraden waren klassiek en onopvallend, haar haar glad en meestal opgestoken omdat Marcus er een hekel aan had als het loshing.

Vandaag had ze de oorringen ingedaan die Marcus verafschuwde en ze had de laarzen met hoge hakken aangetrokken die Marcus als 'ordinair' had bestempeld. Voor ze wegging had ze in de spiegel gekeken en ze had zich voor het eerst in jaren sexy gevoeld. En nu ze in de auto zit denkt Holly dat ze best graag wat leuke, hippe kleding zou willen hebben.

Ze heeft schoon genoeg van stomme kasjmieren truien en die achterlijke instappers van Tods. Ze zal bij Fashionista.uk gaan kijken of ze iets hebben wat zij mooi vindt. Ze is nog niet eens veertig, peinst ze. Veel te jong om zich te kleden als een vrouw van zestig, en wat maakt het uit als het Marcus niet bevalt? Zij vindt zijn pretentieuze Turnbull & Asser overhemden met het monogram niet mooi, maar dat weerhoudt hem er niet van om ze toch te dragen.

Als ze binnenkomen, zit Sarah aan de keukentafel brieven te beantwoorden van de honderden mensen die haar hebben geschreven.

Als Holly naar haar toe loopt, kijkt ze op en Holly schrikt van hoe ze eruitziet. Sarah ziet er altijd uit om door een ringetje te halen. Nuffig, heeft Holly altijd gedacht. Met keurig gekapt haar en minimale maar elegante make-up. Nu is haar gezicht opgezet en zijn haar ogen rood omrand met donkere schaduwen eronder. Ze draagt een veel te groot sweatshirt waarvan Holly onmiddellijk weet dat het van Tom moet zijn geweest en haar haar is kroezig en er vallen plukken uit de slordige staart.

Als je gisteren bij de herdenkingsdienst was geweest en Sarah nu zou zien zitten, zou je nooit denken dat het dezelfde vrouw was. Will heeft gelijk. Gisteren was ze erin geslaagd zich groot te houden. Pas nu wordt het Holly duidelijk hoeveel moeite haar dat moet hebben gekost.

'O, Sarah,' zegt Holly, vol medeleven en verdriet. 'Ik vind het zo erg.' Ze slaat haar armen om Sarah die tegen haar schouder leunt en in tranen uitbarst.

'Ik mis hem gewoon,' snikt Sarah. 'Ik mis hem zo erg.'

'Dat weet ik toch,' fluistert Holly, over haar rug strelend.

'Het spijt me,' zegt Sarah na een poosje en ze maakt zich los en pakt een gescheurd zakdoekje uit de zak van haar spijkerbroek. 'Ik raak steeds overstuur waar anderen bij zijn.'

'Volgens mij is dat precies wat je hoort te doen.' Holly geeft een kneepje in haar hand.

'Hij hield van jou, Holly,' zegt Sarah onverwachts. 'Jij had altijd een speciaal plekje in zijn hart en ik was altijd jaloers op je. Het spijt me zo.' En ditmaal is het Holly's beurt om te huilen en haar zorgvuldig aangebrachte make-up loopt omlaag over haar gezicht.

'Is Will er niet vandaag?' Holly heeft een uur gewacht, en elke keer dat de deurbel rinkelde, hoopte ze dat Will zou binnenkomen, maar niets van dat alles.

Maggie schudt haar hoofd en haalt haar schouders op. 'Will is een schat,' zegt ze. 'We zijn dol op hem, maar hij is hopeloos. Hij heeft nooit veel verantwoordelijkheidsgevoel gehad en op tijd komen lukte hem ook niet. Waarschijnlijk duikt hij vanavond ergens op. Wat is hij groot geworden, hè? Niet te geloven.'

'Inderdaad,' beaamt Holly, en ze vraagt zich af waarom ze zich zo teleurgesteld voelt. Vanavond? Kan ze dan terugkomen? Zou dat stom zijn? De kinderen moeten naar bed worden gebracht, Marcus moet worden verzorgd. Nee. Met een zucht beseft ze dat ze niet kan terugkomen. Zo, dat was het dan, 'als hij me leuk vindt, zal hij er zijn', denkt ze. En als Paul naar haar toe komt en vraagt of ze klaar is om te vertrekken, knikt ze, terwijl ze verbaasd is dat een humeur in zo'n korte tijd van dolblij naar diepbedroefd kan omslaan.

87

8

'Mammie, wil je me wat cornflakes geven?' klinkt Daisy's klagende stemmetje op een paar centimeter afstand van Holly's gezicht.

'Ja, schatje,' kreunt Holly. Ze opent een oog tot een spleetje en kijkt naar de wekker. 6.14 uur. Verdomme. Wat zou het fijn zijn om kinderen te hebben die uitsliepen. 'Geef me nog een paar minuutjes.' Holly dommelt net weer in als ze Daisy's stem opnieuw hoort. 'Mammie, wanneer kom je uit bed? Zit je vast?' Holly is er een paar keer in geslaagd om Daisy te laten geloven dat ze vastzit in bed, waarop het meisje naar Fraukes kamer rende en Holly weer kon gaan slapen.

'Nee. Ik kom eraan,' zegt ze, en ze duwt de dekens van zich af. Ze kijkt naar Marcus die als een bobbel aan de andere kant van het bed onder de dekens ligt. In al de jaren dat ze bij elkaar zijn heeft Marcus in het weekend nog nooit het ontbijt voor de kinderen gemaakt. Hij heeft het de hele week druk op zijn werk, zegt hij, en hij kan alleen uitslapen in het weekend. En ik dan, had Holly een keer geprobeerd tegen te werpen. Ik werk ook, en ik voed de kinderen op, ik zorg voor het huishouden, ik betaal de rekeningen en ik kook. Wanneer mag ik uitslapen?

Doordeweeks helpt Frauke je, had Marcus teruggezegd. En daarna had hij laten doorschemeren dat haar baan toch niet belangrijk was. Ze meent dat hij het een verstrooiing noemde terwijl zijn baan heel belangrijk was en hij was moe en verdiende het om uit te slapen.

Soms, als Holly naar Marcus kijkt, haat ze hem.

Soms gedraagt ze zich als een tiener. 'O, ja,' mompelt ze tegenwoordig binnensmonds als Marcus zegt dat hij niet kan helpen afwassen, geen gordijnrail kan ophangen of niet een halfuurtje voor de kinderen kan zorgen zodat Holly even rust heeft. 'Ik was vergeten wat een drukbezet en belangrijk man je bent.'

'Je weet toch dat mijn man het druk heeft en dat hij heel belangrijk is,' zegt ze nu vaak tegen Frauke, en dan proesten ze het uit.

Frauke woont al lang genoeg bij hen om te weten dat Marcus zich nooit zou verwaardigen om iets nuttigs in huis te doen als hij ook solitaire en backgammon kan spelen in de privacy van zijn kantoor.

Oliver zit al opgekruld op de bank aan de andere kant van de keuken en gaat helemaal op in een veel te gewelddadige tekenfilm waar hij eigenlijk niet naar zou mogen kijken. Maar op deze manier maken Daisy en hij geen ruzie, en het is toevallig wel zaterdagochtend.

Toen Holly klein was had ze elke zaterdagochtend naar *Multi-Coloured Swap Shop* gekeken en had ze de tv af en toe op *Tiswas* gezet (wat ze lang niet zo leuk vond) en zíj heeft er niks aan overgehouden.

'Goedemorgen, Olly,' roept Holly, maar er komt geen reactie. Ze probeert het nogmaals en wordt beloond met een korte blik in haar richting en een grom.

'Wie wil er wentelteefjes?' vraagt ze opgewekt terwijl ze controleert of ze genoeg eieren heeft, en Oliver slaagt erin te zeggen dat hij daar wel trek in heeft.

'Mag ik helpen, mammie?' Daisy sleept een stoel door de keuken en klimt erop zodat ze naast Holly staat. 'Ik zal de eieren wel doen,' zegt ze, en Holly kijkt met een glimlach toe hoe Daisy de eieren stukslaat zodat zowel het ei als de eierschaal in de kom belandt.

'Kijk maar hoe ik het doe,' zegt Holly. Ze pakt een ei en breekt de schaal zorgvuldig met haar duimen zodat de inhoud in de kom valt. 'Zie je? Nu jij.' Daisy doet het volgende ei heel netjes en haar borstje zwelt van trots.

Holly zet de radio van Radio Four – Marcus' keus – op Radio One en zet een sterke kop koffie voor zichzelf. Ze slaat de plaatselijke krant open op het aanrecht om te kijken of er dit weekend iets te doen is voor de kinderen. De weken lijken voorbij te vliegen, ze heeft het druk en haast zich van het een naar het ander en een dag duurt nooit lang genoeg, maar zaterdagen en zondagen lijken voorbij te kruipen. Ze had nooit kunnen denken dat ze op zou zien tegen de weekenden, maar de laatste jaren vreest ze die meer dan wat dan ook.

Ze lijken nooit meer iemand te zien. Holly vraagt wel mensen op bezoek – weliswaar minder vaak dan vroeger – maar ze worden bijna nooit teruggevraagd. Misschien geeft niemand meer etentjes, want als hun vrienden eens een groot feest geven, worden ze altijd uitgenodigd, maar Holly heeft een donkerbruin vermoeden dat het meer met Marcus te maken heeft.

89

Holly kan geen speelafspraken met vriendjes of vriendinnetjes voor de kinderen regelen, zoals doordeweeks, want de weekenden zijn voor het gezin. Maar omdat Marcus pas rond het middaguur opstaat, moet ze zaterdag- en zondagochtend altijd dingen zoeken die de kinderen kunnen doen. Zij zou het helemaal niet erg vinden om gewoon thuis te blijven met ze en ze lekker tv te laten kijken, maar meestal krijgen ze op een gegeven moment ruzie – wie heeft de afstandsbediening, wie neemt meer ruimte in op de bank, wie heeft wie geknepen – en de paar keer dat ze Marcus hebben wakker gemaakt, was hij razend. Het is eenvoudiger om ze ergens mee naartoe te nemen, om iets buitenshuis te gaan doen. Olivia heeft de vorige avond een boodschap ingesproken om te vertellen dat haar neefje vandaag bij haar is. Of Holly naar haar toe wilde komen omdat de kinderen van dezelfde leeftijd zijn en omdat zij graag nog wat met Holly wil praten. Holly belt haar terug en een paar minuten later hebben ze een afspraak gemaakt en slaakt Holly een zucht van verlichting.

Het is namelijk verreweg het eenvoudigst om te zorgen dat ze voldoende afleiding heeft in haar leven, dat ze van hot naar her rent. Want als Holly ooit eens zou stilstaan, zou ze beseffen hoe eenzaam ze is. En als ze dat beseft, zou het hele kaartenhuis wel eens kunnen instorten.

Op zaterdag gaat Holly het liefst naar het park bij hen om de hoek, vooral op een frisse herfstochtend als vandaag. De kinderen kunnen in de bladeren springen, er is een fantastische speeltuin, ze vinden het allebei leuk om naar de honden te kijken die worden uitgelaten – en waarvan ze er een aantal hebben leren kennen – en er is een leuk tentje waar Holly een kop thee of koffie kan drinken, en soms neemt ze er een croissant of een pain au chocolat bij als speciale traktatie.

Oliver en Daisy zijn gek op de speeltuin, al beweert Oliver dat hij hem niet meer zo leuk vindt nu hij bijna volwassen is. Want de speeltuin is voor kleine kinderen. Maar er zijn altijd moeders met wie Holly kan praten, en ze heeft de meeste van haar vriendinnen uit de buurt in het park leren kennen.

Doordeweeks verzamelen alle au pairs zich hier op de bankjes om te kletsen terwijl de kinderen op wie ze passen er rondrennen. Dan hebben ze allemaal een gsm in hun hand en sms'en en praten ze tegelijkertijd. Holly heeft Frauke zien sms'en en dat heeft haar een gevoel van hulpeloosheid bezorgd. Zo snel en goed zal zij dat

90

nooit kunnen. Als Holly Frauke sms't kost het haar ongeveer vijf minuten om één zin in te toetsen, waardoor ze zich vreselijk oud voelt.

'Jippie!' Olivers gezicht klaart op als ze door het park naar de speeltuin lopen en hij rent voor hen uit en duwt het hek open. 'Ze hebben het piratenschip gemaakt!' Hij stormt de speeltuin in, op de hielen gevolgd door Daisy en ze gaan de plank van een houten piratenschip op dat een maandlang afgezet is geweest toen de splinters werden afgeschuurd en het van een nieuwe laklaag werd voorzien.

Holly ziet Olivia op een bankje zitten en ze begrijpt dat de enige andere jongen in de speeltuin Oscar moet zijn. Ze gaat naast Olivia zitten, wier gezicht opvrolijkt als ze haar telefoontje beëindigt.

'Ik moet ophangen,' zegt ze in de telefoon. 'Ik bel je straks wel terug. Holly!' Ze staat op en beide vrouwen omhelzen elkaar. 'Wat idioot dat er jaren voorbij kunnen gaan zonder dat je elkaar ziet en nu ik je een paar weken niet heb gezien, lijkt het jaren geleden! Hoe gaat het?'

'Prima. Ik vind het hartstikke leuk om je weer te zien. Dat weet je niet half.' Holly stopt haar handen in haar zakken en huivert in de novemberlucht. 'Ik was al bang dat ik me dood zou vervelen als ik weer in mijn eentje in het park moest zitten, dus ik was blij dat je boldo.'

'Ik weet het,' zegt Olivia lachend. 'Waarom denk je dat mijn gsm aan mijn rechteroor is vastgenaaid?'

'Waar is je nichtje?'

'Ze zijn met haar naar een echte meisjesverjaardag. Ze worden opgemaakt en er zijn modeshows en Oscar zei dat hij zich van kant zou maken als hij mee moest, vandaar dat hij vandaag bij mij is. Nou, wat is er aan de hand met Marcus en waar is hij vandaag?'

Holly trekt een gezicht.

'O, o. Als hij ook maar een beetje lijkt op de man van mijn zus, is hij aan het werk of slaapt hij. Hmm. Ik denk dat hij aan het werk is.'

'Nee, meneer luiwammes slaapt.'

Olivia rolt met haar ogen terwijl Holly haar schouders ophaalt. 'Waarom denken ze toch dat zij het hardst werken van allemaal en het verdienen om uit te slapen terwijl ze geen idee hebben wat wij allemaal doen? Jezus, als Marcus een week voor de kinderen en het huishouden moest zorgen, zou het op een ramp uitdraaien.'

'Breek me de bek niet open. Toen mijn zus vijf dagen naar Spanje ging met haar vriendinnen lagen er bergen vuile was toen ze thuiskwam. Er was niks gedaan en toen Ruby geen schoon ondergoed meer had, heeft Michael gewoon nieuw voor haar gekocht bij Gap. Bovendien hield hij zich niet aan hun dagelijkse routine. Hij gaf ze elke avond tubes Smarties als lokkertje om naar bed te gaan en hij begreep maar niet waarom ze vervolgens twee uur lang door het huis renden omdat ze een overdosis energie hadden van alle suiker.'

Holly begint te lachen. 'Hij gaf ze tenminste nog Smarties. Marcus zou zich als drilsergeant gedragen.' Ze geeft een imitatie van Marcus. 'Oliver! Haal je schoenen van de bank! Daisy, leg die kussens terug! Oliver, ga naar boven om je huiswerk te doen! Onmiddellijk! Holly, haal onmiddellijk op met ademhalen!' Holly zucht.

'Ach.' Olivia wrijft over Holly's arm en verbaast zich erover dat Holly haar dat allemaal vertelt. 'Die dingen komen op ons pad om ons te beproeven. Het is echt enig om je weer te zien. Het is heel bijzonder om bij mensen te zijn die je al je hele leven kennen.'

Holly glimlacht. 'Ik weet het. Het voelt als familie.'

'Precies. En ik heb je gemist. Jij en ik zouden vaker met elkaar moeten lunchen. Of een avondje uitgaan, als meiden onder elkaar. Om er even helemaal uit te zijn zodat we weer ontdekken wie we zijn. Ik kan af en toe best wat lol gebruiken.'

'Dat lijkt me heel leuk,' zegt Holly naar waarheid.

Opeens krijgt Olivia een idee en haar gezicht klaart op. 'Heb je al plannen voor vanavond?' vraagt ze. 'Het is wel geen meidenavondje, maar waarom komen Marcus en jij niet bij mij eten? Ik vind het altijd vreselijk als ik niks te doen heb op zaterdagavond.'

'Geen babysitter,' zegt Holly. 'Frauke gaat dit weekend naar Brighton. Maar wij hebben toch geen plannen, dus waarom kom je niet bij ons? Jij bent tenslotte de single vrouw, dus wij horen voor jou te koken.'

'Weet je het zeker? Nou heb ik het gevoel dat ik mezelf heb uitgenodigd.'

'Dat is ook zo, maar dat geeft niet. We gingen toch niks doen. Het lijkt me hartstikke leuk.'

'Ik moet Oscar om vijf uur naar huis brengen. Tenzij je het wilt doen met de kinderen.' Olivia kijkt naar de speeltuin waar Oscar en Oliver een verbond hebben gesloten en het piratenschip barricaderen zodat Daisy niet omhoog kan, en als Daisy begint te jammeren, werpt Holly Olivia een droge glimlach toe.

'Nee, zonder de kinderen,' zegt ze, als Daisy struikelend en met

92

een betraand gezichtje naar haar toe rent. 'De jongens zijn gemeen tegen me,' zegt ze, en Holly tilt haar op schoot en trekt een gezicht tegen Olivia.

'Ja,' stemt die in. 'Absoluut zonder.'

Tegen de tijd dat ze weer naar huis gaan – na drie pains au chocolat, twee warme chocolademelk en een kop thee – zit Marcus aan de keukentafel met een cafetière vol koffie, klinkt er zachte klassieke muziek uit de boxen in de muur en liggen de kranten opengeslagen voor hem.

'Hallo, lieve kinderen van me.' Met een glimlach legt hij de krant neer en opent zijn armen zodat hij zijn giechelende, opgewonden kinderen kan omhelzen. 'Ik heb jullie gemist deze week. Lieve hemel, Daisy. Het lijkt wel of je sinds dinsdag vijf centimeter groter bent geworden. Is dat ook zo?'

'Nee, hoor,' giechelt ze. 'Misschien twee centimeter.'

'Nou, je lijkt veel groter.'

'En waar komen die spieren ineens vandaan, Oliver?' Hij knijpt zacht in Olivers magere bovenarmpje.

'Ik heb push-ups geoefend,' zegt Oliver trots. 'En ik ben heel goed in gym op school. Mijn leraar zegt dat ik de beste van de klas ben.'

'Nou, dat is nog eens goed nieuws.' Marcus kijkt over de hoofden van de kinderen glimlachend naar Holly en onwillekeurig moet ze lachen.

Op dit soort momenten, als Marcus liefdevol, vriendelijk en teder is, weet Holly dat alles goed zal komen. Dat ze niet de verkeerde keus heeft gemaakt, dat het wellicht mogelijk is dat ze de rest van haar leven bij hem zal blijven. Er zijn zonder meer dingen die ontbreken, maar misschien is hetgeen ze hebben voldoende.

Hoe kan ze hun gezin verscheuren als hij in wezen zo'n goede vader is? Goed, hij mag dan een vader zijn die bijna nooit thuis is, maar niets duurt eeuwig en als de kinderen groter worden, gaat hij misschien inzien hoe belangrijk het is om er voor hen te zijn. Dan zal hij misschien vroeg van kantoor gaan om naar hun schooluitvoeringen of naar de lerarenavonden te gaan, of om gewoon thuis te zijn om ze naar bed te brengen.

Op dit soort momenten weet Holly waarom ze met hem is getrouwd. Hij is een goede man. Hij mag dan een ander leven willen dan Holly, maar zij is een uitstekende kameleon en het is niet echt moeilijk om de rol te spelen die hij van haar verwacht en het resultaat is het waard. Hij is een goede echtgenoot, een goede vader en een goede kostwinner.

93

Hij is evenwichtig en betrouwbaar, het tegenovergestelde van haar eigen ouders. Elk aspect van Holly's leven is veilig en stabiel, precies wat ze zich als kind had gewenst. Ze had gezworen dat ze dat zou hebben als ze getrouwd was en zelf kinderen had.

Goed, er is geen hartstocht, geen opwinding, geen vonk.

Nou en?

Die verdwijnen na een tijdje toch sowieso? Wat geeft het dat het er ook in het begin niet was? Er zijn toch zeker andere dingen die dat compenseren...

'O, ik ben Olivia tegengekomen in het park,' zegt Holly. 'En ik heb haar uitgenodigd om te komen eten.' Een stilte, en ze weet weer hoe vervelend hij onverwachte uitnodigingen vindt, tenzij hij ze zelf heeft gedaan. Haar schouders verstijven als ze zich voorbereidt op zijn afkeuring. Waarschijnlijk zal ze Olivia moeten afbellen.

'Is dat goed?' vraagt ze hoopvol, en de spanning is hoorbaar in haar stem.

'Ja, prima,' zegt hij vrolijk, en Holly voelt haar schouders naar beneden zakken van opluchting.

'Ik ben wel toe aan een leuk avondje,' zegt hij. 'Moeten we nog iemand anders uitnodigen?' Dit zijn de gelegenheden waarbij Marcus haar verbaast, als hij onverwacht gul, uitnodigend en warm is. 'Het zal leuk zijn om weer eens een chic etentje te geven. Ik kan wel even vragen of Richard en Caroline kunnen.'

Holly voelt hoe de moed haar in de schoenen zinkt. Een saaie collega van Marcus.

'Je zult haar heel aardig vinden,' zegt Marcus. 'Ze is modejournaliste, heel amusant.'

'Ja, maar ik geloof niet dat Olivia een echt dineetje verwacht,' zegt Holly voorzichtig. 'Ik dacht zelf meer aan een etentje in de keuken, en het is zo kort dag dat ik betwijfel of de mensen kunnen. Maar we kunnen het proberen... Zullen we Paul en Anna ook vragen als de vrouw van je vriend een modejournaliste is?' Marcus kijkt verward.

'Mijn andere vroegere schoolvrienden?' helpt ze hem herinneren.

'Je hebt die mensen in geen twintig jaar gezien. Waarom wil je nu ineens weer zo dik bevriend met ze raken?'

'Dat wil ik niet,' zegt Holly verdedigend. 'Maar Caroline is een modejournaliste en Anna is de baas van Fashionista.uk.net, dus ze hebben waarschijnlijk heel veel gemeen. Ik heb haar nog nooit ont-

94

moet, maar ik vind haar nu al aardig. En Paul is zo makkelijk, die kan met iedereen opschieten. Misschien kunnen ze helemaal niet, maar ik wil ze graag uitnodigen.'

'Goed idee,' zegt Marcus. De week ervoor heeft hij nog een profielschets van Anna gelezen, en hij besluit ter plekke dat ze precies het type is met wie hij moet optrekken. Holly pakt de telefoon om Paul te bellen.

Om zes uur zijn de kinderen in bad geweest en hebben ze gegeten. Nu zitten ze gebiologeerd naar *The Incredibles* te kijken op de dvd-speler in de slaapkamer van Holly en Marcus. De gesmoorde lamsbout staat lekker te prutttelen in de Le Creuset-schaal in de oven en de tarte tatin koelt af naast het fornuis. De keukentafel is gedekt met mooi provençaals blauw-geel linnen en Holly heeft sinds het wakker worden pas acht keer haar e-mail gecontroleerd.

Als ze voor de achtste keer niks anders aantreft dan tientallen junkmails – ze kan een kapitaal verdienen door te investeren in een Nigeriaanse bankzwendel, er wordt haar Cialis aangeboden of ze kan haar penis laten vergroten (die laatste had ze bijna doorgestuurd naar Marcus, met de boodschap erbij: volgens mij is deze voor jou, maar ze dacht niet dat hij erom zou kunnen lachen. Ze stuurde ze heel vaak door naar Tom en hij kwam dezelfde belachelijke e-mails tegen voor borstimplantaten en natuurlijke botox alternatieven die hij naar haar stuurde) zet Holly haar computer vastberaden uit.

Ik stel me aan, zegt ze tegen zichzelf. Natuurlijk gaat Will me niet mailen. We hebben per slot van rekening niks met elkaar. Ik ben een getrouwde moeder met twee kinderen en hij mag dan hebben opgebiecht dat hij twintig jaar geleden smoorverliefd op me was, maar dat zegt niks over nu.

Moet je om te beginnen eens goed naar me kijken. Mijn borsten zwaaien zowat rond mijn enkels als ik loop, mijn buik is bedekt met zwangerschapsstriemen en als ik mijn pincet niet had, zou ik een hangsnor hebben. Natuurlijk ziet hij mij niet zitten. Will is een schat, maar hij is Toms broer en dat heeft er waarschijnlijk alles mee te maken. Het is niet zozeer Will, maar meer zijn band met Tom. Dit zijn geen echte gevoelens en ik weet honderd procent zeker dat ze zullen overgaan.

Die gedachten schieten door Holly's hoofd en met een zucht van verlichting – omdat ze het nu begrijpt – doet ze de computer uit en gaat naar beneden om zich klaar te maken voor het etentje.

95

'Ze is beeldschoon,' fluistert Holly tegen Olivia als ze met een paar nieuwe flessen uit de kelder komen, of zoals Marcus zou zeggen: uit de wijnkelder. 'Vergeleken bij haar voel ik me een enorme slons.'

Holly wordt onmiddellijk rood als ze op Caroline stuiten die boven aan de trap staat. Maar Caroline buigt zich voorover en fluistert samenzweerderig: 'Ze heeft echt de perfecte winter-look. Hebben jullie haar Chloe-tas gezien? Die is onmogelijk te krijgen, er is een wachtlijst van maanden voor, behalve als je de baas bent van Fashionista.uk.'

'Het spijt me.' Holly probeert zich te herstellen van haar flater. 'We hebben elkaar pas net ontmoet en dan sta ik hier een beetje te roddelen.'

'Maak je niet druk,' zegt Caroline, en Holly en Olivia ontspannen zich. 'Mode draait om roddels, zonder zou het wel heel saai zijn.'

'Nou goed, dan… Het is erg om te zeggen, maar ik schaam me een beetje voor mijn huis.' Holly krimpt ineen. 'Ik heb het gevoel dat ze op een Conran-bank hoort te zitten in een prachtig gepleisterd huis in Regents Park, niet op de versleten bank die nog van mijn moeder is geweest in mijn Edwardian huis in Brondesbury.'

'Doe niet zo stom,' vermaant Olivia haar streng. 'Ten eerste heb je een schitterend huis – ik wou dat mijn huis er zo uitzag – en ten tweede wonen zij in Crouch End. Dat is bepaald geen Regents Park. Bovendien moet je mensen niet op hun uiterlijk beoordelen. Tom heeft nooit een kwaad woord over haar gezegd. Caroline, jij kent haar reputatie vast wel. Wat heb jij over haar gehoord?'

'Ze is een kreng.'

'Nee!' Holly en Olivia snakken naar adem, en Caroline begint te lachen.

'Nee, natuurlijk is ze geen kreng. Ze is fantastisch. Een van de nuchterste mensen in het vak. Ik heb alleen maar goede dingen over haar gehoord. Laten we naar binnen gaan en met haar praten.'

Holly kreunt. 'O, moet dat echt?'

'Hou op,' zegt Olivia met een grijns. 'Ik begin het gesprek wel, dan kun jij je ertussen mengen.'

Maar dat is niet nodig. In de keuken treffen ze Anna aan die haar schoenen heeft uitgedaan en haar mouwen heeft opgerold. Ze snijdt de rest van de salade die Holly in de steek heeft gelaten om met Olivia te gaan roddelen in de kelder. Ook heeft ze al een begin gemaakt met de sladressing.

96

'O, Anna, dat hoef je echt niet te doen,' zegt Holly vol afschuw. 'Laat mij maar.'

'Ik vind het helemaal niet erg.' Anna glimlacht. 'Ik heb tot mijn achtste in Zweden gewoond en in mijn familie sprong iedereen altijd bij om te helpen met de maaltijden. Zo ben ik grootgebracht, iedereen in de keuken en iedereen hielp.'

'Maar... Ik wil niet dat je kleren vies worden.'

Met een samenzweerderige glimlach buigt Anna zich naar haar toe. 'Als je een modebedrijf hebt, kun je je kleren altijd vervangen. Dat is nou net het mooie ervan. En er is nog nooit iemand doodgegaan van een beetje vuiligheid. Ik vind dat je een heel mooie keuken hebt, Holly. Ik heb in de mijne ook van die witte tegeltjes genomen omdat ik dacht dat het strak en minimalistisch zou zijn, maar het is niet knus, zoals hier. Dit is echt een keuken waar mensen de hele dag willen blijven.'

Holly's gezicht klaart op. 'Dat is precies wat ik altijd heb gewild.'

'Waar zijn je kinderen eigenlijk? Paul zei dat je er twee had. Ik wil ze dolgraag ontmoeten.'

'Ze kijken boven tv. Wil je naar ze toe? Ik moet ze zo langzamerhand toch in bed leggen.'

'Ja, leuk,' zegt Anna, en haar stem klinkt vreemd stijfjes, al heeft ze nauwelijks een Scandinavisch accent als ze praat. 'Zo. De dressing is klaar. Laten we naar de kotertjes gaan. Mag ik een verhaaltje voorlezen? Ik heb drie nichtjes die ik altijd mag voorlezen. Ik ben vooral goed in enge monsters.'

'Dat zullen ze fantastisch vinden,' zegt Holly lachend. 'Al is Daisy's huidige favoriet *The Tiger Who Came to Tea*. Ik geloof niet dat daar een monster in zit.'

Onderweg naar boven blijft Anna Holly complimentjes maken met haar smaak en Holly begint haar steeds aardiger te vinden.

Vleierij doet het nou eenmaal altijd goed.

'Je hebt een echt thuis geschapen.' Op de gang draait Anna zich om, en ze kijkt bewonderend naar de antieke tafel die vol ligt met boeken en snuisterijen. 'Ik heb ooit eens ergens gelezen: "Huizen zijn gemaakt van planken en stenen, maar een thuis is alleen uit liefde gemaakt." Dit is zonder meer een thuis. Ik ben heel jaloers op je.'

'Is jouw huis dat dan niet?'

'Het is prachtig, maar stil. Te volmaakt. Er moeten kinderen rondrennen om wat rotzooi te maken, om het levend te maken.'

Aha. Daar is het dan. Het verboden onderwerp over kinderen.

97

'O, maak je geen zorgen.' Anna legt een hand op Holly's arm. 'Het is geen geheim dat ik met IVF bezig ben. We zeggen steeds dat dit de laatste keer is dat we het proberen en dat we een kindje zullen adopteren als we niet zwanger worden, maar dan denk ik weer dat het de volgende keer raak zal zijn.'

'Ik hoop dat het zal lukken,' zegt Holly. 'Echt waar.'

'Dank je.' Met een glimlach loopt Anna de slaapkamer in waar Daisy en Oliver op bed liggen. Alle kussens liggen verspreid op de grond.

'Ze is geweldig!' fluistert Holly beneden tegen Olivia.

'Dat zei ik toch.' Olivia glimlacht. 'Dus het is waar wat er wordt gezegd.'

'Waar hebben jullie het over?' Paul slentert naar hen toe om zijn wijnglas nog eens vol te schenken.

'We zeiden net hoe aardig we je vrouw vinden.' Holly grijnst. 'Hoe heb je een juweeltje als zij kunnen bemachtigen?'

'Joost mag het weten.' Paul grijnst. 'Die vraag stel ik mezelf zowat elke dag. Volgens mij denken de meeste mensen die haar voor het eerst zien dat ze kil en afstandelijk is, omdat ze Zweeds en blond is, en ze voelt zich altijd verplicht om zich tot in de puntjes te kleden omdat de mensen dat van haar verwachten. Maar ze is heel anders dan je zou denken.'

'Hoe hebben jullie elkaar leren kennen?' vraagt Caroline.

'Je zult het niet geloven, maar ik moest haar interviewen voor de *Sunday Times*.'

'Nee!' zeggen Olivia en Holly tegelijk.

'Ja!' zegt Paul op dezelfde toon, en ze lachen. 'Ik heb haar geïnterviewd en ik wist direct dat ze heel bijzonder was. Ik bleef haar maar bellen met de smoes dat ik bepaalde vragen was vergeten te stellen en uiteindelijk zei ze dat ze het prettiger zou vinden als ik eerlijk was en haar mee uit eten vroeg.'

'Ik hoop dat je haar hebt meegenomen naar een ontzettend hip en duur restaurant.'

'Eigenlijk niet,' zegt Paul grijnzend. 'Ik heb haar meegenomen naar Nandos.'

'Wat?' vraagt Holly geschrokken. 'Heb je haar meegenomen naar een fastfood kiprestaurant? Dat is toch zeker een geintje?' Paul schudt zijn hoofd. 'Waarom in godsnaam?'

'Omdat ik wilde weten of ze echt zo ongekunsteld was als ze leek. Het was fantastisch. Ze pakte de kip meteen met haar handen en ze

98

at alsof ze maanden lang niks had gegeten. Als ik het me goed herinner, heeft ze drie keer yoghurtijs gehaald.'

'Ik wist wel dat ik haar niet voor niets aardig vind,' zegt Holly lachend.

'Waar is ze eigenlijk?' vraagt Paul met een frons.

'Ze leest verhaaltjes voor aan Daisy, die haar voorlopig niet wil laten gaan. Eerst *The Tiger Who Came to Tea*, toen een paar boeken van Charlie en Lola en nu zijn ze bezig met *Assepoester*, dat is lekker lang. Mijn dochter is heus niet dom.'

'Ik merk het.' Paul glimlacht, maar zijn ogen staan treurig. 'Ze is gek op kinderen. Als ze de kans krijgt, blijft ze daar de hele avond.'

'Over een paar minuutjes ga ik haar wel halen,' zegt Holly.

'Nee, doe maar niet. Ze vermaakt zich prima,' zegt Paul, en inderdaad: als Anna een halfuur later de keuken weer in komt, glanzen haar ogen en straalt haar hele gezicht.

De maaltijd is een enorm succes en tegen de tijd dat de tarte tatin met vanille-ijs op tafel wordt gezet, gaat het gesprek over Tom.

'Ik kan me niet voorstellen hoe het is om een zoon te verliezen,' zegt Caroline, huiverend van afschuw. 'Er bestaat echt niks ergers dan je kind verliezen.'

'En de dood van je partner dan?' vraagt Paul. 'Ik kan natuurlijk niet beoordelen hoe het is om een kind kwijt te raken, nog niet, maar ik kan me niks vreselijkers voorstellen dan Anna te verliezen.'

Nadenkend leunt Holly achterover terwijl de rest doorpraat over het trauma van het verlies van een dierbare. Het lijdt geen twijfel dat er voor Holly niets tragischer, traumatischer en vreselijker kan zijn dan het verlies van een van haar kinderen. Maar Marcus? Hoe zou ze zich voelen als ze Marcus verloor?

In de tijd van de bomaanslagen in Londen vond er een vlak bij Marcus' kantoor plaats. Holly had hem de hele middag niet kunnen bereiken, en ze had ook niks van hem gehoord. Ze had zich gedragen als een vrouw die van streek was, maar in werkelijkheid zou slechts één emotie oprecht zijn geweest als hij een van de slachtoffers was geweest.

Opluchting.

Het gesprek gaat verder over Sarah; dat ze zo anders heeft gereageerd dan ze hadden gedacht. Hoe ze het verder moet redden, en er valt een korte stilte als ze zich allemaal afvragen hoe het is om degene te verliezen van wie je het meeste houdt.

En Holly begint te huilen. Maar ze denkt niet aan Marcus.

Ze denkt aan Tom.

99

9

Saffron rolt haar koffer door de luchthaven van LA en zwaait naar Samuel, de chauffeur van P. Hij staat op dezelfde plek als anders, even betrouwbaar en discreet als altijd en Saffron voelt zich er al lang niet meer ongemakkelijk bij dat hij weet dat zij de maîtresse is. Ze weet bijna zeker dat ze niet de eerste is en ze probeert zich niet af te vragen of ze de laatste zal zijn, of dat P – zoals zij hoopt – uiteindelijk weg zal gaan bij zijn vrouw om bij haar te zijn, bij wie hij thuishoort.

Mensen draaien hun hoofd om als ze Samuel volgt naar het parkeerterrein. Een paar Britten herkennen haar, maar ze wordt voornamelijk nagekeken omdat ze zo knap is. Knap en slim, maar niet slim genoeg om niks met een getrouwde man te beginnen. Niet slim genoeg om de boze geesten te verdrijven die ook nu nog vlak boven haar schouder zweven.

Saffron was zes toen ze Holly leerde kennen. Ze was het nieuwe meisje in de klas, een klein, knap blond ding dat vol zelfvertrouwen het lokaal van juffrouw Simpson binnenliep. Holly was direct jaloers op haar geweest.

Ze waren geen vriendinnen geworden. Zij hoorde bij de populaire kinderen – is het niet belachelijk dat er op die leeftijd al een populaire kliek is en dat degenen die daarbij hoorden dat heel goed beseften? – en Holly zat met de slimmeriken aan de andere kant van het klaslokaal.

Saffron bleek ook slim te zijn. Ze ging van de ene naar de andere groep en toen ze ouder werd, trok ze meer en meer op met Holly en Olivia. Het driemanschap werkte goed en ze werden bijna nooit hatelijk ten opzichte van elkaar, zoals zo vaak gebeurt met meisjes in de prepuberteit.

Saffrons ouders woonden in Hampstead. Haar moeder was architect en haar vader tijdschriftredacteur en ze woonden in een huis dat zo avant-gardistisch en ongewoon was dat Holly en Olivia elke dag smeekten of ze erheen mochten.

De verbouwde zolder was Saffrons slaapkamer. Hij was gigantisch groot en had aan alle kanten enorme ramen. Er waren geen gordijnen en in het midden van de kamer was een doorzichtige kunststofkoker die in feite Saffrons douche was.

Aan een kant was een verlaagd zitgedeelte, met fluwelen fuchsia kussens en, tijdens hun tienerjaren, een hasjpijp die ze niet eens probeerde te verstoppen. Sterker nog, Saffron beweerde samen met haar ouders te roken, en zelfs al waren Holly en Olivia daar nooit bij geweest, ze waren ervan overtuigd dat ze de waarheid vertelde.

Want Saffrons ouders waren de vreemdste ouders die ze kenden. Ze waren… excentriek. Dat is eigenlijk het enige woord dat hen recht doet. Bovendien waren ze bijna nooit thuis. Ze leken nog altijd smoorverliefd en ze vonden het heel normaal om elkaar hartstochtelijk te zoenen in bijzijn van Saffron en haar vrienden, die zoiets nog nooit hadden meegemaakt.

Saffron en Holly kregen een band vanwege hun gedeelde vrijheid, al ging Saffron er anders mee om. Waar Holly snakte naar grenzen, naar ouders die thuis waren, naar iemand die haar vertelde hoe laat ze thuis moest zijn, genoot Saffron van haar vrijheid. Ze was zo'n vrije geest dat ze besefte dat conventionele ouders haar zouden hebben verstikt.

Conventionele ouders zouden er misschien voor hebben gezorgd dat ze niet meer dronk.

Als tieners leek het zo gewoon voor hen. Misschien dronk Saffron wel wat meer dan de anderen, maar op feestjes werd bijna iedereen dronken of stoned.

Het verschil was dat Saffron ook dronk als ze alleen was. Niet veel, gewoon een biertje of een gin-tonic als ze zich echt volwassen voelde. Niet om dronken te worden, alleen omdat het prettig was, en als ze niet dronk, rookte ze een joint, en iedereen deed hetzelfde.

Daarna, op de universiteit, dronk ze bijna niks. In tegenstelling tot haar vrienden, die bijna allemaal voor het eerst van huis waren en hun vrijheid benutten door zich elke avond te bezatten, zorgde Saffron ervoor dat ze altijd een voorraad wiet had zodat ze zich 's avonds kon ontspannen.

Toen ze weer in Londen was, nadat ze met uitstekende cijfers was afgestudeerd in Engels en Drama, ging ze aan het werk en ze was een van de bofkonten die onmiddellijk werd gecast voor televisiereclames. Drinken leek nog gemakkelijker te worden in Londen, maar ze dronk nog altijd niet genoeg om dronken te worden, alleen voldoende om zich te ontspannen. Daar was wel wat meer alcohol

101

voor nodig dan eerst, maar niemand zag Saffron ooit dronken.

In die jaren at ze niet veel. Ze werd heel mager, al zei geen castingdirector ooit tegen haar dat ze te dun was. Haar moeder bewonderde haar uitstekende jukbeenderen – 'Heel jaren zeventig, schat' – en haar vrienden zeiden dat ze zich zorgen om haar maakten, maar dat wuifde Saffron weg. Ze vond het prettig om zo mager te zijn. Om niks te eten. Ze voelde zich schoon en ze had het gevoel dat ze alles in de hand had als ze ging slapen in de wetenschap dat ze alleen fruit en groente had gegeten. En hoe minder ze daarvan at, hoe prettiger ze zich voelde.

Haar carrière nam een vlucht. Een rol in een tv-serie en een slim opgezette nepverhouding met een aanstormende filmster zorgden ervoor dat ze in de belangstelling stond en al snel was ze een van de nieuwe sterren in Londen. Ook dronk ze steeds meer.

Toen publiceerde de *Sun* een artikel over de beroemdheden die zo dun waren dat ze uit de publieke belangstelling verdwenen en de meeste aandacht was op Saffron gericht. Zelfs dat was niet genoeg om haar aan het denken te zetten.

Toen ze naar Los Angeles ging voor een film stond haar agent erop dat ze naar een ontwenningskliniek ging. Er volgde een ontwenningskuur en daarna twee jaar lang intensieve twaalf-stappen-programma's. Elke keer dat ze eenzaam was, zich onzeker voelde of wat gezelschap nodig had, kon ze naar een van de duizenden bijeenkomsten bij haar in de buurt gaan, waar ze zich direct thuisvoelde.

Maar het was meer dan alleen het gezelschap. Ze geloofde met hart en ziel in het programma. 's Avonds schreef ze haar dagelijkse verslag, ze begon elke dag met gebed en meditatie en ze voerde langzaam de stappen uit.

Ze deed wat haar werd gezegd: bij de dag leven, leren te leven en laten leven, leren dat ze het niet in haar eentje kon.

Het scheelde dat de bijeenkomsten in Los Angeles zo vol glitter en glamour waren. Daardoor werd het werk leuk, en je wist nooit wie je op de bijeenkomsten zou tegenkomen. Het leek alsof iedereen uit de filmwereld – of ze nou een alcoholprobleem hadden of niet – in de pauze kwam opdagen. Dan stond iedereen rond de koffieautomaten en werden er kaartjes uitgewisseld, cv's uitgedeeld, er werd over het vak gepraat en er werden deals gesloten.

Op een dag had Saffron afwezig in een hoekje zitten kliederen op een klein notitieblok dat ze altijd meenam naar de bijeenkomsten, toen ze een prachtige stem hoorde. Hij was diep en warm en kwam haar bekend voor, al kon ze hem niet plaatsen. Ze had niet geluisterd

102

toen hij zich voorstelde, maar toen ze opkeek, had ze hem direct herkend. Hoe had ze hem niet kunnen herkennen? Het blad *People* had hem drie keer uitgeroepen tot meest sexy man van Hollywood. Zijn vrouw was een even beroemde filmster, een van de best betaalde actrices ter wereld, en ze hadden een waar sprookjeshuwelijk.

Maar een alcoholist? Dat had ze niet geweten. Die dag had hij gesproken over nederigheid. Dat hij een klootzak was als hij dronk. Dan was hij arrogant en hoogdravend en meende hij alles te weten. Hij was een verschrikking op filmsets, zei hij, maar dit programma had zijn leven veranderd en hem een tweede kans gegeven.

Hij had geleerd wat nederigheid was, dat hij een van Gods kinderen was, niet beter of slechter dan een ander. Hij had jarenlang gedacht dat hij niet goed genoeg was en had iedereen naar die maatstaf beoordeeld: zijn ze beter of slechter dan ik, en als ze beter waren, ging hij zich automatisch aanmatigend gedragen. Hij vertelde dat hij tegenwoordig iedereen met respect en vriendelijkheid bejegende en niet meer te snel met zijn oordeel klaarstond. Als mensen onvriendelijk waren, ging hij ervanuit dat dat kwam omdat ze een vervelende dag hadden gehad en dacht hij niet meer automatisch dat het door hem kwam.

Tijdens de koffiepauze ging Saffron naar hem toe. Hij stond in een hoek wat folders te bekijken die op een tafel lagen en ze zag dat een aantal mensen hem wilde aanspreken, maar zij bereikte hem als eerste.

'Ik wilde even tegen je zeggen dat ik het fantastisch vond wat je vertelde.' Haar hart ging wat sneller kloppen, want zelfs al raakte zij niet meer onder de indruk van sterren – sterker nog, ze had met een aantal van de beste acteurs van de wereld gespeeld – iets aan hem was anders. 'Ik vond alles wat je zei prachtig, ik heb het zelf precies zo ervaren en ik vind het geweldig dat je zo eerlijk was in die zaal. Dat je zo veel vertrouwen in dit programma hebt om dat te doen, ondanks je bekendheid.'

Na die woorden had hij zich omgedraaid en haar echt aangekeken. Geïntrigeerd door haar Engelse accent, haar woorden en de intensiteit waarmee ze het had gezegd. 'Dank je.' Hij had zijn hand uitgestoken. 'Ik ben Pearce.'

Langzaam maar zeker ontwikkelde zich een vriendschap tussen hen. In het begin zagen ze elkaar op bijeenkomsten, glimlachten ze naar elkaar en praatten af en toe even in de koffiepauze. Toen hij in een amusementsprogramma weer was verkozen tot meest sexy

103

man, had Saffron hem een briefje geschreven waarin ze hem een beetje pestte en hem dat tijdens een van de bijeenkomsten gegeven. Met een frons had hij het opengevouwen en ze had gezien dat hij het las en vervolgens zijn hoofd tegen de bankleuning had gelegd terwijl zijn schouders schokten van de lach. Hoofdschuddend had hij naar haar gekeken, alsof hij wilde zeggen: je bent onverbeterlijk, en daarop had ze haar schouders opgehaald. Hij vond het leuk dat ze hem belachelijk durfde te maken. De mensen met wie hij omging waren altijd zo ernstig en zeiden alleen dat hij geweldig was, en deze Engelse vrouw intrigeerde hem.

Als zij haar verhaal deed op de bijeenkomsten was ze altijd heel eerlijk en meestal waren haar bijdragen doorspekt met scheldwoorden, waar hij om moest glimlachen. Hij merkte dat hij altijd reageerde op iets wat ze had gezegd. Wat ze ook vertelde, het leek hem altijd direct te raken, en als ze eens een bijeenkomst oversloeg, miste hij haar en vroeg hij zich af waar ze was.

Hij was zeven jaar getrouwd. Aha, de *seven-year itch*, grapte iedereen, maar in werkelijkheid was het na het eerste jaar al misgegaan. Het was een zakelijke overeenkomst geworden. Ze hadden geen kinderen en hij zou jaren geleden al van haar gescheiden zijn, maar hun wederzijdse agenten zeiden dat ze voor hun carrière bij elkaar moesten blijven. In elk geval voorlopig, aangezien ze heel veel profijt hadden van het feit dat zij het droompaar uit Hollywood waren.

Want het publiek hield evenveel van zijn vrouw als van hem. Ze mocht dan niet van hetzelfde kaliber zijn als hij, maar ze was beeldschoon en nuchter, en in het openbaar slaagden ze er prima in om te doen alsof ze gek op elkaar waren.

Ze hadden allebei verhoudingen op filmsets, maar ze hadden geleerd om discreet te zijn en bovendien waren ze vrienden. Ze mochten elkaar nog altijd graag en aanvaardden dat het voorlopig zo moest zijn.

Zijn agent had hem ten sterkste afgeraden om iets met een ander te beginnen. Volgens hem zou de pers daar direct achter komen en het zou een ramp zijn, vooral voor hem omdat hij aan zijn imago moest denken. Zijn alcoholisme hadden ze uit de kranten weten te houden, en dat moest ook gebeuren met liefdesaffaires. 'Neuk wie je wilt,' had zijn agent gezegd. 'Maar word niet verliefd en zorg dat je discreet bent.'

Het duurde ongeveer een jaar voor Saffron en hij koffie gingen drinken na de bijeenkomsten. En toen werd het koffiedrinken af en

104

toe een lunch, en al snel belden ze elkaar elke dag. Saffron had de gelukkige uitstraling van een verliefde vrouw en P had het gevoel alsof hij weer achttien was, vol hoop en opgewonden over wat de toekomst hem zou brengen.

Hij had haar gezoend in de woonkamer. Vanwege zijn bekendheid was het veel te riskant om haar in het openbaar te zoenen. Op een dag bracht hij haar naar huis en liep mee naar binnen en zodra ze het huis in gingen, wisten ze allebei dat er iets was veranderd. Saffron wist dat er die dag iets zou gebeuren.

Ze maakte zich er niet meer druk om dat hij getrouwd was en dat hij niet verliefd wilde worden. Ze kon alleen nog aan hem denken. Niet omdat hij een filmster was, niet vanwege de roem of het geld, maar omdat ze dol op hem was. Omdat hij haar aan het lachen maakte. Omdat hij haar als geen ander begreep en omdat zij hem begreep.

Een vriendschap zoals die van hen was nieuw voor Saffron. Misschien kwam het door de veilige intimiteit van de bijeenkomsten dat ze elkaar dingen onthulden die ze nog nooit aan een ander hadden verteld.

'Volgens mij ben ik verliefd op je geworden,' fluisterde P, vlak voor hij haar zoende, en Saffron had direct daarna gedaan alsof ze naar het toilet moest. Daar had ze met haar handen op de wastafel geleund en zacht gehuild van geluk.

Hun verhouding was verdergegaan, altijd in het geheim, vaak met andere mensen in hun nabijheid om de pers op een dwaalspoor te brengen. Hij had zelfs een rolletje in zijn film voor haar geregeld, zodat het niet erg was als ze samen werden gezien.

Op haar beurt had zij een verhouding gefabriceerd met haar medespeler, een mindere maar snel opkomende ster, met wie ze regelmatig zoenend op het strand werd gefotografeerd terwijl ze hun drie asielhonden uitlieten. De medespeler was blij dat zijn eigen minnaar – een mannelijk model – geheim bleef en Saffron kon natuurlijk met niemand anders in verband worden gebracht omdat ze zo duidelijk verliefd was op haar tegenspeler.

Saffron had geleerd om haar leven op een laag pitje te zetten voor P. Hij belde haar wanneer hij kon, maar dat was lastig als hij op locatie was om te filmen. Saffron probeerde haar tijd te vullen met yoga en bezoekjes aan haar vriendinnen, maar die waren wat verwaterd. Het was moeilijk om een vriendschap te onderhouden met iemand die steeds afzegde wanneer haar minnaar belde, en zelfs haar bijeenkomsten leden eronder.

Ze merkte dat ze er minder aan had. Als P er was, zaten ze naast elkaar en raakten ze elkaar stiekem aan. Zij zat met over elkaar ge-

105

slagen benen op de bank zodat haar knie zacht zijn dij raakte, en als ze haar ogen sloot voelde ze de vonken letterlijk overspringen.

Het grootste deel van de bijeenkomst luisterde ze niet, maar sloot ze haar ogen en dacht ze aan hem. Dan zag ze dat hij naar haar keek en glimlachten ze allebei waarna ze hun blik afwendden.

Ze kon zich helemaal niet op de lessen van het programma concentreren. Haar coach, de enige die van de situatie op de hoogte was, probeerde streng te zijn en attendeerde haar op alle gevaren die haar gedrag met zich meebracht. Ze zei dat Saffron risico liep door zich niet aan de gedragsregels van het programma te houden. Maar uiteindelijk had ze gezucht, in de wetenschap dat ze een liefdevolle getuige moest zijn. Dat ze er niks aan kon doen.

En het is waar dat het Saffron niet zo eenvoudig afgaat om in de nabijheid van drank te verkeren als vroeger. Jarenlang had alcohol haar niks kunnen schelen toen ze in het programma zat. Ze kon op feesten zijn waar iedereen zich liet vollopen, zonder dat het bij haar opkwam om zelf een drankje te nemen.

Maar als ze tegenwoordig aan het einde van de dag haar stille huisje binnengaat, denkt ze vaak dat het best lekker zou zijn om iets te drinken. Een glaasje maar. Eentje kan toch geen kwaad?

En de afgelopen week was ze boodschappen aan het doen en kwam ze langs de slijterij-afdeling, waar ze langer aarzelde dan haar lief was, voor ze haar wagentje verder duwde en haar best deed om aan andere dingen te denken.

Ze wist hoe dit heette. Een terugval. Ze had haar coach zelfs niks verteld over haar gevoelens, want net als vroeger was ze ervan overtuigd dat ze het zelf kon oplossen.

Als Saffron in restaurants om zich heen keek, zag ze mensen lekker een glaasje wijn drinken. Dat kan ik ook, dacht ze dan. Ik kan best een glaasje wijn drinken. Ik zou normaal kunnen zijn. Als andere mensen het kunnen, kan ik het zeker.

'Je moet de stappen afwerken,' zei haar coach. 'Je hebt al in geen tijden iets aan de stappen gedaan.'

'Ja, ja, ik weet het,' kreunde Saffron dan. 'Het werkt pas als je er zelf ook aan werkt.' Maar het leek haar aan wilskracht te ontbreken. En voor haar waren de bijeenkomsten niet meer dan een excuus om P te zien.

Het afgelopen jaar was het gelukkigste van Saffrons leven. Ze is ervan overtuigd dat P haar zielsverwant is. Dat ze bij elkaar horen, dat alleen zijn verstandshuwelijk hen uit elkaar houdt. Dat ze binnenkort niet meer stiekem hoeven te doen en dat hij met haar zal trouwen. Dat ze de rest van hun leven samen zullen zijn.

106

10

Kreunend draait Sarah zich om in bed als het geklop op de deur aanhoudt.

'Sarah, lieverd,' zeg haar schoonmoeder zacht terwijl ze de deur voorzichtig opendoet. 'Er is bezoek voor je. Paul en zijn vrouw Anna zijn hier. Ze spelen beneden met de kinderen en Paul heeft wat foto's meegebracht van Toms schooltijd. Hij dacht dat je die misschien wel wilde zien.'

Sarah gaat rechtop zitten en duwt het dekbed omlaag. 'Zeg maar dat ik eraan kom,' zegt ze. Met een zucht haalt ze haar vingers door haar haar. Waarom blijven de mensen maar komen? Waarom blijven ze cadeaus brengen, eten, foto's, verhalen? Denken ze soms dat het daar beter door wordt? Brengt dat Tom soms terug? Het enige wat Sarah wil doen, is onder de dekens kruipen, voor altijd slapen en pas weer wakker worden als de pijn is verdwenen.

In dit huis is het gemakkelijker om zich te verschuilen. Ook al wordt ze hier omringd door Tom – foto's, aandenkens, voortdurende herinneringen – dit is Toms ouderlijk huis en niet het thuis dat Tom en zij samen hebben geschapen.

Die eerste paar dagen waren onverdraaglijk. Ze was verdoofd geweest. Er kwamen brieven, rekeningen die betaald moesten worden, levensverzekeringen die moesten worden geregeld en Sarah had alles neergelegd waar ze het anders ook deed: op Toms bureau in zijn kantoor. Zij had zich nooit beziggehouden met die zaken, kon zich niet voorstellen dat ze dat zou moeten en ze kon niets anders bedenken dan de post neer te leggen waar ze dat altijd had gedaan.

Voor Violet en Dustin had ze haar best gedaan om zich gewoon te gedragen. Ze had zelfs geprobeerd om Violet op een dag naar de peuterspeelzaal te rijden, ondanks het protest van een geschrokken buurvrouw die uit eigen beweging een oogje op haar hield. Ze had Violet in haar kinderzitje gezet, was zelf op blote

107

voeten en in haar pyjamabroek en een oud sweatshirt van Tom achter het stuur gekropen en de oprit afgereden.

Een uur later had ze opeens op de I-95 gezeten. Ze had geen idee hoe ze daar terecht was gekomen, wat ze er deed of waar ze heen ging. Terwijl Violet vrolijk op haar duim zoog en naar XMKids op de radio luisterde, begon Sarah te beven, waarna ze de vluchtstrook was opgereden en in tranen was uitgebarsten.

Paul blijft in de deuropening staan en kijkt naar Anna die Violet kietelt. Het geschater van het meisje echoot door het hele huis.

'Het duurt vast niet lang meer voor jullie zelf kinderen hebben.' Maggie legt een hand op Pauls arm en kijkt hem glimlachend aan.

'Duimen maar,' zegt Paul. Als Anna naar hem opkijkt, wordt hij overmand door verdriet. Het leven loopt nooit zoals je verwacht. Hoe kon Tom hun op zo'n jonge leeftijd ontvallen en waarom kunnen Anna en hij – Anna, die de beste moeder van de wereld zou zijn – geen kinderen krijgen?

Vanochtend waren ze weer naar het ziekenhuis geweest om eitjes te verzamelen. Eitjes verzamelen. Het klinkt zo onschuldig. Paul weet nog hoe ze hebben gelachen toen ze de term voor het eerst hoorden en hoe ze zichzelf voorstelden als boertjes van buiten die eieren onder dikke, blije hennen vandaan haalden.

Toen Anna weer bijkwam uit de narcose, had de specialist haar verteld dat ze zes eitjes uit de follikels hadden kunnen halen. Dat was beter dan de laatste keer, en daardoor hadden ze allebei de hoop weer voelen opwellen.

Zoals gewoonlijk zouden ze de volgende dag worden gebeld om te horen hoeveel eitjes waren bevrucht of, zoals al eerder was gebeurd, dat er geen enkel eitje was bevrucht en er geen embryo's waren om hun hoop en dromen voor de toekomst te verwezenlijken.

Het leek ondenkbaar dat er van de zes eitjes geen enkele bevrucht zou raken, maar toch was dat al heel vaak gebeurd. Anna dacht niet dat ze de emotionele kracht had om dat nogmaals mee te maken, om nog maar te zwijgen over de financiële middelen.

Het had Anna nooit iets kunnen schelen dat zij de kostwinner was, dat het geld dat hun gezamenlijke rekening in de plus hield praktisch allemaal van haar afkomstig was. Paul stortte zijn inkomsten als freelancer op dezelfde rekening, maar dat was nooit meer dan een druppel op een gloeiende plaat voor hun manier van leven.

108

Niet dat die nou zo extravagant was – Anna had ervoor kunnen kiezen om naar een poepchic deel van Londen te verhuizen – maar ze maken vaak dure reizen en eten in de beste restaurants. En eind vorig jaar, vlak voor ze hadden besloten om aan IVF te beginnen, hadden ze een huis op het platteland gekocht.

Nou ja, eigenlijk was het meer een vervallen schuur dan een huis. Het lag op een heuvel waardoor je kilometers ver kon uitkijken over het landschap van Gloucestershire. Vanbinnen was het in feite niet meer dan een groot vertrek van twee verdiepingen hoog. Ze hadden hun vriend Philip, een architect, gevraagd om te komen kijken, en zijn enthousiasme voor het project was zo aanstekelijk geweest dat ze kort daarna de trotse, doch ietwat bevreesde eigenaren van White Barn Fields waren.

Bovendien was de schuur een koopje, althans dat zou het geval zijn geweest als ze kort daarna niet al hun geld zouden hebben opgemaakt aan de ene IVF-behandeling na de andere. Op dat moment leek het zo goedkoop dat ze met goed fatsoen niet hadden kunnen weigeren. Zo goedkoop dat ze er contant voor hadden betaald en van plan waren geweest om direct met de verbouwing te beginnen. Phil had een fantastisch huis ontworpen. Een moderne keuken van roestvrij staal en geglazuurd beton en enorme ramen om van het uitzicht te kunnen genieten. Boven een stalen galerij waar vier slaapkamer op uitkwamen: een gigantische ouderslaapkamer, een logeerkamer en twee kamers voor de kinderen die er ongetwijfeld zouden komen.

Een plaatselijke tuinarchitect had een spectaculaire tuin ontworpen toen het geld nog ruimschoots voorhanden was. Een geplaveide binnenplaats met enorme terracotta potten waar 's zomers olijfbomen in zouden staan en aan weerskanten verhoogde borders waar lavendel en rozemarijn zouden groeien.

Het handjevol oude, kronkelige appelbomen dat onder aan de heuvel stond zou de basis vormen voor een boomgaard. Er zouden twintig fruitbomen bij worden gepland en er zou een lap grond met frambozenstruiken komen zodat, had de tuinarchitect gezegd: 'Jullie kinderen urenlang hun eigen fruit kunnen plukken.'

Voor Anna was het de hemel geweest en Paul, die zichzelf eigenlijk als een echt stadsmens beschouwde, ging erin mee omdat het Anna gelukkig maakte. En ook hij moest toegeven dat de plannen opzienbarend waren en dat ze uiteindelijk een idyllisch buitenhuis zouden hebben. Anna had ervoor gezorgd dat er ook een studeerkamer voor Paul kwam, helemaal in de nok van het huis,

109

boven aan een verborgen trap met een koepel erboven zodat er veel licht binnenkwam. 'Als je de grote roman hier niet kan schrijven, kun je het nergens,' had Phil gegrapt toen hij het ontwerp voor de studeerkamer aan een ademloze Paul en Anna had laten zien.

Bijna een jaar later kunnen ze de gedachte eraan nauwelijks verdragen. Iedereen denkt dat Paul en Anna rijk zijn, zonder te beseffen dat de winst direct weer in het bedrijf wordt gestopt. En het salaris dat vroeger riant was geweest gaat helemaal op aan de aankoop van de schuur, gevolgd door de reeks IVF-behandelingen.

White Barn Fields wordt door al hun kennissen, en henzelf, als grapje de bodemloze put genoemd. Maar tegenwoordig lijkt dat niet meer zo grappig, niet sinds hun zwangerschap almaar uitblijft, maar ze zich daar niet bij wilden neerleggen.

Vanaf het allereerste begin was Paul dol geweest op Anna's koppigheid. Ze was zo koppig dat haar vader haar een echte kenau noemde, al bedoelde hij dat natuurlijk niet kwaad. Ze wist precies wat ze wilde en hoe ze dat moest krijgen. Niemand kon Anna iets weigeren. Ze was charmant, nuchter en overtuigend en ze slaagde er altijd in haar zin te krijgen.

Ze begrijpt maar niet waarom kinderen krijgen haar niet even gemakkelijk afgaat als alle andere dingen in haar leven. Als ze geïnterviewd wordt, zegt ze altijd tegen de journalisten dat ze verbaasd staat van het succes van Fashionista.uk, maar in werkelijk doet ze dat helemaal niet. Het is precies zo gegaan als ze had verwacht. Maar al te veel online modewinkels waren ten onder gegaan omdat ze hun voorraad niet ter plekke bewaarden en het van ver moesten laten verschepen, waardoor ze het risico liepen dat het veel later werd bezorgd dan hun veeleisende klanten bereid waren te accepteren. En als de kleding dan werd afgeleverd was het slecht verpakt, in lelijke plastic enveloppen of slordig pakpapier.

Anna ontwierp felroze dozen, de aankopen werden verpakt in lagen dun oranje vloeipapier, en alles werd dichtgebonden met linten met een dierenprint. De dozen en het lint kostten een kapitaal, maar het was het waard. Fashionista werd op internet altijd uitgeroepen tot het bedrijf met de mooiste verpakkingen en de dozen waren zo mooi dat haar klanten haar regelmatig schreven dat ze het niet over hun hart konden verkrijgen om ze weg te gooien. In interieurbladen zag Anna vaak foto's van kleedkamers waar planken vol dozen van Fashionista in verschillende maten en vormen op stonden.

110

En de verzending ging vierentwintig uur per dag door. Waar ter wereld je ook was, als je iets op een werkdag bestelde, had je het de volgende werkdag in huis. Service was voor Anna het allerbelangrijkste. Dat was een van de redenen waarom ze het zo fijn vond om een internetbedrijf te hebben. Ze was het zat om trendy boetiekjes in te lopen waar jonge, hooghartige winkelmeisjes haar negeerden terwijl ze op hun mobieltje babbelden en pas opklaarden als ze haar creditcard gaf en ze ineens beseften wie Anna was.

Dus het feit dat Fashionista.uk tegenwoordig het op twee na grootste internetbedrijf in Groot-Brittannië is, verbaast Anna niks, al zou ze dat nooit in het openbaar toegeven. De waarheid is dat Anna zich altijd gezegend heeft gevoeld, dat ze altijd het idee heeft gehad dat haar beschermengelen voor haar zorgen. Waar anderen tegenslag en problemen zien, ziet Anna niet meer dan een uitdaging die ze onvermijdelijk zal overwinnen. Ze gelooft altijd dat het glas halfvol is, zelfs als iedereen ervan overtuigd is dat het leeg is. En omdat ze altijd heeft geloofd dat haar leven gezegend was, was het dat ook.

Zodra ze hem leerde kennen, wist ze dat Paul geknipt voor haar was. Nadat hij haar de eerste keer had geïnterviewd, lang voor hij haar bleef lastigvallen met vragen die hij was vergeten, had ze haar moeder gebeld. 'Mam? Ik heb de man ontmoet met wie ik ga trouwen,' had ze gezegd. Haar moeder had meteen geweten dat het waar was, want als Anna iets verkondigde, gebeurde het altijd.

Dus toen Anna vertelde dat ze zwanger probeerden te worden, wist iedereen dat ze binnen het jaar een baby zou hebben. In feite was dat een van de redenen dat ze het huis hadden gekocht. Het was een geweldige plek om kinderen groot te brengen. Het zou enig zijn om de zomers daar door te brengen met de kinderen of er 's winters heen te gaan om door de gevallen bladeren te stampen en warme chocolademelk te drinken voor het knappende haardvuur in de gigantische kamer.

Door Anna's koppigheid kunnen ze de IVF niet opgeven. Daarom weigert Anna te geloven dat er een laatste keer zal zijn. Ze kan niet accepteren dat dit niet lukt terwijl alles in haar leven altijd volgens plan is gegaan.

Tot nu toe hebben ze bijna vijftigduizend pond uitgegeven aan IVF, en dat heeft een groot gat in hun spaargeld geslagen. Het werk aan de schuur is begonnen, de rottende muren zijn vervangen door authentieke panelen die ze op een veiling hebben gevonden en het dak is klaar. De keuken en de badkamers waren besteld,

111

maar zijn toen weer afgezegd. Het huis is half klaar. Overal liggen bergen zaagsel, lakens op half geschuurde vloeren en de raamkozijnen zijn ongeverfd. De laatste keer dat ze erheen zijn gegaan om te kijken is Anna in tranen uitgebarsten.

'Dit was onze droom,' had ze tegen Paul gezegd. 'En nu kunnen we het ons niet eens permitteren om hem af te maken.'

'Dat komt wel,' had Paul gezegd. Het speet hem dat hij niet met een toverstaf kon zwaaien zodat alles goed kwam. Dat hij niet meer verdiende zodat ze van zijn geld konden leven als ze in zwaar weer terechtkwamen. 'Ik beloof je dat dit op een goede dag af zal zijn.'

Die avond waren ze naar een Bed & Breakfast in de buurt gegaan, een paar honderd stappen verder dan de Relais & Chateaux waar ze hadden gelogeerd voor ze aan de IVF waren begonnen, maar sinds die behandeling waren er heel veel dingen veranderd.

'Als ze me nu zouden zien,' had Anna opgewekt gezegd terwijl ze voorzichtig naar de badkamer aan de andere kant van de gang liep waar ze een lauw bad had laten vollopen.

Paul had zijn schouders opgehaald. 'We moeten echt ophouden met de behandeling,' had hij voorzichtig gezegd. 'Het is belachelijk dat we ons verder niks meer kunnen permitteren. Zo kunnen we niet doorgaan.'

'Hopelijk zal dat niet nodig zijn.' Anna had even in zijn arm geknepen. 'Ik voel gewoon dat het deze keer zal lukken.' Paul had gezucht, want dat had ze elke keer gezegd. Het viel niet mee om op elke cent te moeten letten, om het maar voorzichtig uit te drukken, vooral omdat ze dat vroeger nooit hadden hoeven doen.

Toch zou je het niet zeggen, als je het niet wist. Anna zag er nog altijd uit om door een ringetje te halen, en dat moest ook wel vanwege haar werk. Anna was het beste visitekaartje voor Fashionista.uk. Maar als je haar aandachtig gadesloeg, zou je zien dat ze minder kwistig was dan vroeger.

Haar make-up neemt ze altijd mee van haar werk. Ze gaat niet meer naar Space NK om een nieuwe pot Eve Lom te kopen als de oude bijna op is. Als ze het niet kan krijgen via Fashionista, verandert ze van merk. Door haar krappe financiën kan ze niet meer merktrouw zijn.

Haar haar wordt niet langer geknipt en gekleurd bij Bumble & Bumble. Ze laat het knippen bij een kapper in de hoofdstraat en ze heeft ontdekt dat de coupe soleil van Sun In, dankzij haar van nature lichtblonde Zweedse lokken, net zo mooi is als toen Enzo het nog deed.

112

Ze gaan niet meer naar dure restaurants, tenzij het voor Anna's werk is en ze het kan declareren of als iemand anders betaalt. Bovendien is er altijd meer dan genoeg te eten en te drinken op de honderden modefeestjes die praktisch elke dag in Londen worden gegeven.

Niet dat ze zich geen eten kunnen permitteren, zo zit het helemaal niet! Maar waar Anna vroeger alles in haar karretje legde wat ze wilde, zonder op de prijs te letten, kijkt ze nu goed wat het kost en als dat te veel is, vraagt ze zich af of ze het wel echt nodig hebben.

Op zaterdagmiddag dwaalt ze niet meer door Graham and Green om spreien, kaarsen, interessante beeldjes en prachtig linnengoed te kopen dat ze niet nodig heeft maar toch meeneemt omdat ze er verliefd op is geworden en ze het kan betalen.

Dat alles zou je nooit kunnen raden. Als je Anna nu in kleermakerszit op de grond ziet zitten tegenover Violet die, net als alle kinderen die Anna ontmoeten, direct gek op haar is en haar gillend om de nek valt, zou je denken dat Anna knap, evenwichtig en volmaakt is. Je zou denken dat er nooit iets mis kan gaan in haar leven.

'Hoi.' Sarahs stem klinkt lusteloos als ze de kamer binnenkomt en op de bank gaat zitten. Ze heeft donkere wallen onder haar ogen en haar haar zit nog in de war.

'We hebben wat foto's van Tom meegebracht.' Paul overweegt om door de kamer te lopen en haar te omhelzen, maar haar houding is zo afwerend dat hij weet dat ze hem zal afwijzen. Daarom blijft hij waar hij is, en weet hij niet wat hij moet zeggen.

'Ja, dat zei Maggie al.'

'Wil je ze zien?'

'Tuurlijk,' zegt ze. Paul geeft ze aan haar en ze bladert door de stapel. Er verschijnt een vage glimlach op haar gezicht als ze stopt bij een foto van Paul, Holly en Tom, alle drie met een beugelbekkie, op het feest voor Pauls vijftiende verjaardag.

'Goh, moet je dat haar zien!' zegt Sarah. 'Ik wist niet dat Tom lang haar had gehad. Hij ziet er vreselijk uit!'

'We zien er allemaal vreselijk uit,' zegt Paul, blij dat Sarah zich eindelijk ergens voor interesseert. 'Moet je Holly's felroze lippenstift eens zien. Volgens mij vond ze dat volwassen staan.'

'Wat was Tom mager,' zegt Sarah peinzend. Ze laat haar wijsvinger over zijn arm op de foto glijden. 'Je zou niet denken dat hij later zo gespierd zou worden.'

113

'Gespierd?' vraagt Paul.

'Fit. Hij was vaak in de sportschool. Hij was gek op van die Iron Man-wedstrijden. Stom gedoe, waarbij je zo veel kilometer fietst, zo veel kilometer zwemt en zo veel kilometer hardloopt. Hij had meegedaan aan een wedstrijd in San Francisco en hij was aan het trainen voor de volgende.' Ze schudt haar hoofd. 'Hij was zo fit. Zo sterk. Daarom vind ik het zo moeilijk om te geloven. Ik bedoel, ik kan me voorstellen dat anderen het niet overleven, maar Tom? Hoe kan Tom zich daar niet uit hebben gered? Het bestaat niet dat iets Tom de baas was.'

Er volgt een ongemakkelijke stilte, omdat Paul noch Anna weet wat ze moeten zeggen, en na een poosje kijkt Sarah naar de volgende foto en ze barst in lachen uit. 'Heeft Tom in het leger gezeten?' vraagt ze proestend.

'Bij de nationale reserve,' zegt Paul schaapachtig. 'Dat deed iedereen toen.'

Maggie bereidt in de keuken een blad met thee om naar binnen te nemen, maar dan gaat ze vermoeid aan de keukentafel zitten.

'Dank je,' zegt ze tegen Anna die bezorgd naar haar kijkt. 'Dit is de eerste keer dat Sarah weer een beetje als de oude klinkt. Die foto's zijn precies wat ze nu nodig heeft.'

'En jij?' vraagt Anna zacht. 'Wat heb jij nu nodig?'

'O, ik red me wel,' zegt Maggie gemaakt opgewekt. 'Ik ga even theezetten en dan kom ik weer naar de kamer. Wil jij Pippa even uitlaten zodat ze een plasje kan doen? Dat zou fijn zijn.'

Anna gaat weg, maar in de deuropening draait ze zich om en ze ziet Maggie ineenzakken op haar stoel. Anna blijft dralen en weet niet zeker of ze terug moet gaan. Maar ze weet dat Maggie denkt dat ze alleen is, dat Anna de keuken uit is en ze weet dat Maggie haar zelfbeheersing nooit zou verliezen als er iemand bij was.

Het is doodstil. Er zijn geen tranen meer, er kan geen druppel vocht meer over zijn in haar lichaam. Anna ziet hoe Maggie haar hoofd op haar armen legt die op de tafel rusten terwijl ze zacht kreunend van voor naar achter wiegt.

En Anna ziet dat de pijn voor de matriarch van dit getroffen gezin, voor deze sterke, stoïcijnse, geweldige vrouw te groot is om menselijkerwijs te verdragen.

Als ze luistert naar Maggies stille gekreun begrijpt ze dat Maggie echt niet weet hoe ze verder moet leven in de wetenschap dat ze haar geliefde zoon, haar eerstgeborene, nooit meer zal zien.

114

11

'Wat heb jij vandaag?' De receptioniste van het asiel komt rond lunchtijd de zitkamer in met een sandwich en ploft neer op de bank. Olivia kijkt verbaasd op.

'Hoe bedoel je? Ik heb niks. Hoezo?'

'Je hebt geen rust in je kont,' zegt Yvonne. 'Volgens ons is het een man.'

'Wat?' Olivia probeert te lachen en ze rolt met haar ogen. 'Jezus, Yvonne. Ik ben de directeur hier, hoor. Heb je niks beters te doen dan te roddelen over mijn liefdesleven?'

Yvonne tuit haar lippen. 'Eigenlijk zouden we graag willen dát je een liefdesleven had waar we over konden roddelen. Een geweldige vrouw als jij verdient wat beters dan die stomme George.'

Olivia's mond valt open. 'Maar jullie zeiden allemaal dat jullie George leuk vonden.'

'Ja, maar dat was voor hij jou dumpte voor die Amerikaanse del.'

'Yvonne! Hoe weet je dat allemaal?'

'Wat? Ik weet niks. Ik zeg alleen dat jij een fijne kerel verdient die je gelukkig maakt.'

'Ik wil er niet meer over praten.' Olivia pakt haar koffie en loopt de kamer uit. 'Maar even dat je het weet: ik heb vanavond een date.' En als Yvonnes gezicht opklaart, en ze Olivia talloze vragen wil stellen, doet Olivia de deur dicht en loopt ze giechelend naar haar kantoor.

Vanavond heeft ze een afspraak met Fred. Hij is eindelijk hier. Eigenlijk zou ze niet zo opgewonden moeten zijn, daar is geen enkele reden voor. Vooral niet omdat het een vijfdaagse zakenreis is en ze ongetwijfeld op slag een hekel aan hem zal hebben, maar dit is de eerste keer dat ze zich ergens op verheugt. Ze heeft afgesproken dat ze hem om zeven uur zal ophalen in het Dorchester hotel.

Om drie uur doet ze iets wat ze anders nooit doet. Ze trekt haar jas aan, pakt haar tas en zegt tegen Jennifer dat ze voor dringende zaken bereikbaar is op haar mobieltje. 'Maar bel alleen in noodge-vallen,' zegt ze, en Jennifer die per ongeluk een paar e-mails van Fred onder ogen heeft gekregen, knipoogt goedkeurend en wuift haar weg. Ze is absoluut niet van plan om Olivia's date te verstoren, tenzij er brand is in het asiel.

Eerst gaat ze naar de kapper. 'Ik wil het grijs kwijt,' zegt ze tegen Rob, de kleurspecialist. 'En het moet geknipt worden.'

Rob knijpt zijn lippen samen terwijl hij Olivia's haar dat nog nooit onder handen is genomen bekijkt. 'Shit, wat heb je veel grijs,' mompelt hij bijna tegen zichzelf als hij haar haar optilt. 'Wil je je natuurlijke kleur of kan ik er ook wat andere kleuren in doen om het wat diepte te geven?'

'Doe wat je wilt.' Olivia haalt haar schouders op. 'Jij bent de baas. Leef je uit.'

Twee uur later bekijkt Olivia zich in de spiegel en ze is diep onder de indruk. Haar haar heeft kastanjebruine en koperrode lokken en Kim, de jonge styliste, heeft lange lagen geknipt in de bob die langs haar wangen valt waardoor ze er jaren jonger uitziet.

Kim en Rob staan met over elkaar geslagen armen achter haar en wachten op haar reactie. Ze hebben al eerder vrouwen als zij in de zaak gehad, vrouwen die binnenkomen in een spijkerbroek en laar-zen, zonder make-up en geloven dat de natuurlijke look het beste is. Die vrouwen hebben ze een metamorfose gegeven, maar ze kunnen nooit voorspellen wat de uitkomst zal zijn. Sommigen huilden van vreugde toen ze zagen hoeveel jonger en knapper ze eruitzagen, an-deren werden woedend, weigerden te betalen en eisten dat ze alle kleur uit hun haar haalden en het op een of andere manier weer in de oude staat terugbrachten.

Gelukkig reageert Olivia positief. Halverwege het föhnen, toen haar nieuwe kleur zichtbaar werd, verscheen er een glimlach op haar gezicht en nu is ze duidelijk opgetogen.

'Wat mooi,' roept ze. 'Ik vind het echt supergaaf.' Ze geven haar een spiegel zodat ze de achterkant kan bekijken en ze lachen als ze geschokt naar zichzelf en haar nieuwe losvallende, glanzende haren staart.

'Vergeet niet wat ik heb gezegd.' Rob loopt met haar mee naar de kassa om te betalen. 'Lippenstift en blusher, een kort zwart jurkje en veel zelfvertrouwen.'

Olivia kijkt hem aan. 'Heel erg bedankt,' zegt ze, en ze omhelst hem spontaan. 'Duim voor me!' En na die woorden gaat ze weg.

116

Haar Kever spoedt zich door het Londense verkeer en voor elk stoplicht bekijkt Olivia zich in de achteruitkijkspiegel. Niet dat ze ijdel is, ze kan gewoon niet geloven hoe anders ze eruitziet. Zoals Rob had aangeraden draagt ze een zwart wikkeljurkje dat ze de afgelopen winter in de uitverkoop heeft gekocht voor het kerstfeest bij George op kantoor. Die avond had ze zich mooi gevoeld, ze had het fijn gevonden dat George haar vol trots had voorgesteld aan zijn collega's. Ze had geprobeerd daar niet aan te denken toen ze het jurkje eerder die avond achter uit haar kast haalde. Ze probeerde er niet aan te denken hoe de trots die ze in zijn ogen had gelezen zo snel had kunnen verdwijnen.

Door alle kilo's die ze is kwijtgeraakt, had het jurkje eigenlijk veel te ruim moeten zitten, maar ze trekt het gewoon strakker aan en dan is het volmaakt. Ze deed er een zwarte panty en schoenen met een laag hakje bij aan en een ketting met grote amber stenen die van haar moeder was geweest. Ze had de neiging bedwongen om alles weer uit te trekken en haar gebruikelijke outfit van een spijkerbroek en laarzen aan te doen.

Vroeger zou ze Tom hebben gebeld en zouden ze er samen om hebben gelachen. 'Doe dat zwarte jurkje aan,' zou hij hebben gezegd. 'Tut je op. Laat hem zien hoe mooi je benen zijn.'

'Ik hoop dat je kijkt, Tom.' Vlak voor ze in de auto was gestapt, had ze naar de hemel gekeken. 'En ik hoop dat je deze kleren leuk vindt.' Olivia had snel een rondje gedraaid op de oprit van haar huis en ze had een kus naar de hemel geblazen. 'Duim voor me,' had ze gefluisterd en na die woorden was ze vertrokken. Weer had ze over Harrow Road gereden.

In het café zitten groepjes mannen en Olivia's eerste neiging is om zich om te draaien en naar huis te rennen. Ze kan dit niet. Hier is ze nooit goed in geweest. Wel was ze heel bedreven geworden in het ondergaan van blind dates voor ze George leerde kennen, maar toen was ze een stuk jonger geweest en had ze veel meer zelfvertrouwen gehad.

Sommige mannen kijken naar haar, een paar zelfs goedkeurend, en ze haalt diep adem en werpt een blik om zich heen, in de hoop Fred te zien. Hopelijk zal ze hem direct herkennen. In een hoek leest een man de *Financial Times* aan een tafeltje. Net als Olivia hem met samengeknepen ogen aankijkt, kijkt hij op en vangt haar blik. Er verschijnt een brede grijns op zijn gezicht.

Alstublieft, Lieve-Heer, bidt ze in gedachten als de lange, breed-

117

geschouderde man naar haar toe loopt. Hij heeft een volmaakte Amerikaanse glimlach, prachtig witte tanden en een knap gezicht. Alstublieft, Lieve-Heer, fluistert ze. Laat dit hem zijn, want zo maken ze ze hier niet.

'Olivia!' Het is geen vraag, want ze heeft hem een foto van zichzelf gestuurd dus hij weet hoe ze eruitziet.

'Hoi,' zegt ze verlegen, met dankbaarheid en opwinding in haar ogen, als hij haar een dikke knuffel geeft waardoor zij zich heel klein, teer en vrouwelijk voelt. Belachelijk, houdt ze zichzelf voor, en ze draait haar hoofd wat opzij en laat het een paar tellen tegen zijn gespierde schouder rusten. Ik stel me aan, maar o, wat enig, wat een aantrekkelijke kerel. Met een grijns doet Fred een stap achteruit en legt zijn hand op haar onderrug om haar naar haar stoel te leiden.

'Wauw,' zegt hij terwijl hij haar stoel naar achteren trekt. 'Je ziet er fantastisch uit.' Hij kijkt of hij een ober ziet om hun drankjes te bestellen en Olivia glimlacht. Dit zal toch een heel leuke avond worden.

'Tom had gelijk,' zegt Fred terwijl de ober een Cosmopolitan en een wodka-martini op tafel zet.

'Waarover?'

'Dat ik jou moest leren kennen,' zegt hij met een glimlach en hij heft zijn glas om te proosten. 'Op nieuwe vriendschappen en op Tom, waar hij ook mag zijn.'

Olivia voelt tranen opwellen, maar ze glimlacht. 'Op Tom,' herhaalt ze, en Fred geeft haar een servetje waarmee ze haar ogen bet. Ze kijkt op en knippert heftig tot de tranen verdwijnen.

'Het spijt me.' Ze glimlacht naar hem. 'Af en toe krijg ik het nog steeds te kwaad.'

'Dat is logisch,' zegt Fred. 'Dat heb ik ook, en ik was maar een collega. Ik begrijp dat het moeilijk moet zijn voor zijn vrienden.'

'Heel moeilijk.' Olivia knikt. 'Je denkt dat de tijd alle wonden heelt, dat mensen dat niet steeds zouden zeggen als het niet waar was, maar ik zit nog steeds te wachten tot dat ook echt gaat gebeuren.'

'Weet je, vlak na zijn dood heb ik dagenlang nergens anders aan kunnen denken. Ik raakte helemaal verslaafd aan het nieuws. Ik meen het! Ik keek naar alles, en ik las alles, over de aanslagen, de overlevenden, de families van de slachtoffers. Ik denk er nog altijd elke dag aan, maar niet meer zoals in het begin, meteen erna.'

118

'Dat is waar,' zegt Olivia. 'Ik denk er ook aan, maar niet meer de hele dag. Niet meer. Maar Tom zou niet willen dat we hier om hem zitten te huilen. Laten we het over het eten hebben. Waar heb je trek in? Hier in het hotel hebben ze een fantastisch restaurant.'

'Dat weet ik, ik ben er al geweest, maar eigenlijk wil ik ergens heen waar het leuker is. Ik wil iets anders. Ik heb gehoord dat hier om de hoek een heerlijk noedelrestaurant zit en dat klinkt heel gezellig.'

Olivia grijnst. 'Wagamama. Daar kom ik heel graag en het is ook meer iets voor mij. Laten we gaan.' Ze drinken hun glas leeg en vertrekken.

Zodra ze binnenkomen voelt Olivia zich er thuis. Tot in de puntjes gekleed in de bar van het Dorchester paste helemaal niet in Olivia's normale leventje. Niet dat ze nooit in dat soort gelegenheden kwam – een groot deel van haar jeugd heeft ze doorgebracht in de chicste restaurants van Londen – maar als kind had ze zich er nooit echt op haar gemak gevoeld. Als volwassene was ze blij dat ze de keus had en dat ze niet naar dat soort zaken hoefde te gaan als het niet per se nodig was.

Als ze op de bank tegenover Fred gaat zitten, ingeklemd tussen vreemden die hun noedels naar binnen slurpen, beseft ze dat ze die avond een rol aan het spelen is, iets waar ze altijd een hekel aan heeft gehad.

'Weet je, ik zou veel liever iets anders dragen dan dit stomme pak.' Onderzoekend laat Fred zijn blik door het restaurant glijden. 'Een spijkerbroek en gympen, bijvoorbeeld.'

Olivia begint te lachen. 'Fijn dat je dat zegt. Ik zat net te denken dat ik maar wat graag mijn spijkerbroek en laarzen aan zou hebben. Als ik netjes aangekleed ben, heb ik altijd het idee dat ik niet mezelf ben. Dan doe ik veel formeler en probeer ik me anders voor te doen dan ik ben.'

Met een grijns zegt Fred: 'Voor mij geldt hetzelfde. Zeg,' hij kijkt op zijn horloge, 'hoe lang heb je nodig om naar huis te gaan, je spijkerbroek aan te trekken en hier weer terug te komen?'

'Ongeveer twintig minuten.' Olivia glimlacht.

'Goed. Afgesproken. Ik ga snel terug naar het hotel en dan zie ik je hier over twintig minuten weer.'

'Weet je zeker dat je me niet laat zitten?' vraagt Olivia vlug, met een zweem van nervositeit in haar stem. 'Dit is toch niet een beleefde manier om te zeggen dat dit een vreselijke avond zal worden, dus

119

dat we er beter nu een einde aan kunnen maken?'

Fred kijkt geschrokken. 'Ben je gek! Dit wordt een fantastische avond. Maar laten we op de juiste manier beginnen. Hé, misschien kunnen we na het eten naar de bioscoop gaan.'

'Dat is het leukste voorstel dat me deze week is gedaan,' zegt Olivia lachend. En als ze opstaan en door het restaurant naar de deur lopen, vindt ze het helemaal niet erg dat Fred zacht een hand op haar rug legt om haar te leiden.

Sterker nog, als ze eerlijk is, moet ze toegeven dat ze de rilling die over haar rug gaat al heel lang niet heeft gevoeld.

Zoals altijd wordt Olivia vroeg wakker en ze blijft in bed liggen terwijl ze de gebeurtenissen van de avond ervoor de revue laat passeren. Ze draait haar hoofd een stukje om Fred te zien, wiens gezicht in het kussen ligt gedrukt. Hij snurkt zacht en is nog diep in slaap. Ja, het was echt. Ja, ze had hem meegenomen naar haar appartement. Ja, voor het eerst na George was ze met iemand naar bed gegaan. En ja, het was waanzinnig lekker geweest. O, verdomme.

Wat nu?

Niet dat Olivia ooit bepaalde regels had gehad wat betreft dates, maar ze was nooit iemand geweest voor onenightstands. En aangezien haar moeder altijd dingen had gemompeld als: 'Waarom zou je de koe kopen als je de melk gratis...' was het niet zo vreemd dat ze meestal niet in bed springt met mannen die ze niet goed kent.

Maar ze had het gevoel dat ze Fred wel degelijk kende. Eigenlijk leek hij net een oude vriend. Hun e-mails in de dagen voorafgaand aan hun ontmoeting waren zo open en eerlijk geweest, zo intiem, dat het deze... vriendschap – of was het een relatie of een avontuurtje – tot deze hoogten leek te hebben gedreven, al wist Olivia niet of ze daaraan toe was.

Bovendien was het heel vreemd om met iemand anders dan George in bed te liggen. Het was vreemd om Freds lichaam te voelen, maar het was heerlijk om iemand te hebben die zo jong en sterk was en die haar zo graag wilde behagen.

Zij was gisteravond degene geweest die hem had meegevraagd naar haar huis, zogenaamd om te zien 'hoe echte mensen wonen in Londen, in plaats van de toeristen in jouw chique hotels', maar in feite had ze precies geweten wat er zou gebeuren. Daar was ze vanaf het begin van de avond al klaar voor geweest, al zou ze dat nooit hebben toegegeven.

Waarom zou ze er anders voor hebben gezorgd dat het bed net

120

was verschoond, dat er kaarsen in de kamer stonden en dat er nergens in de badkamer vuile was lag.

Tijdens het koffiezetten had Fred haar gekust. Hij was achter haar komen staan en had zijn armen om haar heengeslagen – zulke sterke armen, zo anders dan die van George – en ze was een beetje verstijfd omdat ze niet precies wist wat ze moest doen, hoe ze in deze onbekende houding moest staan. Maar hij had haar die beslissing uit handen genomen door haar om te draaien zodat ze hem aankeek, en haar te kussen.

Het was echt een heerlijke nacht geweest. Maar... hoe moest het verder nu het ochtend was? Hoort het dan niet ongemakkelijk, lastig te worden? Hoort hij nu niet wakker te worden en haar kil te bejegenen, vol spijt over wat er is gebeurd, en zo snel mogelijk haar appartement te verlaten?

Olivia staat op en gaat naar de keuken om koffie te zetten. Normaal gesproken zou het instant Nescafe zijn, maar – nog een teken dat de zaken niet echt een onverwachte wending hebben genomen – ze heeft versgemalen koffie om in de cafetière te doen en in de koelkast liggen grote roombotercroissants.

'Goedemorgen.' Olivia maakt een sprongetje van schrik en draait zich om. Fred loopt slaperig en met verwarde haren door de keuken in zijn boxershort. Wauw, denkt ze als ze naar zijn borst en zijn gespierde benen kijkt. Hij is echt adembenemend.

'Goedemorgen,' zegt ze een tikje kil, maar alleen omdat ze niet weet waar dit heen gaat. Ze wil zich niet vernederen door te enthousiast te doen terwijl hij haar misschien de rug wil toekeren, de deur zal uitlopen zonder ooit nog iets van zich te laten horen.

'Dus het is zaterdagochtend? Wat zijn onze plannen voor vandaag?' En hij loopt naar haar toe, slaat zijn armen om haar heen en geeft een zoen op haar lippen.

Olivia drukt zich tegen hem aan en ze voelt zich warm, veilig en heel erg prettig. Eigenlijk was ze vergeten hoe fijn dit was.

'Dank u, Lieve-Heer,' fluistert ze wanneer ze Fred een handdoek geeft voor hij zich gaat douchen. 'En jij ook bedankt, Tom.' Ze grijnst tegen het plafond. 'Hij blijkt toch behoorlijk geweldig te zijn. Goed gedaan.' En als Fred roept dat ze bij hem moet komen, laat ze haar kamerjas van haar schouders glijden en opent de beslagen deur.

121

12

'Halloooo?' Olivia duwt de voordeur open en haar neefje en nichtje lopen achter haar aan naar binnen. 'Holly? Is daar iemand?' Ze loopt op het geluid van de tv af en gaat de woonkamer in waar Daisy en Oliver sloom naar een tekenfilm kijken.

'Hoi, jongens,' zegt Olivia als haar neefje en nichtje als zombies naar de bank lopen en naast de andere kinderen gaan zitten zonder hun ogen ook maar een seconde van de tv af te wenden of gedag te zeggen.

'Waar is jullie moeder?'

Geen antwoord.

'Waar is jullie moeder? Oliver?'

'Boven.' Hij wijst vaag met een hand, en Olivia slaakt een zucht en gaat op zoek naar Holly.

Het probleem van rouw is dat het niet zomaar voorbij is. De tijd verstrijkt en het ergste leed verzacht wat en je merkt dat je leert leven met de pijn, dat je eraan went en dat je het rond je nek draagt als een oude, zware sjaal.

Het leven gaat door. Je moet voor de kinderen zorgen, maaltijden bereiden, kaarten illustreren, speelafspraakjes regelen. Verdriet moet worden opgeborgen, afgescheiden en mag alleen naar buiten komen als de rest van je leven voldoende op orde is, als je tijd hebt voor jezelf en je kunt toegeven aan de pijn.

Zowel Holly als Olivia staat zich die tijd voor verdriet toe, maar naarmate de weken verstrijken merken ze dat ze minder verbonden worden door hun gedeelde smart, of hun gedeelde geschiedenis, en meer door een oprechte vriendschap, een bewondering, een vreugde om elkaars gezelschap. Een vreugde die ertoe heeft geleid dat ze elkaar al die jaren geleden hadden gevonden en hadden beloofd om voor altijd elkaars beste vriendin te blijven.

Holly hoort de voetstappen op de trap en verkleint snel de e-mail die ze aan het schrijven was, zodat er op het scherm alleen nog een onschuldig plaatje van een lieveheersbeestje te zien is.

'Hoi.' Olivia loopt naar haar toe en omhelst haar. 'Wat doe je?'

'O, ik moest een paar rekeningen elektronisch betalen,' zegt Holly. 'Ik weet dat ik een slechte moeder ben door mijn kinderen voor de tv te zetten, maar dat is de enige manier om iets te kunnen doen.'

'Denk je nou echt dat Jenny dat niet duizenden keren per dag doet?' Olivia lacht. 'Zij zegt ook dat ze het vreselijk vindt, maar wat moet ze anders als de au pair naar haar taalcursus is? Van mij is het nog veel erger. Ik zet ze voor de tv en ik ben slechts de tante die af en toe op ze past.'

'Af en toe?'

'Nou, goed dan. Bijna elk weekend. Is het trouwens niet verstandig om hem uit te doen nu wij hier zijn? Het is vast beter als ze gewoon met elkaar gaan spelen.'

Holly bloost schuldbewust. 'O, verdomme. Natuurlijk. Je had hem gewoon uit moeten zetten. Kom, dan gaan we naar beneden.' En ze lopen samen naar de stilte van de benedenverdieping.

Twintig minuten later rennen Oscar en Oliver gillend door het huis, zwaaiend met lichtzwaarden, en Ruby en Daisy spelen in Daisy's kamer met de deur dicht. Ze doen iets rustigs en meisjesachtigs, al rukt Daisy van tijd tot tijd de deur open en schreeuwt ze heel onmeisjesachtig tegen de jongens dat ze bij haar kamer vandaan moeten blijven, of dat ze moeten ophoepelen.

Olivia drinkt haar thee en doet in geuren en kleuren verslag van haar heerlijke dagen met Fred.

'Hij klinkt fantastisch,' zegt Holly lachend.

'Dat is hij ook.' Olivia bloost. 'Hij is in vrijwel elk opzicht volmaakt.'

'En... Hoe ga je dat nou doen?'

'Wat?'

'Een langeafstandsrelatie?'

'Dat ga ik niet doen.' Met een frons kijkt Olivia naar Holly. 'Ik weet bijna zeker dat dit niet zo'n relatie is. Goed, hij was, hij is, een snoepje, maar hij is begin dertig. Hij is nog een jongen en ik zie mezelf echt niet met hem.'

'O, nee? Dus het was alleen waanzinnige seks?'

'Min of meer.'

'O, hemel.' Holly zucht diep als ze opstaat van de tafel. 'Ik mis de dagen van waanzinnige seks.'

Olivia lacht en zoekt er niks achter. Ondertussen buigt Holly zich voorover en pakt stukjes wortel en hummus uit de koelkast om een snack voor de kinderen te maken.

'Nou, vertel op,' zegt Olivia na een poosje. 'Wat heb jij gedaan?'

Holly gaat rechtop staan en kijkt Olivia verward en een tikje schuldig aan. 'Waar heb je het over?'

'Ik bedoel dat je er fantastisch uitziet. Volgens mij ben je minstens zes kilo kwijtgeraakt sinds ik je voor het laatst heb gezien. En dat was ongeveer... veertien dagen geleden. En je straalt helemaal. Wat doe je precies? Nee, laat me raden... Pilates? Nee, eerder Bikram-yoga of zo en het GI-dieet. Heb ik gelijk?'

Holly begint te lachen. 'Echt niet. Ik ben veel te lui om aan sport te doen. Ben je nou helemaal gek geworden? Achter de kinderen aanrennen vind ik meer dan genoeg en de drie keer dat ik yoga heb geprobeerd ben ik bijna doodgegaan van verveling.'

'Ik weet wat je bedoelt,' kreunt Olivia. 'Af en toe voel ik me schuldig omdat ik niks aan mijn conditie doe. Dan sleept een goedbedoelende vriendin me mee naar yoga en zegt ze dat ik het geweldig zal vinden, maar ik verveel me er ook altijd te pletter.'

'Maar je ziet er waanzinnig fit uit.'

'Dat komt doordat ik een asiel leid, om nog maar te zwijgen over het uitlaten van mijn honden. Meer beweging heb ik niet nodig.'

'Ik laat niet eens honden uit,' zegt Holly lachend. 'En van yoga moet ik niks hebben. Ik geloof niet dat chocoladebiscuitjes bij het GI-dieet horen... Of denk jij van wel?' Holly propt een hele biscuit in haar mond en Olivia begint te lachen.

'Zeg, je bent toch geen zes meer, Holly?'

'Nee, ik ben vier,' mompelt Holly terwijl de kruimels uit haar mond vliegen. De twee vrouwen kijken elkaar met een grijns aan.

'Maar goed...' Olivia weigert het onderwerp te laten rusten. 'Hebben Marcus en jij opeens regelmatig waanzinnige seks? Komt het daardoor? Ik bedoel, ik heb altijd gehoord dat er een eind komt aan de seks als je getrouwd bent, maar er is duidelijk iets aan de hand.'

'Jezus, nee.' Holly slikt snel haar mond leeg. 'Ik kan me niks ergers voorstellen. Ik voel me de laatste tijd gewoon heel gelukkig en ik heb niet veel trek gehad. Je weet hoe het gaat, soms heb je veel trek en soms heb je totaal geen eetlust. De afgelopen paar weken heb ik gewoon niet veel eetlust gehad.'

124

'Nou, wat je ook doet, hou er niet mee op. Je ziet er adembenemend uit,' zegt Olivia, en ze pakt zelf een chocoladekoekje.

Hou er niet mee op, zei ze. Wil dat zeggen dat ik door mag gaan met waar ik mee bezig ben?
Maar waar ben ik mee bezig? Ik doe niks. We zijn gewoon vrienden. Meer niet.

Holly was Will helemaal vergeten. Ze had hem afgeschreven als een domme verliefdheid die je nou eenmaal kunt hebben als je leven emotioneel op de kop staat. Sinds de dag na de dienst is ze vaak bij Maggie en Peter langsgegaan, en ze is blij dat zij weer deel uitmaken van haar leven. Als ze Will daar was tegengekomen weet ze dat ze beleefd maar koel zou hebben gedaan.

Ze wilde hem op geen enkele manier het idee geven dat ze ook maar een beetje in hem geïnteresseerd was.

Het leven was al snel zijn normale gang weer gegaan. Ze had Sarah een lange brief geschreven vol herinneringen aan Tom. Over de dingen die ze leuk aan hem had gevonden, vol verhalen waarvan ze hoopte dat ze Sarah wat troost zouden bieden. Ze wist dat ze niet de gebruikelijke condoleancekaart kon sturen. De 'met oprechte deelneming'-kaart waarvan ze er honderden op tafels bij Peter en Maggie had zien liggen. Ze was niet van plan geweest om negen kantjes vol te schrijven, maar na afloop was ze er blij om. Zelfs al werd de brief niet ontvangen in de geest waarin hij was verstuurd, het had Holly getroost om alles op te schrijven, en voorlopig was dat voldoende.

Op een ochtend, vlak nadat ze de kinderen naar school had gebracht, was ze thuis snel naar boven gerend om haar portfolio te halen voor een vergadering op kantoor over de lijn kerstkaarten voor het volgende jaar. Het thema was engelen en Holly had een week lang onderzoek gedaan en mogelijkheden voor illustraties bedacht.

Ze had een presentatie samengesteld die prachtig was in al zijn eenvoud: een dikke kaart van velijn met ruwe randjes, bijna alsof hij was afgescheurd met een krans van piepkleine witte veertjes erop. Op andere kaarten stonden kerstbomen van dezelfde tere veertjes, sommige met een klein beetje glitter. Op de volgende stond een miniatuur maretak en er is er ook een met een klein hulstblad. Daaronder staan losse woorden in kleine handgeschreven blokletters: VREDE; LIEFDE; VERTROUWEN; GELOOF; VREUGDE.

125

Dit zijn precies de kaarten die Holly zelf graag krijgt.

Holly is gek op Kerstmis. Ze heeft alleen maar goede herinne-ringen aan kerst als kind, en ze voelt nog altijd een kinderlijke op-winding als ze klaar is met het versieren van de kerstboom en ze de lichtjes voor het eerst aandoet.

Als meisje liet ze autoritten sneller gaan door met haar hoofd tegen het raampje te leunen en te tellen hoeveel bomen ze achter de ramen zag staan. Elke boom was opwindend, een belofte van de heerlijke dingen die in het verschiet lagen.

Marcus had nooit echt het nut van kerst ingezien, dus al deed Holly nog altijd dezelfde dingen als vroeger – een grote boom vol glinsterende lichtjes, hulstkransen boven de open haard en op de voordeur, dikke rode kaarsen tussen glanzende cranberry's in gla-zen vazen – het had nooit de vreugde die Holly had verwacht van kerst vieren met haar gezin.

Maar de kinderen vonden het heerlijk. Ze maakten sneeuw-vlokken van papier en plakten ze op alle ramen, ze hingen veel-kleurige papieren lampions in de speelkamer en de keuken, ze bakten poppen van peperkoek en pasteitjes, dat vonden ze het ein-de, al weigerden ze er meer dan een hap van te nemen als de pas-teitjes klaar waren.

De afgelopen paar dagen was ze helemaal opgegaan in de pre-sentatie en vlak voor ze wegging, had ze zich nog even omge-draaid om haar e-mail te lezen. Misschien dat de vergadering op het laatste moment was afgelast, zoals zo vaak gebeurde.

En daar was hij. Een e-mail van Will. Zoals gewoonlijk had Holly haast, maar ze boog zich over haar stoel heen en klikte de mail open. De opwinding van zijn eerdere mailtjes was verdwe-nen, ze was alleen nieuwsgierig wat hij te schrijven had na een stil-te van vier weken.

Aan: Holly
Van: Will
26/11/06 04:56:09
Onderwerp: Verontschuldiging

Beste Holly,

Ik had je al eerder willen schrijven, maar het leven leek ineens heel moeilijk te worden. Na het verlies van Tom heb ik een poosje het ge-voel gehad dat ik in een droomwereld leefde. Een deel van me ver-

126

wachtte steeds dat ik wakker zou worden en zou horen dat het een grap was, dat iemand me een grote poets had gebakken en dat de telefoon zou rinkelen en ik Toms stem aan de andere kant van de lijn zou horen.

Maar op een gegeven moment na de herdenkingsdienst drong het tot me door. Hij is dood. En ik kon het niet aan om nog met iemand te praten. Ik geloof dat het op hetzelfde moment doordrong tot pap en mam. Het lijkt wel alsof een huis vol bezoek, mensen die overdag en 's avonds langskomen om hun medeleven te betuigen, je in staat stellen om niet te denken aan het afschuwelijke verlies dat je hebt geleden. Elke dag denk je dat het dan wel heel erg pijnlijk is, maar niet onverdraaglijk, en je bent opgelucht dat je nog in staat bent te functioneren, dat je kunt glimlachen als je mensen ziet die je al in geen jaren hebt gezien en dat je zelfs grapjes met hen kunt maken. Je voelt je wel een beetje schuldig, vooral omdat je merkt dat er mensen zijn die je graag zouden zien instorten, die verwachten dat je op hun schouder zult uithuilen en die het vervelend vinden dat je dat niet doet. Maar anderen zijn blij dat je normaal doet en fluisteren dat je je fantastisch houdt. Zij zijn heel dankbaar dat ze niet op de grond hebben hoeven knielen om de scherven bijeen te rapen van de persoon die je vroeger was.

En ik moet natuurlijk aan mam en pap denken. Ze zijn geweldig als er bezoek is, ze kunnen overal over praten en naar verhalen over Tom luisteren zonder dat ze het te kwaad krijgen, maar zodra iedereen weg is, zodra het huis stil is, hoor ik mam snikken in de badkamer. Pap gaat naar de kas en daar zie ik hem zitten op een plastic melkkrat en schokken zijn schouders terwijl hij zijn gezicht in zijn handen verbergt. Hij denkt dat niemand hem kan zien vanuit het huis, maar vanuit mijn slaapkamer heb ik er een prima zicht op.

Dus ik moet degene zijn die sterk is, vooral nu. Het is heel vreemd om ineens voor je ouders te moeten zorgen. Ik had dit pas verwacht als ze oud zouden zijn, al had ik zelfs dan gedacht dat Tom alles zou regelen. Dit is een rol die ik nog nooit op me heb hoeven nemen. Tom was de sterke, degene met verantwoordelijkheidsgevoel. Als kind schoot Tom me altijd te hulp als ik in de problemen zat. En als volwassene wendde ik me altijd tot hem als ik verstandige raad of wijze woorden wilde.

De afgelopen jaren zijn we uit elkaar gegroeid. Vooral omdat ik altijd het gevoel had dat Sarah me niet mocht, en hoewel ik bij ze heb gelogeerd in Boston, voelde ik me er altijd ongemakkelijk. Daarom zag ik Tom alleen nog als hij in Engeland was en belden we elkaar om de paar weken.

127

Nu voel ik me natuurlijk schuldig. Er is zoveel dat ik tegen hem had moeten zeggen. Ik neem aan dat hij wist dat ik van hem hield, maar ik weet niet of ik het ooit heb gezegd, en nu wens ik dat ik het wel had gedaan. En al waren we minder hecht dan toen we klein waren, ik kan het nog altijd niet geloven.

Een van de grootste verrassingen is hoe eenzaam ik me voel. Ook al woonde hij in Amerika en zag ik hem nauwelijks, ik heb het gevoel dat ik alleen op de wereld ben en het verdriet lijkt af en toe meer dan ik kan verdragen. En volgens mij brengt die eenzaamheid angst met zich mee – een emotie waar ik niet aan gewend ben, en ik kan nog steeds niet precies zeggen waar ik nou bang voor ben – misschien voor mijn eigen sterfelijkheid?

Maar goed, ik dwaal af. Ik mail je vanwege twee dingen: op de een of andere manier heb ik het gevoel dat ik met jou kan praten zonder dat je me zult veroordelen, en nu ik uit de hel omhoogklauter, heb ik heel hard iemand nodig om mee te kunnen praten. Ook wilde ik me verontschuldigen omdat ik niet eerder heb geschreven, maar ik kon een poosje echt met niemand praten. Ik hoop dat je het begrijpt en dat je de rol van grote zus op je wilt nemen, op dit moment kan ik er daar wel een van gebruiken.

Ik denk aan je. Heel veel liefs,

Will

Aan: Will
Van: Holly
27/11/06 09:56:24
Onderwerp: Re: Verontschuldiging

Will,

Wat een prachtige brief. Fijn dat je zo open en zo dapper bent geweest. Je schrijft duidelijk aan de juiste persoon, aangezien ik iemand ben die het veel gemakkelijker vindt om zich uit te drukken op papier dan in een gesprek. Maar ik voel me vooral vereerd dat je ervoor hebt gekozen om je ziel en zaligheid bloot te geven aan mij, en ik ben blij dat je op deze manier in elk geval een deel van je gevoelens kunt uiten.

Ik geloof dat ik wel weet hoe het is om je zo alleen te voelen. In veel opzichten heb ik het idee dat ik al jaren alleen ben. Ik weet niet ze-

128

ker of je het zult begrijpen, maar toen ik jonger was, de periode dat Tom en ik elkaar waarschijnlijk het meest na stonden, voelde ik me nooit alleen. Tom was altijd mijn beste vriend, mijn vertrouweling, maar sinds ik getrouwd ben, heb ik nooit meer het gevoel gehad dat ik een vertrouweling heb. Marcus is natuurlijk mijn partner, maar hij is heel vaak weg voor zijn werk. Terwijl ik dit schrijf, besef ik dat ik eenzaamheid veel beter begrijp dan ik aan mezelf wil toegeven (het is zelfs al een hele stap voor me om het op te schrijven... en ik wil me hierbij verontschuldigen als ik erop los klets).

Wat angst betreft, dat is niks voor mij; ik ben iemand die overal op af stormt, maar ik kan me wel vinden in de angst voor onze eigen sterfelijkheid. Ergens horen we de mensen van wie we houden niet te verliezen, daar zijn we te jong voor. Ik weet nog dat vrienden van mijn ouders zijn gestorven toen ik klein was, maar zelfs al ben ik nu van hun leeftijd, ik voel me nog niet oud genoeg om mensen kwijt te raken, en als de mensen van wie ik hou zomaar kunnen doodgaan, dan kan ik dat ook.

Het is heel cliché om te zeggen dat je gedwongen bent je eigen leven goed onder de loep te nemen als er iemand overlijdt, en ik weet niet zeker of ik er nu klaar voor ben om alles te evalueren (waarschijnlijk zal ik niet blij zijn met wat ik aantref... grapje!), maar het heeft me wel degelijk doen inzien dat mijn tijd hier eindig is. Dat er nog dingen zijn die ik wil doen, dingen die ik voor elkaar wil krijgen, dat er nog heel veel in mijn leven is dat niet is gegaan zoals ik had verwacht.

Of is dit misschien een midlifecrisis?

Dus... zucht. (Ik klets weer.) Waar het om gaat is dat ik denk dat jij je nooit hoeft te verontschuldigen voor je gevoelens. Toms dood heeft ons allemaal gedwongen om ons leven opnieuw te bekijken en jij moet waarschijnlijk een rol vervullen waar je niet op was voorbereid, maar – en het is heel belangrijk dat je dit goed begrijpt, Will – het is een rol waarvan ik weet dat je hem aankunt. Ik heb fantastische herinneringen aan jou van toen we jonger waren. Je was altijd heel lief en zorgzaam, zelfs als je, zoals altijd, in de problemen zat (al wist ik toen natuurlijk niet dat je verliefd op me was en het kan best zijn dat ik naïef ben. Misschien was je in werkelijkheid een monster dat er heel goed in was om de vrienden van zijn broer een

129

rad voor ogen te draaien...). Ik ben bang dat dit voor jullie allemaal een heel moeilijke periode zal worden, maar je zult er doorheen komen. Zoals je zelf zei op de herdenkingsdienst: Tom zou niet hebben gewild dat jullie allemaal je leven zouden opgeven. Ongetwijfeld kijkt hij nu hoofdschuddend op ons neer, terwijl hij met een zucht zegt: 'Aan de slag, sufferd!' (Je hoort het hem bijna zeggen, nietwaar??!!)

Ik ben ook blij dat je zo eerlijk was in je mail, en dat je je gevoelens zo mooi hebt geformuleerd. Wie had kunnen denken dat het irritante broertje zijn emoties zo goed onder woorden zou kunnen brengen als hij groot is? Maar even serieus, het is geweldig dat je jezelf zo goed kunt uitdrukken. Als er al een uitlaatklep is voor het verdriet dat jij moet voelen, het verdriet dat we allemaal voelen, dan is schrijven vast een van de beste manieren.

En ik weet zeker dat je dit al weet, dat ik het je niet hoef te vertellen, maar je kunt me onvoorwaardelijk vertrouwen. Ik weet dat het gek klinkt, aangezien we elkaar bijna twintig jaar niet hebben gezien, maar ik zou het enig vinden als we vrienden worden. En ik zal er altijd voor je zijn als je ooit wilt praten.

Holly x

Vrienden. Ze konden toch zeker wel vrienden zijn? Al moet ze toegeven dat ze hem ergens best een beetje aantrekkelijk vindt, maar gold dat niet voor elke man met wie ze bevriend was? Die lichte verliefdheid verdween bijna altijd en liet dan een vriendschap achter die leuk, stevig en betrouwbaar was.

En Holly is heel lang eenzaam geweest, ze had nooit gedacht dat je zo eenzaam kon zijn binnen een relatie, maar tot haar hervonden vriendschap met haar oude vrienden had ze er nooit bij stilgestaan wat ze miste.

Maar met wie kan ze, naast Olivia, Saffron en Paul, op dit moment beter bevriend zijn dan met Will? Niet als plaatsvervanger voor Tom, dat nooit, maar als een vriend die net zoveel van Tom heeft gehouden als zij, een ander die haar verleden met haar heeft gedeeld, iemand met wie ze misschien kan praten.

Want Holly heeft het gemist om met een man te kunnen praten. Tot haar schrik gedragen Marcus en zij zich tegenwoordig als het echtpaar waarmee ze altijd medelijden heeft gehad in restau-

130

rants. Het paar dat zich lijkt te vervelen bij elkaar, die een heerlijke maaltijd eten zonder veel tegen elkaar te zeggen. Ze eten in stilte, en observeren de mensen om hen heen met een blik alsof ze het liefst ergens anders waren, bij iemand anders.

Het laatste jaar heeft Holly hard haar best gedaan om met Marcus te praten. Ze heeft zelfs een lijst opgesteld met onderwerpen waar ze het tijdens het eten over konden hebben – waardoor ze zich prompt een tiener voelde – om ervoor te zorgen dat ze niet zwijgend tegenover elkaar zouden zitten.

Ze bewaart verhalen over de kinderen, over haar werk, maar haar stem verstomt als ze merkt dat Marcus er niet bij is met zijn gedachten. Heel anders dan haar etentjes met Tom, waarbij ze allebei heel snel praatten omdat er nooit genoeg tijd was om alles te zeggen wat ze wilden zeggen.

Ze weet nog een keer dat ze bij een Chinees in Queensway zaten. Plotseling begon Tom over haar baantje als gastvrouw in een nachtclub in een chique Franse tent in een kelder in Piccadilly, met nep Frans accent en al. Holly was in lachen uitgebarsten en er was die avond iets dat het gelach uit de hand deed lopen. Uiteindelijk hadden Tom en zij schuddebuikend van het lachen op de tafel geleund terwijl de tranen over hun gezicht liepen. De mensen aan de tafels ernaast waren ook in lachen uitgebarsten, alleen door het zien van Tom en Holly.

Had Marcus Holly ooit op die manier laten lachen? Ja, eigenlijk wel. Een paar keer. Maar die keren leken al heel lang geleden, haast in een ander leven. Holly kan zich de laatste keer dat ze samen ergens om hebben gelachen niet herinneren. Net zomin als de laatste keer dat ze het leuk hebben gehad.

'Eén iemand kan je niet alles geven,' had ze de vorige avond nog tegen Saffron gezegd. Saffron had haar gebeld uit LA om te klagen dat P, die bij haar zou komen, net had afgebeld en dat zij wilde dat hij snel zou beseffen dat ze zielsverwanten waren. Dat ze voor elkaar waren gemaakt en volmaakt bij elkaar pasten.

In het begin had Holly het gek gevonden dat ze zo gemakkelijk hun oude vriendschap hadden opgepakt, alsof er helemaal geen tijd was verstreken. Maar het gekste was misschien nog wel dat het totaal niet vreemd was, maar juist gewoon en heel eenvoudig.

'Je zult wel vinden dat ik stom doe,' had Saffron dramatisch gesnuft. 'Dat ik je bel terwijl ik je voor Toms dood in geen twintig jaar had gesproken. Maar Holly, jij bent de enige vriendin die ik heb die min of meer een gelukkig huwelijk heeft en ik heb je raad nodig.'

131

'Min of meer gelukkig?' had Holly lachend gevraagd. 'Ik ben wel de laatste die je om raad moet vragen. Bovendien geloof ik niet in dat zielsverwant-gedoe.'

'Dat komt vast omdat je hem nog niet bent tegengekomen,' had Saffron gezegd. 'O, verdomme, Holly, het spijt me. Zo bedoelde ik het niet.'

'Geeft niks.' Holly verkoos het te negeren. 'Maar ik geloof echt niet dat er een volmaakt iemand is die jou gelukkig kan maken. En ik vind het ook heel onrealistisch om zulke hoge verwachtingen van één persoon te hebben.' Terwijl ze dat zei, dacht ze aan Will. Het is onschuldig, had ze gedacht. Hij is gewoon een man om mee te praten, een man met wie ik bevriend kan zijn.

'Dat weet ik heus wel,' had Saffron gezegd. ' Maar ik hou van deze man. Ik had gewoon nooit gedacht dat het leven zo moeilijk zou zijn.'

Ik ook niet, had Holly gedacht, maar ze had niks gezegd.

13

Aan: Holly
Van: Will
30/11/06 22:23:38
Onderwerp: Vrienden

Lieve Holly,

Ik vond het fijn om je e-mail te krijgen. Ik moest erom glimlachen en hij zette me aan het denken. Alles wat je schreef over vraagtekens zetten bij je leven klopt als een bus. Ik had het niet echt gezien als midlifecrisis, eigenlijk voel ik me daar nog niet oud genoeg voor, maar ik ben me wel gaan afvragen wat er zou gebeuren als ik morgen zou doodgaan (nog meer verontschuldigingen voor dit morbide onderwerp), en ik ben tot de ontdekking gekomen dat ik niet veel zou achterlaten.

Tom had zoveel in zijn leven. Enge Sarah, ze is ook niet echt mijn type, maar ik twijfel er geen moment aan dat ze van elkaar hielden. Zelf zou ik nooit met iemand kunnen leven die zo onbuigzaam is, maar ik weet dat Tom gelukkig was. Tegen al onze verwachtingen in hadden ze een buitengewoon stabiel huwelijk.

En dan zijn er natuurlijk de kinderen. Dustin en Violet. Dustin is net een kleine Tom, ernstig en lief, en hij is het liefst bij de volwassenen, net als Tom toen hij klein was. Maar ze zijn allebei zo bijzonder, die mensjes die Tom heeft geschapen, die zijn geest met zich mee zullen dragen in hun wereld

Dan was er zijn zakelijke succes. Niet dat ik ooit hetzelfde heb gewild als Tom, de pakken, de vergaderingen en de dassen... het conventionele leven dat me altijd met afschuw vervulde, maar ik voelde me altijd veilig bij Tom. Ik nam zijn raad altijd ter harte omdat hij altijd leek te weten wat hij ging doen en zelf weet ik niet eens wat ik morgen moet doen, laat staan met de rest van mijn leven.

Dus ik heb me afgevraagd wat ik zou achterlaten en het antwoord

133

luidt: niet veel. Ik meende altijd dat me dat niet veel kon schelen, maar opeens ligt dat anders. Niet dat ik iets doms ga doen, zoals met het eerste het beste meisje trouwen dat mijn hart verovert (maar als jij bereid bent om van Marcus te scheiden en een eerbare man van me te maken, laat het me dan weten!), maar door Toms dood heb ik voor het eerst het gevoel dat mijn leven wat stabieler moet worden. Dat ik een hypotheek moet nemen. Een meisje moet zoeken van wie ik kan houden. Misschien een paar kinderen krijgen.

Ik kan niet geloven dat ik dit opschrijf! Het is prettig om hier met iemand over te kunnen 'praten'. Waarschijnlijk hebben ze toch gelijk; het is veel eenvoudiger om je gevoelens op te schrijven dan erover te praten. Als ik deze dingen ooit hardop zou zeggen, zouden ze me ongetwijfeld naar het gekkenhuis brengen.

Ik hoop dat je een rustige dag hebt en dat je kleine donderstenen al in bed liggen. Lijken ze op jou? Ik stel me Daisy uiteraard voor als een miniatuur Holly – ik weet dat ze jonger is dan jij toen ik je voor het eerst zag, maar in mijn herinnering ben jij nog altijd een exotisch gekleed meisje, en ik hoop dat Daisy dat van je heeft geërfd. Ik weet dat het niet eerlijk is, maar bij Oliver stel ik me een kleine Marcus voor, en ik zeg alleen dat dat niet eerlijk is omdat ik hoop dat hij niet zo stijf en ernstig is als Marcus.

Liefs,
Will

Aan: Will
Van: Holly
01/12/06 04:09:28
Onderwerp: Re: Vrienden

Will,

Ik heb me altijd afgevraagd wie 'ze' zijn. 'Ze' lijken zoveel te zeggen, en ze schijnen ook heel vaak gelijk te hebben, dus als je 'hen' ooit tegenkomt, laat het me dan even weten. Ik zou ze dolgraag gedag zeggen...

Eigenlijk hoor ik diep in slaap te zijn, maar ik word de laatste tijd heel vaak midden in de nacht wakker, waarna ik niet meer in slaap kan vallen. Sinds kort ga ik dan naar mijn atelier, een rustige plek om wat te lezen, een kop thee te drinken of om op internet te surfen en domme

134

roddels te lezen. Het was enig om je e-mail te krijgen en het is nog fijner om je in alle rust terug te kunnen schrijven.

Als je het echt wilt weten: gisteren was een behoorlijk rustige dag. De donderstenen zijn vroeg naar bed gegaan, waarna ik een heet bad kon nemen met een glas wijn om daarna in bed te kruipen. Voor mij is een fijne avond een avond als ik om negen uur in bed lig, en een avond is helemaal geweldig als ik er om acht uur in lig. Vanavond was een geweldige avond. Om je de waarheid te zeggen vind ik het heerlijk als Marcus op reis is. Dan kan ik doen wat ik wil en wanneer ik wil. Al vindt een jong, energiek, kinderloos broekie als jij me ongetwijfeld ongelooflijk saai omdat ik zo vroeg naar bed ga.

Ach, daar heb je waarschijnlijk ook gelijk in.

Ik moest wel lachen toen je zei dat ik exotisch was. Zo heb ik mezelf nooit gezien. Volgens mij kwam dat door die goedkope Indiase rokken met franje die ik in Camden kocht. Daar zaten allemaal spiegeltjes op en daardoor zag ik er waarschijnlijk exotisch uit. Tegenwoordig kost het me de grootste moeite om mezelf als iets anders te zien dan moeder en echtgenote. Het woord exotisch bevalt me ook.

Ik zal hierna een grap doorsturen. Meestal doe ik dat niet en ik hoop dat je de lichtzinnigheid niet ongepast vindt, maar ik moest hier erg om lachen en ik denk dat jij vanavond wel iets grappigs kunt gebruiken. Ik vind het heel fijn dat je het gevoel hebt dat je je bij mij kunt afreageren – eerlijk waar. Ik voel me ontzettend vereerd en blij dat je zulke lieve dingen hebt gezegd, dat ik het gevoel heb dat ik een vriend heb teruggevonden van wie ik niet wist dat ik hem had, en dat dit alles het gevolg is van zo'n enorme tragedie.

Aan: Will
Van: Holly
01/12/06 04:42:56
Fw: Cowboys (vrienden deel ii)

Een oude cowboy ging in een Starbucks zitten en bestelde een kop koffie.

Terwijl hij de koffie dronk, kwam er een jonge vrouw naast hem zitten. Ze wendde zich tot de cowboy en vroeg: 'Ben jij een echte cowboy?'

Hij zei: 'Nou, ik heb mijn hele leven veulens gedresseerd, koeien gedreven, rodeo's bezocht, kalveren meegetrokken, hooibalen gemaakt, kalveren gecastreerd, mijn schuur schoongemaakt, lekke

135

banden gerepareerd, aan tractors gewerkt en mijn honden gevoerd, dus ja, ik geloof wel dat ik een cowboy ben.'

Zij zei: 'Ik ben een lesbo. Ik denk de hele dag aan vrouwen. Vanaf het moment dat ik opsta denk ik aan vrouwen. Onder de douche denk ik aan vrouwen. Als ik tv kijk, denk ik aan vrouwen. Ik denk zelfs aan vrouwen tijdens het eten. Het lijkt erop dat alles me aan vrouwen doet denken.'

Zwijgend zaten ze naast elkaar terwijl ze hun koffie dronken.

Een poosje later ging er een man aan de andere kant van de oude cowboy zitten en hij vroeg: 'Ben je een echte cowboy?'

Hij antwoordde: 'Dat heb ik altijd gedacht, maar ik heb net ontdekt dat ik een lesbo ben.'

Aan: Holly
Van: Will
01/12/06 10:33:25
Re: Fw: Cowboys (vrienden deel ii)

Dus ik ben niet alleen een broekie, maar ook een lesbo???!!!!!!

Holly barst in lachen uit als ze Wills e-mail leest. Ze bewaart hem en leest zijn andere mails nog een keer. Ze weet niet precies waarom ze dat doet, maar ze leest ze elke dag allemaal een keer. Ze zorgen ervoor dat ze zich gelukkig voelt. Vrij en jong. Tegenwoordig glipt ze 's nachts weg, als Marcus slaapt, om te kijken of er een nieuwe mail is gekomen. Meestal wel. Het lijkt erop dat Will even geobsedeerd is als zij.

Niets is zo opwindend als aan haar bureau zitten, op de inbox klikken en zijn naam zien staan bij de afzender. Af en toe is de verwachting zo groot dat ze het nauwelijks kan verdragen. Voor het eerst in jaren heeft Holly iets om naar uit te kijken, een reden om 's ochtends op te staan.

Als de e-mails komen, is ze dronken van geluk, maar als ze op zich laten wachten voelt ze zich vreselijk onzeker. Een groot deel van de tijd heeft ze het gevoel dat ze weer zestien is.

Ze is lief voor de kinderen, maar veel te afwezig om hun haar volle aandacht te schenken als ze met hen speelt. Die afwezigheid beïnvloedt ook haar relatie met Marcus. Het kan haar niet meer

136

schelen dat hij nooit thuis is of dat hij weinig belangstelling heeft voor haar leven.

De vorige avond was hij veel vroeger dan anders thuisgekomen en hij had verkondigd dat hij als verrassing een tafeltje had geboekt bij Petrus. Holly was naar boven gerend om zich te verkleden en Marcus had haar fronsend aangekeken toen ze weer op de gang was verschenen.

'Nieuwe kleren?'

'Inderdaad.' Holly had een rondje gedraaid. 'Vind je ze mooi?' Ze droeg een felgekleurde jurk met grote bloemen erop en een lange retroketting van geëmailleerde madeliefjes. Ze was op slag dol geweest op de hele outfit toen ze Daisy pas geleden had meegenomen naar Petit Bateau in Westbourne Grove. Natuurlijk had Daisy ondergoed gekregen en Holly vier uitpuilende tassen met het soort prachtige, hippe – nee, exotische – kleding waarvan ze had gedaan alsof ze ze nooit meer zou dragen. Ze weet immers dat ze niet passen bij haar rol van Marcus' vrouw.

'Best leuk,' had Marcus na een poosje gezegd en ze waren vertrokken. Holly had zich niks aangetrokken van Marcus' overduidelijke afkeuring. Wat Marcus betreft voelt ze tegenwoordig bijna niks meer. Geen liefde. Geen haat. Niks. Alleen onverschilligheid.

Het lijkt erop dat Marcus' vrouw is verdwenen.

'Je lijkt met je gedachten heel ergens anders,' had Marcus tegen Holly gezegd. Die avond had ze niet gedaan wat ze meestal deed: druk babbelen over onbelangrijke dingen zodat hij alleen af en toe hoefde te glimlachen en te knikken, geïnteresseerd te kijken terwijl hij eigenlijk aan zijn werk dacht. Die avond leek Holly gelukkig, maar een tikje afwezig. En ze zag er anders uit. Haar haar was niet glad naar achteren getrokken in een paardenstaart, zoals hij graag zag. Het was verward en krulde zelfs een beetje. Eigenlijk was dat best sexy.

Eenmaal thuis was Marcus achter Holly gaan staan in de badkamer, en hij had zijn armen om haar heen geslagen. Ze had zich omgedraaid en hem als antwoord gezoend. Een kwartier later, toen hij met een zoen en een glimlach van haar af was gerold zodat zij naar de badkamer kon, had hij haar nagekeken. 'Holly, dat was fantastisch,' had hij gezegd.

'Best wel, hè?' Ze had hem een glimlach toegeworpen waarna ze in de badkamer was verdwenen. Ze had niet tegen hem gezegd dat ze haar ogen had dichtgedaan – slechts twee keer, en beide keren

137

niet langer dan een paar seconden – en net had gedaan alsof het Will was. Niet dat ze van plan was om een verhouding te beginnen – lieve hemel, nee! – maar ze wilde gewoon weten hoe het zou zijn als ze het deed. Wat maakte het ook uit?

Iedereen heeft af en toe toch zeker recht op een fantasietje?

Aan de andere kant van de oceaan gaat Saffron op in haar eigen fantasie. P's vrouw is weg voor een film en tijdens haar afwezigheid logeert hij bij Saffron, in elk geval deze avond.

Saffron heeft zijn lievelingsgerechten besteld bij Wolfgang Puck, die op dit moment worden opgehaald door Samuel en zullen worden afgeleverd bij Saffron, zodat zij ze kan opwarmen als P komt. In de koelkast staat alcoholvrij pils en de houtblokken liggen opgestapeld in de open haard om vlak voor zijn komst te worden aangestoken. Jack Jones klinkt zacht uit de Bose-boxen die een geschenk van P waren geweest toen hij begreep dat zij alleen haar kleine iPod-boxen had die alles blikkerig lieten klinken.

Haar benen zijn pas geharst, haar nagels net gelakt en ze is naar de kapper geweest voor een nieuwe coupe soleil. Ze heeft P veertien dagen niet gezien en zoals gebruikelijk is ze licht in haar hoofd van opwinding bij het vooruitzicht hem te zullen zien. En niet alleen vanavond, maar de hele nacht.

Ze draagt geen make-up, want P ziet haar graag zonder. Hij zegt heel vaak tegen haar dat hij haar 's ochtends vroeg het mooist vindt, als haar haar slordig zit en haar gezicht schoongeboend is. Hij heeft het liefst dat ze een oude joggingbroek, een honkbalpet en een van zijn veel te grote sweaters draagt. Zo zag ze eruit toen hij verliefd op haar werd, vertelt hij. Op de bijeenkomsten zag ze er altijd uit alsof ze net uit bed was gerold.

Soms vraagt ze zich af of hun ontzettend intense verlangen naar elkaar zou afnemen als ze altijd bij elkaar zouden zijn. Ze vermoedt van niet. Ze hebben zoveel gedeeld, op zo'n intiem niveau, op de bijeenkomsten, dat het onmogelijk kan afnemen. Ze kent hem immers beter dan wie dan ook ter wereld, en er is niemand die haar beter kent dan hij.

Haar fantasie van die avond is dezelfde als die van elke andere avond. Dat hij beseft dat het onzin is om getrouwd te blijven omwille van zijn carrière en eindelijk besluit om zijn vrouw te verlaten. Dat hij zijn intrek neemt in dit kleine huis – en het zou in dit huisje zijn, want Saffron heeft niet de geringste behoefte om de plaats van zijn vrouw in te nemen als vrouw des huizes – en dat ze elke avond in elkaars armen in slaap vallen.

138

Het haardvuur brandt, het eten warmt langzaam op in de oven en de ambiance is volmaakt. Als P belt, holt Saffron als een opgewonden tiener de trap af. Ze slaat haar armen om hem heen in de gang en zoent hem uitgebreid.

Ze kan nog altijd niet geloven hoe fijn het is om hem te zoenen. De mannen van haar vorige relaties, haar vorige verhoudingen, wilden altijd direct aan het hoofdgerecht beginnen. Maar P, die zo weinig liefde heeft gekend in zijn huwelijk, vindt het heerlijk om in haar armen op de bank te liggen en alleen te zoenen tot in de kleine uurtjes.

Hij vindt het heerlijk dat er van hem gehouden wordt. Hij is natuurlijk een van de geliefdste sterren van zijn generatie, maar dat is geen liefde. Toen hij met zijn vrouw trouwde, hield hij van haar en hij dacht – heel naïef, beseft hij nu – dat zij ook van hem hield.

Hij was met haar getrouwd omdat ze hem een veilig gevoel gaf, omdat hij dacht dat ze een goed team zouden vormen en omdat zij zo sterk leek op elk gebied waar hij zwak was.

Toen hij nog dronk kon hij heel arrogant en hoogdravend zijn, en leek zij juist evenwichtig en met beide benen op de grond te staan. Ze had een verbazingwekkend inzicht en grote wijsheid en hij nam haar graag mee naar zakelijke vergaderingen om er na afloop haar mening over te vragen. Hij wist dat ze altijd met goed onderbouwde meningen kwam waar hij zelf niet op zou zijn gekomen.

Hij was dol op haar zakelijk inzicht. Op het feit dat ze haar eigen productiemaatschappij was begonnen en direct scripts was gaan aankopen. Dat ze urenlang in bed lag met haar leesbril op het puntje van haar neus en een potlood in de hand om aantekeningen in de manuscripten te krabbelen, waarin ze continu aan het lezen was.

In het begin pakte hij haar vaak beet, liet hij zijn hand over haar dij glijden, boog hij zich naar haar toe om haar hals te zoenen, maar dan schudde ze afwezig haar hoofd en schoof ze bij hem vandaan. Dan zei ze dat ze dit voor morgen uit moest hebben of dat ze vroeg moest opstaan, of niet vanavond, schat, ik heb het te druk.

Hij verwijt haar niet dat hij zijn heil in de alcohol zocht, maar door de alcohol had hij haar afwijzing wel gemakkelijker kunnen verdragen. De drank was een excuus voor zijn slechte gedrag toen hij elders op zoek ging naar de liefde en genegenheid waarnaar hij snakte. Het zorgde ervoor dat hij zich sterk en onoverwinnelijk voelde; dat het er niet toe deed dat de enige ter wereld die hij wilde, hem niet wilde.

139

Nu beseft hij met een bitter gevoel dat hun huwelijk gearrangeerd was door hun agenten. Had hij dat toentertijd maar geweten. Er zou hem een leven vol pijn bespaard zijn gebleven als hij had begrepen dat zij het altijd als een zakelijke overeenkomst had gezien.

Daarom had hij andere vrouwen opgezocht, maar wat hij voor Saffron nooit had gevonden, was liefde. Hij had nooit intimiteit gevonden, had nooit geloofd dat iemand van hem hield om wie hij echt was en niet omdat hij een rijke en beroemde filmster was.

In Los Angeles stikte het van de mooie jonge vrouwen die direct bereid waren hun broekje te laten zakken en dat was een poosje genoeg geweest. Maar toen hij Saffron had gevonden, toen hij haar langzaam had leren kennen, in de veilige omgeving van hun gezamenlijke AA-bijeenkomsten, begreep hij wat hij had gemist.

Vaker dan hem lief is heeft hij met zijn manager gesproken over weggaan bij zijn vrouw en een nieuwe relatie met Saffron. Zijn manager, agent en publiciteitsagent zijn eenduidend in hun oordeel: het zal het einde betekenen van zijn carrière. Hij kan het niet doen. Hij zegt niet tegen Saffron dat hij er voortdurend aan denkt, want hij wil haar geen valse hoop geven. Hij weet echter wel dat hij op een gegeven moment met zijn loopbaan wil stoppen, dat hij een ranch zal kopen in Montana, zijn oude leven achter zich zal laten om een nieuw leven met Saffron te beginnen.

Want Saffron is niet de enige met fantasieën. P droomt van een gezinsleven. Hij fantaseert over een vrouw die van hem houdt, die 's nachts opgekruld naast hem slaapt, die onvoorwaardelijk achter hem staat, welke keuzes hij ook maakt. Hij droomt van kinderen, een stel koters dat lachend rondrent en zijn vrouw die hen knuffelt en lol met ze maakt. Hij droomt van weidse vlaktes, paarden, een lap eigen grond. En hij kan nog altijd niet goed geloven welke keuze hij heeft gemaakt toen hij met zijn vrouw trouwde.

Ze mag dan een goede vriendin zijn, ze wil geen kinderen en ze houdt niet van dieren. Haar volmaakte huis is de kast in Bel Air waar ze nu wonen, die vakkundig is ingericht door de beste binnenhuisarchitecten uit de stad, prachtig om te zien, maar zonder dat het een echt thuis is.

Vaag herinnert hij zich dat ze in het begin hebben gepraat over hoe ze zich hun leven voorstelden. Zij zei toen dat ze een productiemaatschappij wilde, maar ze had ook gezegd dat ze kinderen wilde. Hij had haar verteld over zijn droom om een ranch te hebben, wat ze fantastisch vond. In die dagen zei ze zoveel, denkt hij nu. Ze zei alles wat hij wilde horen, maar slechts weinig ervan was waar.

140

Toen hij voor het eerst naar de AA ging, had hij haar gehaat. Hij had een hekel aan haar gehad omdat ze hem gevangen hield in een liefdeloos huwelijk, omdat ze tegen hem had gelogen en hij kon het nauwelijks opbrengen om met haar te praten. Op weg naar een première zaten ze in de limo heftig te ruziën, waarna ze in een zee van flitslichten stapten, allebei met een stralende glimlach op hun gezicht terwijl ze bleven staan zodat ze voor de camera's konden laten zien hoeveel ze van elkaar hielden.

In interviews vertelden ze wat hun huwelijk sterk maakte en welke eigenschappen van de ander ze bewonderden, en elke keer vond hij dat hij de voorstelling van zijn leven gaf. Een waar hij gemakkelijk een Oscar voor zou kunnen krijgen als 'net doen alsof je van iemand houdt' ooit een categorie zou worden.

Het twaalf-stappenprogramma heeft hem geleerd hoe hij dingen moet accepteren. Nu accepteert hij haar in plaats van haar te haten omdat zij niet was wie hij wilde dat ze was. Het zou nooit het huwelijk worden dat hij had verwacht, maar hij besefte dat hij kon kiezen: hij kon blijven zwelgen in zelfmedelijden en rancune en de rest van zijn leven een slachtoffer blijven of hij kon de manier waarop hij naar zijn leven keek veranderen en het aanvaarden zoals het was.

En net toen hij had geleerd het te accepteren, te aanvaarden dat zijn huwelijk een fantastische vriendschap was, een uitstekende werkrelatie, was Saffron een bijeenkomst binnengelopen en had zijn hart veroverd.

Toeval bestaat niet. Hij twijfelt er niet aan dat er een reden was dat Saffron en hij uitgerekend die dag op die bijeenkomst waren. En hoe vaak hij ook tegen zijn manager zegt dat hij zich voor honderd procent inzet om de leugen van het succesvolle stel in stand te houden, hij weet dat hij zichzelf niet eeuwig kan verloochenen. Hoe langer hij bij de AA blijft, het programma dat totale eerlijkheid eist, hoe moeilijker het wordt.

En het is nog veel moeilijker op dit soort avonden, wanneer Saffron zo overduidelijk alles is wat zijn vrouw niet is.

'Ik moet iets opbiechten,' zegt Saffron terwijl P haar helpt de borden in de vaatwasser te doen. 'Maar eerst,' zegt ze met een grijns, 'wil ik zeggen hoe leuk ik het vind dat jij, de hotste seksgod van Amerika, borden in de vaatwasser zet in het keukentje van haar huis. Als je fans je nu eens konden zien.'

'Hoezo? Vind je dit dan niet sexy?' P zet zijn hand op zijn heup

141

en poseert met een bord. 'Dit is toch wat iedere vrouw wil? Een man die helpt in het huishouden?'

'Min of meer, maar als ze iets met jou hebben, verwachten ze waarschijnlijk op hun wenken bediend te worden door een butler, denk je ook niet?'

'Dan kunnen ze lang wachten.' P lacht. 'Goed, terug naar dat opbiechten. Wat wil je vertellen?'

Saffron bloost. 'Nou goed, ik heb gelogen.'

'Waarover?'

'Ik heb dit niet gekookt. Maar ik wilde je laten denken dat ik heel goed kan koken, daarom heb ik gelogen.'

P brult van het lachen. 'Ik weet dat je hebt gelogen. Alleen Wolfgang Puck maakt dit zo lekker klaar. Bovendien was ik bij Samuel toen hij het ophaalde. Ik ben niet gek, schatje van me.'

Saffron slaakt een zucht van verlichting. 'Ik weet dat je niet gek bent, maar ik wilde je laten denken dat ik goed kan koken.'

'Geloof me, schatje, je kookkunst kan me echt niet schelen.'

'O, nee?' Ze trekt haar wenkbrauwen op en P doet de vaatwasser dicht, slaat zijn armen om haar middel en trekt haar naar zich toe om haar te zoenen.

'Weet je?' Hij doet een stap terug en kijkt haar aan terwijl zij glimlachend naar hem opkijkt. 'Ik hou van je, Saffron.'

'Ik hou ook van jou,' zegt ze terwijl ze zijn hand pakt. Ze trekt hem de keuken uit en neemt hem mee naar boven, naar bed.

142

14

Frauke is bezig het aanrecht schoon te boenen nadat de kinderen hun lunch hebben gehad. Ze kijkt op en fluit bewonderend. 'Wauw! Je ziet er fantastisch uit.'

'Echt waar?' Vrolijk draait Holly een rondje in de keuken. 'Vind je het niet wat te… jeugdig?'

'Holly, je bent toch nog jong. Ik zeg altijd tegen mijn au pair-vriendinnen dat ik een hele jonge gastmoeder heb. Ik heb ze zelfs verteld dat je je vaker op deze manier moet kleden. Jonger. Je draagt altijd mooie dingen, maar ze geven je iets ouwelijks. Als ik niet beter wist zou ik denken dat je halverwege de veertig was.'

'Frauke!' zegt Holly verontwaardigd, al moet ze lachen. 'Je weet wel hoe je iemands goede humeur moet bederven, zeg.'

Frauke kijkt verward. 'Hoezo? Vandaag lijk je maar dertig, Holly. Nee, achtentwintig.'

'Echt?'

'Ja, en je haar zit hartstikke goed. Heel sexy. Waar ga je heen?'

'O, ik ga lunchen met een oude vriend. Oliver! Daisy!' roept ze naar boven. 'Geef mammie eens een afscheidszoen.'

Holly stapt in haar auto en pakt de cd uit haar tas. Ze heeft hem zelf samengesteld, en het is een verzameling van nummers geworden die haar op een of andere manier aanspreken, iets zeggen over haar leven, haar een optimistisch gevoel geven wat de toekomst betreft.

Ze was vergeten dat muziek zo krachtig kan zijn. Als tiener had ze geleefd voor muziek. Als ze haar moeders huis uitging, had ze altijd haar walkman in haar hand en ze had urenlang gedeprimeerd over Hampstead Heath gesjokt, de verkeerd begrepen tiener die gered moest worden door de prins op het witte paard.

Tegenwoordig luistert ze wel naar de radio, maar ze heeft in geen jaren een cd gekocht, behalve dan voor de kinderen. Veertien dagen terug had ze op Wills aanraden een iPod gekocht. Eenmaal thuis had ze twee dagen lang cd's geüpload, nummers gekocht en playlists

143

gecreëerd. Deze had ze 'gelukkig' genoemd: muziek die haar een opgewekt gevoel bezorgde.

Van Morrisons 'Brown Eyed Girl', 'I'll Take You There' van de Staples Singers, gevolgd door Corinne Bailey Rae. Holly schudt de krullen los die ze vanochtend bedreven heeft aangebracht met de krultang en ze zingt uit volle borst mee. Ze heeft het gevoel dat ze weer zestien is, alsof ze jong en vrij is en dat alles mogelijk is.

Wat ook zo is.

Zij is er als eerste. Verdomme. Daar heeft ze een bloedhekel aan. Ze had het zo willen regelen dat ze vijf minuten te laat zou komen, maar als ze Nicole's binnengaat, is hij nergens te zien.

'Voor hoeveel personen?' vraagt de ober beleefd en hij brengt haar naar een tafeltje voor twee achterin. Holly weerstaat de neiging om naar het toilet te rennen om haar make-up te bekijken. Ze weet dat er niks mis mee is, ze heeft het onderweg hierheen bij elk stoplicht gecontroleerd, plus nog een aantal keren terwijl ze een beetje slingerend over Harrow Road reed.

Ongeduldig tikt ze met haar laars op de grond en dan ziet ze zichzelf in de spiegel aan de andere kant van het restaurant. Jezus, als ze niet beter wist, zou ze zichzelf nooit herkennen. Een strakke spijkerbroek die in kniehoge zachte laarzen is gestopt. De hakken van die laarzen zijn hoog genoeg om vreselijk sexy te zijn, maar niet zo hoog dat ze er niet op kan lopen.

Een strakke, lange blouse van katoen en een brede, grove riem. Als ze naar de rest van de gasten kijkt, beseft ze dat ze hier op haar plaats lijkt. Ze ziet er net zo uit als de andere jonge moeders die cappuccino drinken, met hun buggy's naast de tafeltjes. En al is ze vandaag zelf kinderloos, buggyloos en kinderspullenloos, ze is wat ze is. Grappig, denkt ze, dat ze het ene uniform voor het andere heeft verruild.

Haar uniform van kasjmier en parels, dat zo goed past bij de vrouw van een advocaat, heeft ze vandaag ingewisseld voor een uniform van Notting Hill hipheid. Dat is weliswaar nog steeds een uniform, maar Holly voelt zich veel prettiger in de kleding die ze nu aan heeft. Ze voelt zich jong, en laten we wel zijn: ze is pas achtendertig. Waarom zou ze net doen alsof ze vijfenveertig is?

'Je ziet er fantastisch uit!' Wills ogen worden groot van verbazing en van, zo hoopt ze, vreugde. Nee. Dat hoopt ze niet. Het heeft geen nut om dat te hopen. Of wel? Het is toch zeker niet erg dat je

144

aantrekkelijk wilt zijn voor andere mannen? Je mag het toch wel fijn vinden dat iemand je waardeert? Dat betekent echt niet automatisch dat je een verhouding gaat beginnen. Dat zou Holly nooit doen. Daar is ze het type niet voor.

Ze is getrouwd, maar ze is niet dood.

'O, dit? Wauw. Dank je.' Holly bloost licht terwijl ze een stukje overeind komt zodat Will haar naast beide wangen kan zoenen, alleen zoent hij haar echt. Waar zij de lucht naast zijn wangen kust, raken zijn lippen zacht haar wangen. Hou op, zegt ze tegen zichzelf, maar haar hart gaat iets sneller kloppen en om tot rust te komen besteedt ze wat meer tijd dan nodig is aan het gladstrijken van het servet op haar schoot.

'Nu zie je er weer uit als de Holly die ik me herinner.' Will grijnst en met een schok beseft ze hoe sterk hij op Tom lijkt als hij dat doet.

'Dit is wel een beetje vreemd, hè?' zegt Holly opeens.

'Wat? Dat jij en ik samen lunchen? Nou, volgens mij wordt het tijd dat onze e-mailvriendschap een echte vriendschap wordt, maar je kunt niet met iemand bevriend zijn als je elkaar nooit ziet. En zoals het datingbureau zegt: Het is maar een lunch.'

'Nee, dat niet. Je leek net precies op Tom toen je glimlachte.' Holly pakt het servet en dept haar ogen. 'Het spijt me, Will.' Ze probeert te glimlachen. 'Het is zo stom om hier met tranen in mijn ogen te zitten, terwijl hij jouw broer was. Ik heb het gevoel dat ik niet het recht heb om zo geëmotioneerd te zijn in jouw bijzijn.'

Will buigt zich voorover en knijpt heel zacht in Holly's hand. 'Holly, jij hield ook van hem. Even voor alle duidelijkheid, je hebt het volste recht om elke emotie te uiten die je maar wilt. Ik weet heel goed dat je het op de meest onverwachte tijden ineens te kwaad kan krijgen.'

'Het spijt me,' zegt Holly. Er glijdt een traan langs haar neus.

'Het geeft niet,' zegt Will. Zwijgend houdt hij haar hand vast en na een paar tellen geeft het inderdaad niet meer en glimlacht Holly door haar tranen heen.

'Ik gedraag me wel heel stom,' zegt ze. 'Sorry.'

'Het enige wat stom is, is dat je je blijft verontschuldigen. Wil je daar alsjeblieft mee ophouden?'

'Goed,' zegt ze glimlachend. 'Het sp... O, flikker een eind op.'

'Dat is beter!' Will grijnst. 'Wanneer heb je voor het laatst tegen een vriend gezegd dat hij moest opflikkeren?'

'Gisteren, denk ik,' zegt Holly. 'Dat zeg ik heel vaak tegen mijn vriendin Caroline.'

'Niet erg aardig van je,' zegt Will, zogenaamd verschrikt. 'Waarom is ze eigenlijk met je bevriend?'

'Omdat ik aardig, grappig en trouw ben.'

'En verdomd sexy met je haar zo, als ik het mag zeggen.'

'Ik...' Holly wordt vuurrood, en Will begint te lachen.

'Ga je elke keer blozen als ik je een complimentje maak? Dat zou te gek zijn. Dan blijf ik ze maken. Door die spijkerbroek en laarzen lijkt je kont...'

'Will!' Holly onderbreekt hem, al moet ze ook lachen.

'Wat? Mag ik geen "kont" zeggen?'

'Nee. Je kent me niet goed genoeg om commentaar te leveren op mijn... Nou, je weet wel.'

Met over elkaar geslagen armen leunt Will achterover in zijn stoel en hij neemt Holly glimlachend op. 'Nee maar,' zegt hij. 'Wie had kunnen denken dat Holly Mac zo preuts was?'

'Ik ben niet preuts,' zegt ze verbolgen.

'Zeg dan eens dat je een prachtige kont hebt.'

'Nee! Ik hoef jou echt niet te vertellen dat ik een prachtige kont heb om te bewijzen dat ik niet preuts ben.'

'Kom op! Als je dat niet zegt, geloof ik je niet.'

'Goed dan. Ik heb een prachtige kont. Ben je nu tevreden?'

'Ja zeker. En ik ben het met je eens. Goed. Zullen we de menukaart vragen?' De ober verschijnt ogenblikkelijk, en Holly verbergt haar gêne en de stiekeme opwinding, door zich te verdiepen in het kiezen van de lunch.

'Volgens mij krijg jij niet vaak complimentjes,' zegt Will peinzend aan het eind van de maaltijd. Hij kijkt Holly aan over de rand van zijn cappuccino. Ze hebben allebei geen zin om een eind te maken aan een lunch waarbij veel is gelachen en geplaagd.

'Nee,' zegt Holly voorzichtig. 'Al ligt dat niet echt aan mij. Ik kan me in mijn huidige leven geen situatie voorstellen waarin ik complimentjes krijg. Mijn leven als moeder is heel saai. Je ziet steeds dezelfde mensen en je draagt dezelfde kleren, dus waarom zou iemand je complimenteren met je uiterlijk? Maar voor jou moet toch hetzelfde gelden? Wanneer heb jij voor het laatst een complimentje gehad?'

'Nou, ik kreeg er één op Toms herdenkingsdienst. Het was niet erg gepast, maar er kwam een meisje naar me toe dat vertelde dat haar vriendinnen en zij een oogje op me hadden toen we klein waren. Weet je nog dat ik een zomer bij een drogist heb gewerkt? Ken-

146

nelijk zagen ze me in het weekend rugby spelen en verzonnen ze daarna redenen om naar de drogist te gaan en spullen te kopen. Ze hadden zelfs een naam voor me. De lekkere benenman.'

Holly barst in lachen uit. 'Vanwege je dikke rugbybenen?'

'Er is niks mis met dikke rugbybenen.'

'Dat hoorde je me ook niet zeggen. Maar het is wel grappig. De lekkere benenman. Leuk.'

'Ja, nou. Ik heb het niet verzonnen. Holly?' Wills uitdrukking wordt even ernstig. 'Mag ik je iets vragen?'

'Jawel, maar ik weet niet zeker of ik ook antwoord geef.'

'In een van je e-mails zei je dat je een fijne avond had als je om negen uur in bed ligt, en een geweldige avond als je er om acht uur in ligt. Dat meende je toch niet echt?'

Met een glimlach buigt Holly zich voorover. 'Will, jongen, op een dag heb je hopelijk kleine kinderen en dan zul je precies begrijpen wat ik bedoel, en waarom het helaas wel degelijk waar is.'

'Maar ik heb ontzettend veel vrienden met kinderen en jij bent de enige die zo vroeg naar bed gaat.'

Holly haalt haar schouders op. 'Ik word gewoon moe.'

'Weet je zeker dat je je niet verbergt voor het leven?'

'Wat?' Geschrokken gaat Holly rechtop zitten.

'Het spijt me, Holly. Ik wilde je niet beledigen. Maar je bent zo levendig, dat ben je altijd al geweest. Maar deze lunch is de eerste keer dat ik de oude Holly weer heb gezien. Toen ik je na de dienst zag, kon ik niet geloven hoe, nou ja… hoe oud je leek. Stijfjes en tuttig, een schaduw van de vrouw die je vroeger was, van de vrouw die je in mijn dromen was geworden.

En ik wil je geen verdriet doen, maar ik vind het echt vreselijk dat je elke avond om acht of negen uur in bed ligt. Dat is geen leven. Dat is je verstoppen. Het klinkt alsof je je hoofd letterlijk onder de dekens begraaft en je verbergt voor het leven.'

Holly doet er een poosje het zwijgen toe. Ze kan even niks zeggen. Als ze opkijkt en Wills blik ontmoet, haalt ze alleen treurig haar schouders op.

'Ergens heb je wel een beetje gelijk,' zegt ze. 'Misschien ga ik vroeg naar bed om te voorkomen dat ik mijn leven onder de loep neem, en misschien zouden de zaken anders liggen als Marcus vaker thuis was. Maar je moet goed begrijpen dat hij heel hard werkt en er nooit is. Het is niet dat ik dingen afzeg om naar bed te kunnen gaan. Er is verder niks te doen. Ja, ik zou natuurlijk op kunnen blijven en tv-kijken tot hij thuiskomt, maar ik ga liever naar bed met een goed boek.'

'Het is belachelijk dat je verder niks te doen hebt. Je kunt uitgaan met vrienden, lol maken. Je kunt naar de bioscoop gaan of ergens wat gaan drinken. Iets. Wat dan ook. Een leven leiden.' Hij is ontsteld en doet geen poging om dat te verbergen.

'Goed,' zegt hij. 'Ik daag je uit. Ik ga vrijdagavond met een stel vrienden naar een band luisteren. Heel ontspannen, gewoon een live optreden in een café. Ik wil dat je meegaat als Marcus er niet is. Doe het gewoon. Zeg ja. Regel een oppas en kom.'

'Dat gaat niet.' Holly schudt haar hoofd, maar terwijl ze dat doet, weet ze dat ze wel kan. Dat ze het zal doen.

'Waarom niet? Wedden dat Marcus aan het werk is. Zie het zo: je kunt kiezen tussen vroeg naar bed of een leuke avond met interessante mensen. Dan doe je een keer iets anders, iets waardoor je kunt groeien als mens.' Will slaakt een zucht. 'Ik heb zo'n hekel aan het idee, de aanname die veel getrouwde mensen hebben dat je je na je huwelijk op een bepaalde manier moet gedragen. Dat je leven om de kinderen moet draaien, dat je wereldje moet krimpen tot er niets over is van degene die je was voor je kinderen had.

Ik heb hopen getrouwde vrienden,' gaat hij verder. 'En wat ze met elkaar gemeen hebben is dat ze zichzelf niet hebben verloochend. Ze gaan nog naar de kroeg en hebben nog voldoende van hun identiteit om niet het gevoel te hebben dat een deel van hen is gestorven op het moment dat ze naar het altaar liepen.'

'Jezus.' Holly snakt naar adem. 'Dat is precies hoe ik me voelde op mijn bruiloft. Dat heb ik me nooit eerder gerealiseerd.'

'Zie je wel? En dit is je kans om te veranderen. Toe, zeg dat je meegaat. Ik wil je heel graag voorstellen aan mijn vrienden en volgens mij zul je ze heel aardig vinden. Kom je?'

'Goed dan.' Holly leunt achterover en ontspant zich. 'Ik kom.' Als de gedachte: waar ben ik mee bezig, bij haar opkomt, schreeuwt ze net zo lang tot die zich terugtrekt.

Ik ga er niet over piekeren, denkt ze. Ik neem het gewoon zoals het komt en zie wel wat er gebeurt.

In een rustig restaurant in Highgate Village zitten Paul en Anna in een hoekje met een glas wijn, en proberen de juiste woorden te vinden.

'Het spijt me heel erg, Anna,' zegt Paul opnieuw, en hij slaat zijn arm om haar heen om haar te knuffelen. 'Heel erg.'

'We kunnen het toch weer proberen?' Anna kijkt hem hoopvol aan, maar ze weet het antwoord al.

148

'Ik zou niet weten hoe dat moet,' zegt Paul. 'Ik weet dat we dit allebei dolgraag willen, maar de financiële druk is gewoon te groot. Volgens mij...' Hij zwijgt even. 'Misschien ben je er nog niet aan toe, maar ik geloof dat dit het juiste moment is om ons te informeren over adoptiemogelijkheden.'

Anna zucht en er drupt een traan op tafel. 'Ik had echt niet verwacht dat het zo ver zou komen,' fluistert ze. 'Ik bleef maar denken dat het de volgende keer zou lukken, dat ik zwanger zou worden. Ik kan het nog steeds niet geloven. Ik weet dat we altijd hebben gezegd dat we adoptie zouden overwegen, maar het is zo definitief. Adoptie wil zeggen dat ik gefaald heb. Dat wij hebben gefaald. Adoptie wil zeggen dat we toegeven dat dit het einde is. Geen Clomid meer, geen Synarel, geen injecties. Geen hoop meer. Ik weet niet of ik me daar wel bij neer kan leggen.'

'Ik weet het,' zegt Paul. 'Ik voel het net zo. Misschien kunnen we in de toekomst nog een keer IVF doen, maar zelfs als je er nog niet aan toe bent een adoptieproces te beginnen, hoe dat dan ook in zijn werk gaat, we zijn wel op een punt beland dat we het verder moeten uitzoeken. Dat we moeten kijken wat het inhoudt. Misschien krijgen we daardoor de zaken helderder voor ogen.'

'Waarom ik?' Anna legt haar hoofd tegen Pauls schouder en hij slaat zacht zijn arm om haar heen. 'Waarom wij?'

Hij is dol op haar kwetsbaarheid, denkt hij, terwijl hij teder over haar rug streelt en haar hoofd zoent. Hij troost haar als een baby, wiegt haar om alles goed te maken. Hij vindt het heerlijk dat ze vergaderingen genadeloos kan leiden, dat ze de concurrentie is aangegaan met de hardste zakenlui uit de branche, dat ze zichzelf en haar bedrijf uit het niets heeft weten te creëren. Maar wat hij het fijnste vindt, is dat ze ook nog andere kanten heeft.

De Anna van wie hij houdt, heeft heel veel facetten. Ze kan tegelijk hard, ontoegeeflijk, fel, zacht, teder en kwetsbaar zijn. Hij vindt het geweldig dat ze hem altijd durft te laten zien wie ze is, zoals vanavond.

Hij wiegt haar tot ze kalmeert. En wat betreft haar vraag, waarom ik? Waarom wij? kan hij slechts één antwoord bedenken.

Waarom niet?

'Zullen we dit weekend ergens heen gaan?' vraagt Paul als ze hun jas ophalen en tussen de dicht op elkaar staande tafeltjes doorlopen.

'Naar White Barn Fields?' Anna glimlacht grimmig. 'Om te kijken naar al het werk dat we ons niet kunnen permitteren?'

149

'We kunnen het altijd zelf doen.' Paul haalt zijn schouders op. 'Op een bepaalde manier zal dat waarschijnlijk ontzettend leuk zijn.'

'Denk je dat ze *Klussen voor dummy's* hebben?' vraagt Anna met een glimlach, de eerste oprechte glimlach van die avond.

'Als dat niet bestaat, kan ik het altijd zelf schrijven en er rijk mee worden.'

'Dat is het beste idee dat ik vanavond heb gehoord.' Lachend kijkt Anna hem aan. 'Ik hou echt van je, weet je dat?'

'Zelfs al kan ik me niet nog een IVF-behandeling veroorloven?' Paul maakt een geintje, maar Anna ziet de twijfel in zijn ogen.

'Ja, zelfs al kun je je dat niet veroorloven. In elk geval kan niemand ooit zeggen dat ik je om je geld heb getrouwd.'

'Nee, het kwam door mijn knappe uiterlijk en mijn charme.'

'Nou, volgens mij heb je me tijdens dat interview gehypnotiseerd. Maar het goede nieuws is dat ik nog altijd uit die trance moet bijkomen.'

'Ik hou ook van jou.' Paul geeft een zoen op haar voorhoofd en slaat zijn armen stevig om haar heen. Zo wiegen ze heen en weer op de stoep voor het restaurant, terwijl hun adem zachte wolkjes in de lucht maakt. 'Echt, ik ben een bofkont dat ik jou heb. Dat wij samen zijn.'

'Nou, gaan we dit weekend naar White Barn Fields met de gereedschapskist in de achterbak?'

'Ja, laten we dat doen.' Paul knikt, en ze lopen naar de auto. 'Laten we daar de handen uit de mouwen steken. En ik kan eens uitzoeken wat er allemaal bij een adoptie komt kijken.'

Anna knikt. 'Ik kan niks beloven, maar dat is goed. Ik vind het prima dat je je erin gaat verdiepen.'

'Nou, wat vind je ervan?' Will buigt zich naar Holly en fluistert in haar oor, zodat ze hem kan horen.

Met een grijns kijkt ze hem aan. 'Je vrienden zijn fantastisch. De muziek is fantastisch. Ik amuseer me prima.'

'Dus alles is fantastisch?' Will lacht.

'Inderdaad,' zegt Holly, en Will bestelt nog een rondje bier.

Ze zitten in het Jazz Café in Camden. Tot Holly's verbazing stikt het er niet van de mensen die tien jaar jonger zijn dan zij, wat ze had gevreesd. Ook is het geen vreselijk harde muziek waar ze hoofdpijn van krijgt.

En het is geen verschrikkelijke avond. Ze weet niet zeker waarom

150

ze ja heeft gezegd. Ze had gedacht dat ze het vreselijk zou vinden, maar ze wilde iets bewijzen. Ze wilde zichzelf bewijzen dat er een reden was waarom ze om acht uur naar bed ging, dat ze er niets mee zou opschieten door net te doen alsof ze nog in de twintig was en naar cafés ging om naar live muziek te luisteren en te drinken met mensen die ze niet kende.

Maar Wills vrienden zijn enig. Een elektricien die af en toe samenwerkt met Will, een chiropractor en haar man die journalist is en een Australisch stel dat, net als Will, werkt om hun reizen te bekostigen. Het chiropractorstel – Jan en Phil – heeft vier kinderen en Holly heeft aan het begin van de avond, voor de band begon te spelen, vriendschap met hen gesloten door verhalen uit te wisselen over hun kinderen. Af en toe ving ze Wills blik op die een stukje verderop babbelde met de Australiërs.

De band is een jazztrio. De muziek is prachtig, niet te zacht en niet te hard, en het verbaast Holly dat ze het zo naar haar zin heeft. Ze zit met een biertje aan de bar naar de muziek te luisteren. Joost mag weten wanneer ze voor het laatst van een biertje heeft genoten – een biertje! – tegenwoordig is een wodka-tonic meer iets voor haar.

Ze is met een groep leuke mensen. Gemoedelijke lui. Mensen die geen indruk op elkaar willen maken, die haar niet beoordelen, die tevreden zijn met zichzelf en met de mensen bij wie ze zijn.

Heel anders dan haar leven met Marcus en haar rol als vrouw van Marcus.

Ach. Marcus.

Ze had tegen Marcus gezegd dat ze uitging, alleen was ze niet helemaal eerlijk geweest over met wie ze ging. Ze had Will wel genoemd, want ze kon geen grote leugen vertellen, maar ze had gezegd dat ze met een groep ging: Paul en Anna, Olivia en nog een paar. 'Jammer dat je er niet bent,' had ze aan de telefoon tegen Marcus gelogen. 'We zullen je missen.'

'Veel plezier,' had hij afwezig gezegd, en ze had zich niet schuldig gevoeld om haar leugentje.

Aan het einde van de avond omhelst iedereen elkaar en Will wendt zich tot Holly. 'Ik moet morgen wat spullen naar pap en mam brengen en ik blijf daar lunchen. Wil je ook komen? Ze zullen het heerlijk vinden om je te zien.'

'Morgen?' Holly kijkt op haar horloge om tijd te rekken. Morgen. Marcus is nog in Manchester en hij zal pas laat in de middag thuiskomen. Ze had geen echte plannen voor morgen, het zou gewoon een zaterdag met de kinderen worden.

151

'Ik moet op de kinderen passen,' zegt ze talmend. Wat bedoelt Will eigenlijk? Hij zegt niet meer dan dat ze zijn ouders moet bezoeken omdat die haar graag willen zien.

'Neem ze mee,' zegt hij met een grijns. 'Ik wil ze graag leren kennen.'

'Moet je niet eerst aan je ouders vragen of het goed is?'

'Jeetje, Holly, je kent mijn ouders toch? Je weet dat mam genoeg zal hebben gemaakt om een heel leger te voeden, en bovendien beschouwt zij je als familie.'

'Zeg je wel tegen ze dat ik ook kom? Vraag je of het goed is?'

'Als ik jou daar blij mee maak, zal ik tegen haar zeggen dat je komt. Wil dat zeggen dat je komt?'

'Ja.'

'Geweldig!' zegt Will, en na nog een laatste omhelzing stapt Holly in haar auto. Ze zet de muziek hard en glimlacht de hele weg naar huis. Ze glimlacht als ze zich uitkleedt, als ze haar tanden poetst en als ze in bed stapt. Het duurt twee uur voor ze in slaap valt, twee uur en uiteindelijk neemt ze een valium, maar zelfs als ze in bed ligt en elke minuut van de avond nogmaals de revue laat passeren, heeft ze een onuitwisbare glimlach op haar gezicht.

152

15

'Hebben ze kinderen?' Oliver wipt op en neer in zijn kinderzitje terwijl Holly door de stille straten rijdt.

'Ja, schat,' zegt Holly. 'Maar niet van jouw leeftijd. Herinner je je mammies vriend, Tom, nog? Dat was hun zoon, net als Will die je vandaag zult ontmoeten.'

'Ma?'

'Mammie. Ja, schat?' Ze vindt het vreselijk dat Oliver haar naam tegenwoordig afkort tot ma. Elke keer dat ze hem 'ma' hoort zeggen, voelt ze zijn kindertijd als zand door haar vingers glippen. Het is zoiets kleins om zich vast te klampen aan mammie zijn, in plaats van ma, maar Holly weigert het op te geven.

'Mammie.' Op de achterbank rolt Oliver ongezien met zijn ogen. 'Mammie, denk je dat Tom ons kan zien vanuit de hemel? Denk je dat hij nu naar ons kijkt?'

'Waarschijnlijk wel, schat. Soms praat ik met hem en dan heb ik het gevoel dat hij bij ons is, ook al is hij dat niet. Ik droom ook over hem.' Om precies te zijn heeft Holly twee keer over Tom gedroomd sinds zijn dood. Beide keren verscheen hij uit het niets en had Holly geschokt haar armen om hem heengeslagen en gezegd: 'Ik dacht dat je dood was.' Tom had haar ook geknuffeld en haar verzekerd dat alles goed met hem was. Dat hij gelukkig was waar hij was en dat hij wilde dat zij ook gelukkig was.

Ze was beide keren verward wakker geworden, maar wel met een vredig gevoel. Al had Holly nooit gedacht dat zij zou geloven in contact met je geliefden in het hiernamaals, nu is ze ervan overtuigd dat Tom naar haar kijkt, dat alles goed met hem is en dat dit zijn manier is om haar gerust te stellen.

Daisy's hoge stemmetje klinkt van de achterbank. 'Mammie, ik wil naar de hemel. Mag ik daarheen?'

Holly huivert. 'Pas over heel veel jaren, liefje.'

'Domoor,' vermaant Oliver haar. 'Je gaat naar de hemel als je doodgaat. Jij wilt niet dood.'

153

'Wel waar!' beweert Daisy. 'Ik wil doodgaan en dan naar de hemel gaan, want daar zijn mooie prinsessen en pony's en dat wil ik wel! Ik wil doodgaan!'

'Daisy!' Holly's stem klink harder dan haar bedoeling is, en zelfs al heeft Daisy er natuurlijk geen flauw benul van wat ze zegt, Holly kan het niet verdragen dat ze het zegt. 'Je moet niet zeggen dat je dood wilt. Ik zou je heel erg missen als je doodging, en je hebt voor die tijd nog veel te veel te doen op aarde.'

'Zie je wel?' Oliver grijnst triomfantelijk. 'Dat zei ik toch.' En Holly zet de cd van Harry Potter op in een poging ze stil te houden.

'O, kijk haar toch eens!' Maggie doet een stap naar achteren en kijkt naar Daisy met een opgetogen glimlach op haar gezicht. 'Ze is een kleine versie van jou, Holly. Ze lijkt sprekend op je. Wat een schatje!'

'En dit is Oliver. Oliver, zeg mevrouw Fitzgerald eens gedag.'

'Mevrouw? Doe niet zo mal, Holly. Mevrouw Fitzgerald is mijn schoonmoeder. Iedereen noemt mij Maggie, ook de kinderen.'

Ja, natuurlijk noemt iedereen haar Maggie, denkt Holly. Hoe zou ze anders genoemd moeten worden? Holly had het nooit prettig gevonden om haar kinderen meneer en mevrouw tegen haar vrienden te laten zeggen, maar Marcus stond erop. Hij vond dat de kinderen alle volwassenen meneer en mevrouw moesten noemen, of het nou goede vrienden betrof of niet.

Het maakte deel uit van Marcus' pretentie, dacht ze. Hij dacht dat hij zich zo moest gedragen als hij mensen wilde laten denken dat hij uit de betere kringen kwam, wat hij iedereen zo graag wilde laten geloven. En daarom had Marcus ook vastomlijnde ideeën hoe de kinderen zich hoorden te gedragen.

Ze moesten volwassenen een hand geven, hen recht aankijken en 'Hoe maakt u het?' vragen. Ze mochten aan tafel pas iets zeggen als hun iets werd gevraagd. Doordeweeks mochten ze geen tv kijken, en in het weekend niet langer dan een uur per dag. Daisy moest jurkjes met smokwerk en lakschoenen dragen en Oliver ribbroeken en wollen truien.

Het deed er niet toe dat Holly niemand kende die koppiger was dan Daisy. En haar iets anders aantrekken dan roze, paarse of glitterkleren was een strijd waar Holly geen energie voor had.

Om nog maar te zwijgen over het feit dat Oliver bijna zeven was en er net als alle andere kinderen uit zijn klas uit wilde zien als een supercoole skateboarder, in Gap-kleren. Marcus leek de kinderen in een andere tijd te willen plaatsen en was verbaasd, en niet erg ge-

154

lukkig, dat Holly duidelijk geen rekening hield met zijn wensen als hij niet thuis was.

'Het zijn nog maar kleine kinderen!' had Holly zelfs een keer tegen Marcus' moeder geklaagd toen ze bij haar op bezoek waren, net buiten Brighton.

'Ze zijn nog heel jong,' had Joanie beaamd. 'En het is 2006, niet 1886.' Holly was in lachen uitgebarsten. 'Ga gewoon door zoals je het doet, dan worden het fantastische kinderen.' Joanie had geknikt. 'Ik vind je een geweldige moeder.'

'Dank je, Joanie.' Holly had naar haar geglimlacht en zich afgevraagd hoe zo'n nuchtere vrouw een zoon als Marcus had kunnen voortbrengen.

Holly staat bij de gootsteen in de keuken aardappelen te schillen en ze houdt even op. Met een glimlach kijkt ze naar de grote eik aan de andere kant van de tuin waar Peter en Oliver druk bezig zijn. Peter houdt een spijker vast – wat Holly heel dapper van hem vindt – die Oliver er voorzichtig in slaat.

Vlak na hun aankomst was Peter naar de keuken gekomen en hij was op zijn hurken gaan zitten zodat hij even groot was als de kinderen.

'Jij ziet er heel sterk uit,' had hij tegen Oliver gezegd. 'Heb je sterke spieren?'

Oliver knikte behoedzaam.

'Gelukkig maar, want ik heb namelijk hulp nodig om een boomhut te bouwen. Denk jij dat je dat kunt?'

Oliver gilde bijna van ja, en hij sprong op en neer van opwinding.

'Nou, eigenlijk is hij al gebouwd, maar de ladder is kapot en het heeft natuurlijk geen zin om een boomhut te hebben als je er niet in kunt klimmen, vind je ook niet? Kun je goed met een hamer en spijkers overweg?'

'Ik kan heel goed hameren,' zei Oliver, al heeft hij voor zover Holly weet nog nooit een hamer vastgehouden.

'Kom dan maar mee. Dan ben ik de bouwer en jij mijn onderbevelhebber. Lijkt je dat wat?' Hij stak zijn hand uit naar Oliver en die had hem meteen gepakt. Hij had enthousiast geknikt toen hij de tuin in liep, en Peter was in de deuropening blijven staan en had zich omgedraaid om naar Holly te knipogen.

Ze kijkt naar Oliver die druk babbelt met Peter en hij gaat net zo staan als Peter – met zijn hand op zijn heup terwijl hij zijn werk bekijkt – om zoveel mogelijk op hem te lijken.

155

'Wat is hij lief met kinderen, hè?' Maggie komt naast Holly staan en kijkt met een glimlach naar buiten. 'Hij mist Dustin en Violet verschrikkelijk. Wij allebei. Er is niets zo mooi als de relatie tussen grootouder en kleinkind, en het is heel moeilijk als ze zo ver weg wonen.'

'Heb je ze gesproken? Hoe gaat het met ze? En met Sarah?'

Maggie slaakt een diepe zucht. 'Ze is vooral verdrietig. Ik had gedacht dat ze heel stoïcijns zou zijn, dat ze de draad van haar leven zou oppakken en haar verdriet kon bedwingen, maar het lijkt erop dat verdriet ons op onverwachte wijze treft. Haar zus woont een poosje bij ze en dat is een geweldige hulp met de kinderen. Wij hebben aangeboden om de kinderen met kerst hier te hebben, zodat zij wat rust heeft, tijd om echt te rouwen, maar zij heeft er heel terecht op gewezen dat de kinderen op dit moment de enige reden zijn dat ze het volhoudt.'

'En de kinderen?'

'Ik geloof dat een groot deel hun boven de pet gaat. Vooral Dustin, de kleinste. Violet heeft het er moeilijk mee. Ze begrijpt dat haar pappie niet meer terugkomt en ze mist hem ontzettend. Ze schrijft hem elke dag brieven...' Maggies stem sterft weg en ze veegt een traan uit haar oog. Ze bijt op haar lip om de tranen te laten ophouden en slaagt daarin, al kost het haar al haar wilskracht.

Holly slaat haar arm om haar heen en Maggie legt haar hoofd tegen Holly's schouder. Zo staan ze samen voor het raam tot Daisy, die aan de keukentafel poppenhuizen maakt van cornflakesdozen, wat hulp eist met het maken van lakens van keukenpapier.

Om kwart over één is er nog altijd geen teken van Will te bespeuren. De gebraden lamsbout ligt te rusten op het aanrecht, de verse munt uit de tuin is gehakt en in een saus met azijn en suiker verwerkt, de groenten staan te stomen en de aardappelen worden knapperig in de oven.

Holly heeft het afgelopen uur voortdurend steelse blikken op haar horloge geworpen. Ze wil dolgraag vragen wanneer hij komt, of hij eigenlijk wel komt, maar ze wil Maggie niks van haar gevoelens laten merken.

Ze weet verdomme zelf niet eens wat ze voelt.

Daarentegen weet ze wel dat ze gisteravond in een roes is thuisgekomen, een roes die ze vanochtend nog voelde toen ze wakker werd en wist dat ze iets had om naar uit te kijken. Marcus had die ochtend gebeld en zelfs hem was opgevallen hoe gelukkig ze klonk.

156

'Ik ben gewoon met mijn goede been uit bed gestapt,' had ze gezegd.

'Hoe was het gisteravond?' had hij, verbazingwekkend genoeg, gevraagd. Meestal informeerde hij niet naar haar dag.

'Het was fantastisch. Goede band. Leuke avond.'

'Mooi zo,' had hij afwezig gezegd, zonder verder nog iets te vragen. Hij zou later die middag thuiskomen, had hij gezegd. Welke plannen had zij? Ze had verteld over de lunch bij Peter en Maggie en gezegd dat ze hem later thuis wel weer zou zien.

Ze had hem maar niet verteld dat ze het uur ervoor allerlei kleren had aangetrokken om de volmaakte combinatie voor een lunch op zaterdag te vinden. Het moest niet lijken alsof ze te hard haar best had gedaan, ze wilde iets dragen dat gemakkelijk zat en niet al te saai was. Uiteindelijk had ze gekozen voor een strakke corduroy broek, een gestreept T-shirt met lange mouwen en honkbalgympen die ze kort geleden had gekocht.

Maar met elke minuut die voorbijtikt, neemt de roes verder af en om kwart over één dreigt Holly in een regelrechte depressie te belanden. Hou op, probeert ze tegen zichzelf te zeggen. Je bent hier met je kinderen, je bent hier voor Peter en Maggie, niet om Will te zien. Wat maakt het uit als hij niet komt, daarom kun je nog wel een leuke middag hebben. Je hebt alsnog een leuke middag.

Maar ze weet dat het niet waar is.

Maggie roept iedereen aan tafel en Holly neemt zich voor om niet te vragen naar de lege plek aan de ene kant van de tafel.

Dat is ook niet nodig.

'Waar is Will?' vraagt Peter.

Maggie haalt haar schouders op. 'Je kent onze Will. Als hij zegt dat hij om twaalf uur komt, kan dat van alles betekenen, van tien uur 's ochtends tot tien uur 's avonds. Als hij überhaupt komt, tenminste.'

Peter schudt zijn hoofd. 'Die knul kan me af en toe zo kwaad maken.'

'We hebben geleerd om niet al te zeer op Will te rekenen. Al...' Ze werpt een behoedzame blik op Daisy en Oliver, die Pippa plagen met een groen snoepje dat goed is voor haar gebit. Te oordelen naar Pippa's overdreven enthousiaste reactie smaakt het lekkerder dan het eruitziet. 'Al is hij fantastisch geweest tijdens al... dit. Ik had nooit gedacht dat we op die manier op Will zouden kunnen rekenen, maar hij stond altijd voor ons klaar.'

'Zeker.' Peter knikt ernstig. 'Maar nu is het waarschijnlijk weer als vanouds.'

157

'Nou, ik weet niet hoe het met jullie zit, maar ik verga van de honger,' zegt Maggie, al heeft ze bijna niets gegeten sinds de dag dat ze het nieuws over Tom heeft gehoord. Ze is ruim zes kilo afgevallen, wat er op haar leeftijd voor zorgt dat ze er mager en oud uitziet. 'Ik zal de kinderen eerst opscheppen.'

Holly ruimt de tafel af en excuseert zich dan om naar het toilet te gaan. Ze wil het liefst een potje huilen. Binnen een uur is haar stemming omgeslagen van ontzettend opgetogen naar vreselijk gedeprimeerd. 'Doe normaal,' snauwt ze tegen haar spiegelbeeld. Je bent een getrouwde vrouw, houdt ze zichzelf voor. Gedraag je dan niet als een tiener.

Maar zo voelt ze zich wel. Als een tiener die haar emoties niet in de hand heeft. Wier emoties en humeur door externe factoren razendsnel kunnen omslaan.

Ze heeft nog altijd geen idee waar dit op uit zal draaien, ze ziet zichzelf nog altijd als iemand die nooit een verhouding zou beginnen. En eigenlijk heeft ze nooit gedacht dat ze iets met Will zou krijgen, heeft ze nooit stilgestaan bij het eindresultaat van al deze... vriendschap.

Ze weet dat ze hem aantrekkelijk vindt, maar dat zou iedereen vinden. Hij is tenslotte een stuk. Ze is nog in het stadium dat ze wacht, droomt en vurig wenst dat de aantrekkingskracht in de nabije toekomst zal afnemen en er een hechte vriendschap tussen hen zal ontstaan.

Dat wil niet zeggen dat ze iets gaat ondernemen of dat er iets zal gebeuren. Goed, ze mag dan een paar keer haar ogen hebben dichtgedaan als ze in bed lag met Marcus om Will voor zich te zien, maar dat was enkel uit nieuwsgierigheid, alleen om hun seksleven een beetje op te peppen. En dat heeft toevallig wel gewerkt.

Wat ze nu pas goed beseft, is dat ze een man in haar leven heeft gemist die een vriend is. Marcus is nooit haar vriend geweest, weet ze nu. Hij is nooit haar partner geweest. In het begin zei ze tegen mensen dat Marcus haar beste vriend was, maar achteraf gezien was dat ter compensatie van de aantrekkingskracht die ze nooit heeft gevoeld, alsof het feit dat hij haar beste vriend was een verzachtende omstandigheid was.

Waar Marcus haar kleineert – subtiel, altijd heel subtiel – luistert Will. Hun e-mails zijn nog altijd leuk en grappig, maar Holly heeft gemerkt dat ze er steeds meer van zichzelf in blootgeeft, dat ze hem laat merken hoe ze zich echt voelt.

158

Het enige onderwerp waar ze niet al te diep op in zijn gegaan is haar huwelijk en waarom ze het gevoel heeft dat ze een mannelijke vertrouweling nodig heeft, iemand die haar de situatie vanuit een mannelijk perspectief kan laten zien, iemand die haar weer het gevoel geeft dat ze mooi is. Ze heeft thuis immers een prima echtgenoot?

Of niet, natuurlijk.

De voordeur valt dicht en Holly verstijft als ze het vertrouwde sleutelgerinkel hoort. Ze weet precies wat Marcus doet. Hij haalt zijn Blackberry uit zijn zak en scrolt er snel doorheen om te kijken of hij de afgelopen tien seconden nog e-mails heeft gehad die per se nu moeten worden afgehandeld. Hij legt zijn sleutels en het losse kleingeld uit zijn zakken in de asbak en roept snel hallo waarna hij zijn aktetas meeneemt naar zijn kantoor op de begane grond om hem daar uit te pakken.

Terwijl hij dat doet, pakt hij de post die gisteren is bezorgd en bladert er snel doorheen, om er zeker van te zijn dat er niets bij zit dat niet even kan wachten. Tegelijkertijd luistert hij naar de boodschappen op het antwoordapparaat in zijn kantoor. Er zijn altijd problemen die niet kunnen wachten en hij zal het komende uur e-mails schrijven en snauwen naar alle gezinsleden die in de deuropening verschijnen omdat ze hun vader zo hebben gemist.

Zoals gewoonlijk krijgt Holly een plichtmatig zoentje terwijl hij naar zijn kantoor loopt en aait hij de kinderen afwezig over hun hoofd.

'Nu moet je pappie loslaten,' zegt hij streng tegen Daisy die zich om zijn benen heeft verstrengeld. Hij kijkt Holly aan en gebaart ongeduldig naar Daisy, en Holly staat op en probeert Daisy los te maken. Het meisje barst direct in snikken uit. 'Zorg alsjeblieft dat ze niet in het kantoor komen, dan kijk ik even of er berichten zijn,' zegt hij. 'Ik ben zo klaar.'

'Best,' zegt Holly, en ze draagt de ondertussen krijsende Daisy naar de keuken waar ze de deur iets harder dan haar bedoeling was achter zich dichttrekt. Ze gaat aan het aanrecht zitten en laat haar hoofd in haar handen zakken. 'Godverdomme,' fluistert ze. 'Is dit alles wat er is?'

Een uur later is Marcus nog in zijn kantoor, en de kinderen zijn in bad geweest en zitten lief te kleien in de speelkamer. Marcus zou boos worden als hij ze na hun bad met klei bezig zag, maar het was kiezen tussen tv-kijken of kleien, en Holly dacht dat Marcus de klei

159

als de minste van beide kwaden zou beschouwen.

Ze rent naar haar studio en klikt op haar inbox. Alleen om te kijken. Als hij van me houdt, heeft hij me geschreven, denkt ze, waarna ze zichzelf een streng standje geeft. Doe normaal, denkt ze, maar toch maakt haar hart een sprongetje als ze de e-mail ziet die op haar wacht.

Een paar kilometer verderop, in een andere kamer, kijkt Olivia ook of ze e-mail heeft. Dom, dom, dom, denkt ze, vechtend tegen de hoop dat er een e-mail zal zijn van Fred. Dom, dom, dom, dat ik met hem in bed ben gesprongen, dat ik mezelf heb laten geloven dat er iets speciaals tussen ons is, dat hij me zou missen als hij eenmaal terug was in Amerika. Dat we zoiets bijzonders hadden dat we er allebei aan zouden willen werken.

Maar in werkelijkheid wilde Olivia er niet aan werken. Diep in haar hart weet ze dat Fred niet meer dan een uitspatting was, precies zoals Tom altijd had gezegd. Een lieve, tedere, knappe jongen, die er nog lang niet aan toe was om zich te binden, om een relatie aan te gaan.

Olivia wilde geen boterbriefje halen, maar ze was oud en wijs genoeg om te beseffen dat haar tijd voor losse verhoudingen voorbij was. Als ze iets met een man zou beginnen, zou het met het oog op een langdurige relatie zijn.

Een paar dagen lang, terwijl Fred en zij het samen heerlijk hadden, heeft ze zichzelf toegestaan te denken: stel dat... Maar zelfs toen wist ze dat die gedachte onrealistisch was. Bovendien wilde ze Fred niet echt, het was meer dat ze wilde dat hij haar wilde. Zelfs al hadden ze met wederzijdse instemming afscheid genomen, haar ego wilde dat hij tot de ontdekking zou komen dat hij stapelverliefd op haar was als hij eenmaal weer in Amerika was.

Ze had het gesprek dat ze met hem zou hebben zelfs al helemaal bedacht. 'Fred, liefje,' zou ze met haar Katherine Hepburn-stem zeggen. 'Je bent een enige knul, maar je moet je lekker uitleven. Ik weet dat je denkt dat je verliefd op me bent, maar dat is niet echt. Amuseer jezelf, leef je leven, en wij zullen altijd Londen hebben.'

Maar toch, elke avond voor ze naar bed gaat, kijkt ze of hij haar een mailtje heeft gestuurd. Toen hij net terug was, zijn er een paar korte berichten geweest; een bedankje voor de ontzettend aangename tijd in Londen, voor het feit dat ze zo'n bijzondere vriendin was en veel geluk en voorspoed in de toekomst.

Zij had hem hetzelfde gewenst, en was vervolgens verbluft ge-

160

weest dat de hele e-mail correspondentie was gestopt. Was dat het dan? Ze had haar grijze wortels niet meer bijgewerkt, had haar zwarte jurkje weer treurig achter in haar kast gehangen. Ze besloot dat het een fantastische vakantie was geweest, maar eentje die niet voor herhaling vatbaar was. De verwarring en onzekerheid van relaties, of verhoudingen, of hoe je het dan ook zou moeten noemen, was iets waar Olivia heel goed buiten kon. Daar was ze van overtuigd.

Dus toen Jennifer haar vertelde dat er een sexy single man was komen informeren naar een van de honden en ze zijn nummer aan Olivia had gegeven met de opdracht hem te bellen, had Olivia haar hoofd geschud. 'Deze keer niet,' had ze gezegd. 'Ik ben helemaal klaar met mannen.' En ze had het telefoonnummer teruggegeven aan Jen.

161

16

Aan: Holly
Van: Will
23/01/07 19:52:32
Onderwerp: Niet komen opdagen en verontschuldiging

Holly, Holly, Holly. Het spijt me heel erg dat ik er vandaag niet was. Blijkbaar heb ik gisteravond veel te veel gedronken, want ik had vanochtend een enorme kater. Ik werd pas rond het middaguur wakker en ik was helemaal vergeten dat ik naar mam en pap zou gaan, tot mam belde nadat jij was vertrokken. Ik vind het heel vervelend dat ik je zo heb laten zitten. Bovendien zou het echt een feest zijn geweest om je twee keer in twee dagen te zien en om je kinderen te ontmoeten. (Volgens mam zijn ze trouwens fantastisch.) Zeg alsjeblieft dat je me vergeeft. Alsjeblieft! Ik wil je van de week graag op een lunch trakteren om me fatsoenlijk te verontschuldigen. Maar even iets anders, gisteravond was heel gaaf (wat ik me ervan kan herinneren). Ik weet nog wel dat jij er behoorlijk sexy uitzag (mag ik dat wel zeggen nu we vrienden aan het worden zijn?), goede muziek, leuke mensen. Ik hoop dat je niet woedend op me bent, Will x

Holly leest het mailtje vijf keer, tot Daisy tegen Oliver begint te krijsen. Glimlachend loopt ze de trap af, alle teleurstelling vergeten, en ze voelt zich weer ontzettend opgetogen.

Hij vindt me sexy! Hij vindt me sexy! Ik zie hem van de week weer.

Ze zweeft de speelkamer in waar ze zich op de kinderen stort en hen bedelft onder de zoenen. Ze zijn allebei zo geschokt dat ze onbedaarlijk moeten giechelen.

162

Aan: Will
Van: Holly
23/01/07 21:11:23
Onderwerp: Verontschuldiging

Hallo mijn lekkere benenman vriend,

Het spijt me, het spijt me, ik kan het gewoon niet weerstaan om je zo te noemen. Ik moet er vreselijk om lachen. Ik ben trouwens diep onder de indruk van je gave om onbewust meisjes te versieren. Ik heb het gevoel dat ik de eventuele aantrekkelijkheid die ik had toen ik jong was niet goed heb benut. Toen ontbrak het me aan het zelf-vertrouwen om te weten wat ik ermee aan moest, en nadat ik op mijn zesentwintigste ben getrouwd, hoefde ik er natuurlijk nooit meer aan te denken.
Maar toch, ik hoop dat ik op een gegeven moment een MILF wordt (ik weet dat jij weet dat dat 'mother I'd like to fuck' betekent). Maar ik heb het idee dat ik daar nog wat te jong voor ben. Volgens mij bereik je de MILF-status pas op je veertigste, maar misschien zit ik ernaast, en in dat geval moet ik wat harder mijn best gaan doen.
En bedankt voor je verontschuldiging wat betreft het niet komen opdagen bij je ouders. We hebben het desondanks heel gezellig ge-had, maar het zou leuk zijn geweest als je erbij was geweest. (Tom had gelijk toen hij zei dat je heel onbetrouwbaar bent...)
Maar goed, ik ga naar beneden om te eten. De kinderen slapen ein-delijk. Vind het geweldig om e-mails van je te krijgen, vooral als ze lang zijn. Ik heb je gisteren gemist.

Ik xx

Aan: Holly
Van: Will
23/01/07 23:35:11
Onderwerp: Verontschuldiging

Aan mijn lievelings-MILF,
Hoe kun je vraagtekens zetten bij je status als MILF? Jij bent zonder meer de meest sexy moeder die ik ken, en je hebt meer recht dan de meesten om de koningin van de MILFS te zijn.
Het spijt me echt van gisteren. Ik doe op zo veel manieren mijn best

163

om met een schone lei te beginnen, om betrouwbaar te zijn, maar gisteren heb ik het enorm verprutst.

Gelukkig ben je heel vergevingsgezind. Ben je ook zo met Marcus? Ik blijf maar denken aan alle dingen die je me hebt verteld: dat hij nooit helpt met de kinderen, dat hij niet veel thuis is en ik vraag me af of je je misschien te gemakkelijk schikt. Nee, dat is geen kritiek, absoluut niet, maar jij bent zo lief, zorgzaam en aardig, en daar lijkt Marcus misbruik van te maken.

Maar het belangrijkste is dat jij gelukkig bent, en misschien is er een manier om de dingen te doen die je voor jezelf moet doen, om jezelf weer te vinden. Goed, genoeg gebabbeld, zoals jij zou zeggen. Ik ben gewoon blij dat ik jou in mijn leven heb en ik verheug me erop om je van de week te zien...

Ik ook xx

17

'Waar ben je geweest?' Olivia zet de doos die ze in haar hand heeft op het aanrecht in de keuken en ze wendt zich tot Holly met haar handen op haar heupen. 'Ik heb twee berichten ingesproken zonder dat je hebt teruggebeld. Blijkbaar heb ik ongewild iets gedaan dat je vervelend vond, dus heb ik taartjes voor je gekocht. Als goedmakertje voor wat dan ook. Nou, vertel op, wat is er aan de hand?'

'Het spijt me echt heel erg, Olivia. Ik heb het de laatste tijd ontzettend druk gehad. De kerstkaarten, de kinderen, je kent het wel.'

'Nee, niet echt.' Olivia schraapt haar keel. 'Ik vind gewoon dat je een waardeloze vriendin bent geweest.'

'Goed, je hebt gelijk. Ik ben een waardeloze vriendin en het spijt me. Ik kan niet geloven dat je taartjes hebt meegenomen en... Jummie!' Ze opent de doos en likt langs haar lippen als ze de kleine fruittaartjes en chocolade-éclairs ziet. 'O, hemel, zoiets heerlijks heb ik nog nooit gezien. Heb je die bij die nieuwe patisserie in de hoofdstraat gehaald?'

'Ja. Die is fantastisch. Zet jij maar thee, dan pak ik de bordjes. Oké?'

'Goed.'

Een halfuur later, nadat er twee fruittaartjes en twee éclairs op zijn, haalt Holly diep adem en kijkt Olivia aan. Ze wil het haar niet vertellen. Ze wil het aan niemand vertellen. Niet dat er iets valt te vertellen, het is niet alsof haar vriendschap met Will meer is dan alleen vriendschap, maar de behoefte om het tegen iemand te zeggen, om te delen wat er in haar leven speelt, is sterker dan zij.

Ze heeft overwogen om het Saffron te vertellen, vooral omdat die zelf een verhouding heeft. Zij zou alles begrijpen over de verleiding, maar ze vertrouwt Olivia meer en ze weet dat Olivia discreet zal zijn en haar eventueel de raad zal geven die ze wil horen.

Heeft ze eigenlijk wel raad nodig? Ze weet het niet zeker. Wat ze wel weet is dat haar gevoelens heel verwarrend zijn. Het enige waar

165

ze aan denkt vanaf het moment dat ze opstaat tot het moment dat ze naar bed gaat, is Will. Niets aan Marcus stoort haar meer. Ze heeft gemerkt dat ze zichzelf kan uitschakelen, helemaal kan opgaan in een dagdroom over Will, een herinnering aan iets wat hij heeft gezegd of iets wat hij heeft gedaan, en hoe minder ze zich op Marcus richt, hoe kleiner hij als probleem wordt.

Ze is er nog altijd van overtuigd dat dit alles niets te betekenen heeft en dat Will en zij gewoon vrienden zijn. Tuurlijk wordt er wel wat geflirt, maar het blijft onschuldig. Holly is niet het type vrouw dat ooit een verhouding zou beginnen. Daar is ze van overtuigd.

Holly is nog nooit in haar leven iemand ontrouw geweest, en dat komt vooral door haar vader. Ze heeft overspel altijd gezien als de enige zonde die ze nooit zou begaan. En zelfs nu als ze naar Will kijkt en gelooft dat hij de knapste man is die ze ooit heeft gezien, weet ze dat ze geen verhouding zal beginnen.

Wat wel in haar is opgekomen, waar ze steeds vaker aan moet denken, is dat ze wellicht met de verkeerde man is getrouwd. Ze heeft zich nooit aangetrokken gevoeld tot Marcus en ze is er altijd van uitgegaan dat fysieke aantrekkingskracht geen rol speelde in hun relatie. En deze vriendschap heeft oude gevoelens, verlangens en behoeften waarvan ze het bestaan was vergeten weer laten ontwaken. Verlangens en behoeften die ze in een hokje in haar hersens had opgeborgen en waarvan ze zich had wijsgemaakt dat ze wel zonder kon, dat ze onbelangrijk waren.

Maar ze zijn wel belangrijk.

Het is belangrijk dat ze niet, zoals ze zelf had aangenomen, dood is onder de gordel. En nu die gevoelens weer tot leven zijn gewekt, weet ze niet zeker of ze ze weer uit kan schakelen. Of ze de rest van haar leven naar bed kan blijven gaan met een man die haar... niks doet.

De gedachte die door haar hoofd blijft spelen, waarvan ze elke nacht wakker wordt en niet meer in slaap kan komen is deze:

Ik geloof dat ik met de verkeerde man ben getrouwd.

Daarom moet ze praten, daarom zit ze aan haar keukentafel, slikt ze moeizaam en haalt ze diep adem.

'Ik heb een vriendschap,' zegt ze onbeholpen, niet in staat om Olivia in de ogen te kijken. Ze weet echter dat ze iets moet zeggen, dat Olivia de juiste is om dit aan te vertellen.

'Leuk,' zegt Olivia achteloos, maar ze begrijpt de verborgen betekenis als Holly eindelijk haar ogen opslaat en haar aankijkt. 'O, nee! Je bedoelt "een vriendschap"...'

166

Holly knikt.

Olivia's ogen worden groot. 'Heb je een verhouding?' Bij het laatste woord dempt ze haar stem tot een fluistering.

'Nee!' zegt Holly hard. 'Sst. Frauke is boven. Ik wil niet dat ze hier iets van hoort. Maar nee, ik zweer dat ik geen verhouding heb. Maar ik heb wel een vriendschap met een man en ik voel me zo ontzettend... in de war.'

'In de war omdat je een verhouding wilt?'

'Nee! Nou... misschien. Nee, ik denk het niet. Ik geloof niet dat het daarom draait.'

'Waar draait het dan wel om?'

Holly slaakt een diepe zucht. 'Ik weet het echt niet, Olivia. Alleen lijkt het net of mijn huwelijk... Ik weet het niet. Niks is. Het voelt alsof het niks is. Ik voel helemaal niks, en als ik bij deze man ben, heb ik het gevoel dat ik leef. Ik voel me jong en vrij, alsof alles mogelijk is. En ik blijf maar denken: stel je voor dat ik met de verkeerde man ben getrouwd?'

'Wauw!' Olivia blaast haar adem uit en leunt achterover. 'Dat is nogal wat.'

'Zeg dat wel.' Holly kijkt haar treurig aan. 'Het is vreselijk, en nu ik de woorden hardop heb uitgesproken, lijkt het nog veel erger omdat het nu echt is. Maar ik moest met iemand praten, ik moest weten wat jij ervan vindt.'

'Hè? Ik vind niks. Wat moet ik dan zeggen? Dat je een verhouding moet beginnen?'

'Nee.' Holly schudt haar hoofd. 'Dat gaat niet gebeuren, maar het is wel zo dat ik een vriend heb tot wie ik me aangetrokken voel, dat zal ik eerlijk toegeven. Maar wat nog belangrijker is: hij luistert naar me. Hij is geïnteresseerd in wat ik te zeggen heb, hij vindt me grappig en slim en hij geeft me het gevoel dat ik belangrijk ben.'

'Doet Marcus dat dan niet?'

Holly snuift. 'Wat denk je zelf?'

'Ja, oké. Ik begrijp wat je bedoelt.'

'Wat vind jíj eigenlijk van Marcus?' vraagt Holly ineens. 'Ik bedoel, je kent hem natuurlijk niet goed, maar welke indruk heb je van hem gekregen? Vind je dat we bij elkaar passen? Is hij de juiste man voor mij?'

'Vergeet het maar, Holly.' Lachend schudt Olivia haar hoofd. 'Daar begin ik echt niet aan. De laatste keer dat me zoiets gebeurde, was mijn vriendin Lauren net weg bij haar man, de grootste zak die er bestaat. Toen heb ik tegen haar gezegd dat ze veel beter af is

167

zonder hem, dat hij verschrikkelijk was en dat al haar vriendinnen de schurft aan hem hebben en opeens zijn ze weer bij elkaar en negeert ze me compleet. Sinds die tijd heeft ze geen woord meer met me gewisseld.'

'Dus je vindt hem een grote zak?'

'Nee! Dat heb ik niet gezegd. Ik heb niks gezegd.'

'Ja, maar als je hem geweldig zou vinden en zou denken dat we voor elkaar bestemd zijn, dan zou je dat natuurlijk wel hebben verteld, dus ik denk dat ik wel tussen de regels door kan lezen.'

'Ik zeg alleen dat ik altijd het idee heb gehad dat jullie niet goed bij elkaar passen. Jullie zijn zo verschillend, maar ja, tegenpolen trekken elkaar immers aan. Bovendien ken ik ook andere stellen die totaal niet bij elkaar lijken te horen, maar die smoorverliefd op elkaar zijn, en liefde lijkt alles te overwinnen.'

'Dus je vindt hem een arrogante kwal?' Holly glimlacht wrang omdat ze weet dat het waar is.

'Hoe zit het met die ander?' Olivia schudt haar hoofd en negeert Holly's vraag. 'Heeft hij ook een naam? Is het misschien iemand die ik ken?'

Holly wordt vuurrood.

'Ik wist het.' Olivia zucht diep. 'Ik wist dat er iets was tussen Will en jou. Elke keer dat je zijn naam noemt word je ineens helemaal dromerig. Trouwens, je hebt het wel erg vaak over hem. Pas maar op dat je dat niet doet waar Marcus bij is.'

'Nou, wat denk je ervan?'

'Volgens mij zou Freud hier wel een paar dingen over te zeggen hebben. We hebben een van onze beste vrienden verloren en jij bent overduidelijk ongelukkig of ontevreden over andere zaken in je leven, dus ik vraag me af of je dat misschien overbrengt of het projecteert of hoe dat ook mag heten, op zijn broer.'

'Bedoel je dat je niet gelooft dat het echt is? En als het alleen dat is, waarom voel jij dan niks voor hem?'

Olivia barst in lachen uit. 'Je logica klopt van geen kant, meid. Will is absoluut mijn type niet, maar ik ben bang dat deze verliefdheid alleen de kop heeft opgestoken vanwege het verlies van Tom, of in elk geval sterker is geworden vanwege Tom. En ik vraag me af of het echt iets is waardoor jij je twijfels moet krijgen over je huwelijk.'

'Maar Freud of geen Freud, stel je voor dat ik veel gelukkiger zou zijn met Will of iemand als hij. Stel je voor dat ik met de verkeerde man ben getrouwd?'

'Denk jij dat je gelukkiger zou zijn met iemand als hij?'

168

'Nou… nee.'

'Waarom niet?'

'Eh… Waarschijnlijk zou ik gek van hem worden. Je kent hem toch. Hij is vijfendertig en hij heeft geen baan. Hij is timmerman annex strandzwerver. Hij gaat een halfjaar naar het buitenland en daar slaapt hij op het strand of bij vrienden op de bank. Hij is slim, grappig en ongelooflijk sexy, maar de slechtste echtgenoot die je je maar kunt voorstellen.'

'En als je hem even niet beschouwt als potentiële echtgenoot. Waarom denk je dat je gelukkiger zou zijn met iemand als hij?'

Holly zwijgt een poosje terwijl ze nadenkt. Uiteindelijk kijkt ze Olivia aan en haar stem klinkt kleintjes en breekt bijna. 'Ik heb gewoon behoefte aan een vriend. Een partner. Ik heb het gevoel dat Marcus en ik langs elkaar heen leven. Sterker nog, ik vrees dat we ontzettend slecht bij elkaar passen, dat ik tijdens mijn huwelijk alleen maar heb geprobeerd om de… de vrouw te zijn die hij wil dat ik ben. Maar dat ben ik niet, dat is niet het leven dat ik wilde en zo wil ik de rest van mijn leven niet doorbrengen.'

'Wat wil je dan wel? Wat wil je veranderen aan je huidige leven? Weet je, Holly, voor zover ik kan zien heb je het hartstikke goed.' Olivia gebaart naar het huis en Holly zucht.

'Ja, ik weet het. Ik voel me heel ondankbaar. Ik heb een prachtig huis, prachtige kinderen en een klerenkast met de mooiste designkleding, maar weet je… al die spullen kunnen me niks schelen. Het is net of het huis alleen tot leven komt, of we alleen kunnen lachen en vrij zijn, als Marcus er niet is. Want als hij er wel is, blaft hij alleen tegen ons dat we ons anders moeten gedragen, dat we iets anders moeten doen, dat we anders moeten zijn dan we zijn.

Het is net alsof ik gevangenzit als hij er is. Dan loop ik op eieren voor het geval hij zich ergens aan ergert. Weet je, toen we net waren getrouwd, dacht ik dat ik hem wel kon veranderen. Dat ik hem een deel van die belachelijke hoogdravendheid zou kunnen afleren, maar het is juist erger geworden. En hij geeft alleen om zijn werk. Hij denkt alleen aan zijn werk. Zelfs als ik met hem probeer te praten, zie ik dat hij niet luistert, dat hij aan een of andere stomme zaak denkt.'

'Kun je dat niet tegen hem zeggen?' vraagt Olivia zacht. 'Kun je niet een keer met hem praten en hem dat vertellen? Dat zal hij toch wel begrijpen? Hier kunnen jullie toch wel iets aan doen?'

'Misschien wel.' Holly haalt haar schouders op, maar wat ze niet zegt is dat zij geen zin heeft om moeite te doen.

169

'Denk je dat je ooit bij hem weggaat?' vraagt Olivia na een poosje.

'Ik denk niet dat ik dat durf.' Holly zucht. 'Hij is nota bene een advocaat die zich heeft gespecialiseerd in echtscheidingszaken. Volgens mij wordt dat een ramp.'

'Nou, dan moet je een manier vinden om het op te lossen. Praat met hem, Holly. Het is nog niet te laat. Jullie moeten gewoon met elkaar communiceren.'

Saffron opent de deur en alle aanwezigen kijken wie er binnenkomt. Ze zwaait naar het handjevol mensen van wie ze is gaan houden tijdens de jaren dat ze hier al komt. Ze pakt een vouwstoel uit een kast in de hoek en gaat zo stilletjes mogelijk achterin zitten.

Ze is een halfuur te laat, maar ze weet dat het beter is om dertig minuten van een bijeenkomst bij te wonen, dan om helemaal niet te komen.

Als ze zit, geeft iemand haar een notitieblok en ze krabbelt haar naam en telefoonnummer neer, de beste tijd om te bellen en ze denkt even na wat ze onder het kopje GEVOELENS moet zetten. Ergernis, schrijft ze uiteindelijk op. Ze buigt voorover om het notitieblok op tafel te leggen en haalt vervolgens het Grote Boek uit haar tas. Vlug leest ze de stap die de groep al eerder heeft gelezen. Stap drie: We besloten onze wil en ons leven over te geven in de hoede van God, zoals ieder van ons 'Hem persoonlijk aanvaardt'.

Geen P vandaag. Hij is naar New York gevlogen voor een pre-productiebespreking van zijn nieuwe film. Hij wilde wel dat ze met hem mee zou gaan, maar ze heeft de volgende dag zelf een bespreking: de megasuccesvolle producers van de grootste kaskraker van het afgelopen jaar hebben haar uitgekozen als een van de kanshebbers voor de rol van liefje van de held in hun nieuwe film. Als ze de rol krijgt, is het de grootste kans van haar carrière en zal ze in een klap een heel nieuw niveau bereiken. Ze willen weten of ze met een geloofwaardig zuidelijk accent kan praten en als ze daarin slaagt, zal ze, althans volgens haar agent, de gevierde dame zijn.

De afgelopen week heeft ze dag en nacht met haar logopedist gewerkt, die haar agent heeft betaald. Ze zal hem terugbetalen met het geld voor haar volgende rol, hopelijk deze.

P heeft vanochtend bloemen en een kaart gestuurd om haar veel geluk te wensen en hij heeft gebeld om te zeggen dat hij haar mist. Hij heeft haar aan het lachen gemaakt door te vertellen hoe erg hij haar miste in de suite in het Carlyle hotel.

170

Ze had vandaag een bijeenkomst nodig, en een bijeenkomst waarin ze niet werd afgeleid door P's aanwezigheid was altijd welkom. Ze had gemerkt dat P voor iedereen een afleiding was, niet in de laatste plaats voor de vele sletterige actrices die volgens haar alleen kwamen om gezien te worden. Meiden die alleen oog voor hem hadden en hem tijdens de koffiepauze in een hoek probeerden te drijven.

'Hoi, ik ben Saffron en ik ben alcoholiste.' Grappig hoe soepeltjes die woorden van haar tong rollen. De eerste keer dat ze ze moest zeggen, kon ze het niet. Toen had ze gezegd: 'Hoi, ik ben Saffron en ik neem aan dat ik hier ben omdat ik drink.' Haar ontkenning en schaamte waren zo sterk dat ze het woord alcoholiste letterlijk niet uit haar mond kon krijgen.

En tegenwoordig is het zo eenvoudig om de woorden te zeggen, zelfs al twijfelt ze de laatste tijd aan hun waarheid.

'Het spijt me dat ik zo laat ben,' gaat ze verder. 'Maar ik ben blij dat ik er ben. Helaas heb ik het lezen van de stap gemist, en ik heb hem snel doorgelezen, maar ik moet echt praten over hoe ik er nu voor sta.' Ze haalt diep adem. 'Weet je, jarenlang ben ik heerlijk nuchter geweest. Ik heb gezworen dat ik nooit terug zou vallen naar hoe ik was voor mijn eerste bijeenkomst, en het is me heel lang prima afgegaan om overal om me heen alcohol te zien, zonder dat ik daar al te veel bij stilstond.

Ik denk dat ik er nogal zelfvoldaan door ben geworden. Je hoort in dit vertrek altijd dat dit een eenvoudig programma is, maar dat het niet gemakkelijk is en dat het alleen zal slagen als je er zelf je best voor doet. En nu ik hier vandaag zit, weet ik dat dat waar is. Want ik heb er de laatste tijd niet mijn best voor gedaan. Ik ben net de man die zegt: "Bedankt voor de lift, God. Vanaf hier red ik mezelf wel."' De groep lacht uit herkenning en Saffron zwijgt even, waarna ze verdergaat: 'Ik geloof dat ik het de afgelopen periode op eigen houtje heb geprobeerd, en het werkt niet.

Ik kom vrij regelmatig naar deze bijeenkomsten en dan vertel ik alles wat ik niet doe. Ik bel mijn coach vrijwel nooit; soms, als ik echt wanhopig ben, lees ik de stof wel door, maar ik lijk geen wilskracht te hebben om nog meer te doen. En zelfs al drink ik niet, sinds kort merk ik dat ik in restaurants kijk naar mensen die, laten we zeggen, een glas wijn hebben en dan denk ik: dat kan ik ook. Waarom kan ik geen glas wijn nemen als ik in een restaurant zit? Ik

171

weet zeker dat ik dat wel aankan.' De groep lacht opnieuw. 'En al weet ik ergens dat ik dat niet aankan, een ander deel van me denkt van wel. En geloof me, de aandrang om te drinken is ontzettend sterk.'

Ze haalt diep adem. 'En dan is mijn relatie er nog.' Ze noemt zijn naam niet, ze herinnert zich de raad die haar coach haar lang geleden heeft gegeven: 'Praat niet over hem op bijeenkomsten, behalve in heel algemene termen. Ondanks de regel van anonimiteit,' had ze gezegd, 'houdt iedereen van praten en roddelen, en dit geheim is zo pikant dat mensen het niet voor zich zullen kunnen houden. Wees heel voorzichtig.'

Maar toch. Er waren mensen die het wisten, of het dachten te weten. Niemand kon iets bewijzen, maar een paar hadden gezien hoe ze naar elkaar keken. Sommigen hadden gemerkt hoe sterk hun band was, zelfs al zaten ze aan weerskanten van de kamer en vermeden ze elkaar zorgvuldig tijdens de koffiepauze en na afloop van de bijeenkomst.

'Op dit moment is het echt een gevecht. Ik weet dat ik het moet leren accepteren. Dat het is hoe het is en dat hij niet altijd bij me kan zijn, maar het is heel moeilijk. En morgen heb ik een belangrijke auditie waar ik nogal zenuwachtig voor ben, en…' Ze slaakt een diepe zucht. 'Zien jullie? Dit gebeurt er nou als ik me niet aan het programma hou. Dan groeit mijn leven me boven mijn hoofd. Maar nu ben ik hier, en ik heb gehoord wat ik moest horen. Ik moet bidden om mijn leven over te geven in de hoede van mijn hogere macht. Want uiteindelijk heb ik het niet zelf in de hand en zal alles gaan zoals het moet gaan, en dat moet ik niet vergeten. En ik beloof hier aan de groep dat ik straks naar huis ga om opnieuw aan mijn eerste stap te gaan werken. Dat beloof ik mijn coach al tijden, en nu doe ik jullie diezelfde belofte. Maar goed…' Ze kijkt naar het klokje in haar hand. 'Mijn tijd is voorbij. Ik wil iedereen bedanken voor alles wat hij of zij met de groep heeft gedeeld en ik ben verdomd dankbaar dat ik een plek heb die mijn thuis is, een plek waar mensen naar me luisteren en me begrijpen.'

Na afloop komt er een meisje naar Saffron toe dat ze pas een paar keer heeft gezien. Ze is knap, gaat net zo gekleed als alle andere actrices in Los Angeles en iets in haar blik wekt de indruk dat ze het achter haar ellebogen heeft.

'Hoi, ik ben Alex,' zegt ze, en ze omhelst Saffron enthousiast. Dat is iets wat Saffron nog altijd niet echt fijn vindt, al vermoedt ze dat dat met haar Engelse gereserveerdheid te maken heeft. Omhel-

172

zingen van vrienden vindt ze heerlijk, net als van collega's van het programma die ze al jaren goed kent, maar bij een intieme knuffel van een vreemde heeft ze nooit het gevoel dat het oprecht is gemeend.

'Ik wilde je alleen even bedanken.' Alex doet een pas achteruit, maar laat Saffrons handen niet los en ze kijkt haar recht in de ogen. 'Wat je vertelde, deed me echt iets en ik heb echt heel veel baat gehad bij jouw bijdrage.'

'Dank je,' zegt Saffron, en ze dwingt zichzelf om niet te oordelen, om iets te vinden in Alex waar ze van kan houden, of in elk geval iets waar ze waardering voor kan opbrengen.

'Dus jij hebt morgen een auditie? Wat gaaf. Waarvoor?'

De moed zinkt Saffron in de schoenen. Ach, ja. Ze had ook niks anders verwacht.

'Een film,' zegt ze.

'Ik heb morgen ook een auditie voor een film!' liegt Alex gladjes. 'Het is vast dezelfde. Voor welke ga jij auditie doen?'

Ja, alsof ik gek ben, denkt Saffron, maar ze glimlacht vriendelijk. 'Voor de nieuwe versie van *The Wizard of Oz*,' zegt ze. 'Spielberg produceert hem en ik maak een kans op de rol van Dorothy.'

'Ik ook! Nou, succes. Misschien zie ik je daar wel,' zegt Alex, en ze rent de deur zowat uit. Ongetwijfeld gaat ze haar agent bellen om een manier te verzinnen om mee te mogen doen aan de auditie. Saffron glimlacht bij zichzelf als ze haar tas pakt. Jammer dat er geen nieuwe versie van *The Wizard of Oz* wordt gemaakt. Ze voelt zich heel ongenezen als ze gniffelt bij de gedachte aan Alex die Dreamworks opbelt en eist dat ze auditie mag doen.

Thuis is er een boodschap van Paul. Niet veel nieuws, zegt hij, maar hij heeft net een herhaling van een van haar films op kabel-tv gezien en hij vroeg zich af hoe het met haar ging. Bij het horen van zijn stem glimlacht ze, en ze belt hem terug en spreekt een bericht in op zijn antwoordapparaat. Daarna belt ze Holly en laat een bericht achter op dat van haar.

Ze is gek op LA en het leven dat ze hier heeft opgebouwd, maar de ontmoeting met dat enorme stuk uit haar jeugd heeft ervoor gezorgd dat ze geplaagd wordt door een onverwachte heimwee. Het is geen heimwee naar Londen, want daar heeft ze verdomme meer dan genoeg tijd doorgebracht. Nee, ze heeft heimwee naar vrienden. Naar echte vrienden. Vrienden die geen rivalen zijn en die zich niet alleen vriendelijk voordoen om werk te vinden. Vrienden die je niet beoordelen naar hoe beroemd je bent.

173

Ze heeft heimwee naar de mensen die haar kenden toen het allemaal begon. Die van haar hielden toen ze een slungelige tiener was met een beugelbekkie. Die haar haar naar achteren hielden op de avonden dat ze zelfs voor haar doen te veel had gedronken en ze urenlang met haar hoofd boven het toilet had gehangen. Die vrienden mist ze. Vrienden als Paul, Olivia en Holly.

Saffron belt Olivia en ze bereidt zich net voor om weer een bericht in te spreken, als Olivia opneemt.

'Hallo?'

'Olijfje? Met Saffron.'

Olivia begint te lachen. 'Jezus, ik was helemaal vergeten dat je me vroeger Olijfje noemde. Dat is een goeie. Waar ben je?'

'In LA. Ik verveel me. Ik mis Engeland en mijn oude vrienden. Wat ben jij aan het doen?'

'Nou, eigenlijk gaat het niet zo goed met me. Ik heb buikgriep en ik moet al dagen overgeven.'

'Voedselvergiftiging of een griepje?'

'Ik denk griep. Voedselvergiftiging is toch na een dag over?'

'Volgens mij ligt dat eraan hoe zwaar het is. Ik zou maar naar de dokter gaan. Tenzij je natuurlijk…' Saffron last een dramatische pauze in. '… zwanger bent.'

'Dat lijkt me niet,' zegt Olivia lachend, waarna alle kleur uit haar gezicht trekt.

174

18

'Wat leuk.' Maggie glimlacht naar Holly en legt haar hand zacht op die van Holly. 'Ik heb je zo veel jaren niet gezien en nu lijkt het weer net alsof je mijn dochter bent, terug in de familie. En nu heb je zelf kinderen, ben je zelf moeder.' Ze lacht. 'Het is heerlijk, Holly, en ik vind het enig dat je me hebt uitgenodigd voor de lunch. Ik ben nergens geweest sinds we Tom hebben verloren en ik ben blij dat ik uit ben met jou.'

'Ik ben ook blij dat je hier met mij bent.' Holly's glimlach is een tikje bedroefd. 'Ik vind het fijn om je weer te zien, om bij je te zijn. Ik heb al die jaren niet beseft hoezeer ik het heb gemist om met jou te praten. Weet je nog dat je urenlang met me aan de keukentafel zat te praten en me raad gaf en dat Tom dan zijn ogen ten hemel sloeg en boos naar boven ging en de koptelefoon op deed om naar Pink Floyd te luisteren en het gelach te overstemmen?'

'Volgens mij was hij altijd een beetje jaloers op onze band,' zegt Maggie. 'Omdat jij je zo gemakkelijk tot mij kon wenden. Tom kon nooit zo goed om hulp vragen.'

'Omdat hij nooit hulp nodig had,' zegt Holly, en ze lachen allebei. 'Het is echt geweldig om je weer te zien. Ik begrijp niet hoe ik het al die jaren zonder je heb kunnen stellen. Weet je, ik heb altijd het gevoel gehad dat jij meer mijn moeder was dan mijn echte moeder.'

'Je noemde me altijd je andere moeder.' Maggie glimlacht. 'Weet je nog?'

Holly knikt lachend.

'Ik had altijd medelijden met je, Holly,' zegt Maggie, en ze kijkt nu heel ernstig. 'Je leek altijd zo verloren in die tijd. Zo ongelukkig.'

'Echt waar?' vraagt Holly geschrokken. Dat was ze natuurlijk ook geweest, maar ze had zich altijd zo op haar gemak gevoeld bij Maggie en Peter dat ze niet had gedacht dat zij het hadden gemerkt. Ze had geloofd dat ze het heel goed had weten te verbloemen.

175

'Peter zei altijd dat je later een echte schoonheid zou worden.' In Maggies ogen verschijnt een afwezige blik terwijl ze herinneringen ophaalt. 'En hoewel ik begreep wat hij bedoelde, vroeg ik me altijd af of je die belofte waar zou maken omdat je als tiener zo slecht in je vel zat. Je leek je nooit op je gemak te voelen of tevreden te zijn met jezelf en ik wist niet zeker of je ooit lekker in je vel zou zitten en trots zou zijn op wie je bent.'

Er volgt een lange stilte waarin Holly zich koestert in de warmte van Maggies glimlach. 'En moet je jezelf nu zien,' gaat Maggie verder. 'Je bent beeldschoon en eindelijk weet je wie je bent.'

'Jeetje, Maggie, hoe kun je dat nou zeggen? Hoe kun je dat denken? Jij lijkt meer vertrouwen in me te hebben dan ikzelf.'

'O, ja?' Maggie fronst. 'Maar je blaakt van het zelfvertrouwen, liefje.'

'In bepaalde opzichten misschien, maar er zijn dagen dat ik wakker word en geen flauw benul heb wie ik ben of wat ik wil. Of dit het leven is dat ik hoor te leiden.'

Maggie leunt achterover in haar stoel en knikt. 'Aha,' zegt ze uiteindelijk met een glimlach. 'Dat klinkt als een midlifecrisis.

En Holly buigt zich naar haar toe, met een alerte blik op haar gezicht. Een midlifecrisis. Hoe kan ze die nou hebben op haar negenendertigste? Die hoort je toch pas op je veertigste te krijgen? Maar het woord midlifecrisis klinkt niet verkeerd, sterker nog, het klinkt heel goed. En als het dat inderdaad is, dan zijn er toch zeker manieren om eroverheen te komen, manieren om verder te gaan zonder je leven op te blazen en de brokstukken ervan willekeurig verspreid te zien landen?

'Denk je echt dat het dat is?'

'Ik had er een toen ik negenendertig was,' zegt Maggie glimlachend. 'Net zo oud als jij nu. Jij kwam in die tijd al bij ons thuis en het verbaast me dat je er niks van hebt gemerkt, het niet hebt gevoeld, want je was altijd heel opmerkzaam.'

'Echt waar? Hoe oud waren we dan?'

'Tom en jij waren vijftien. Het was vlak nadat jij deel ging uitmaken van het gezin. Een vreselijke tijd. Ach, wat ik die arme Peter allemaal heb aangedaan. Maar ik begrijp waarom ik het deed, en dat wist ik toen al, ook al bevond ik me destijds in een iets andere situatie.'

'Waarom dan?'

'Vergeet niet dat ik op mijn drieëntwintigste met Peter ben getrouwd. Ik was nog een kind. Ik ben met hem getrouwd omdat ik

176

dolgraag volwassen wilde zijn. Ik wilde een eigen huis en kinderen, en dat was de enige manier die ik kon bedenken om dat voor elkaar te krijgen.'

'Was je dan niet verliefd op hem?' Holly hoopt haar eigen verhaal te horen, ze hoopt dat Maggies verhaal hetzelfde zal zijn als dat van Marcus en haar. Ze wil hoop op verlossing, ze wil een gelukkig einde, want ze weet zeker dat Maggie dat ook bij Peter heeft gevonden, zelfs al heeft zij dat niet gehad met Tom.

'O, liefje, natuurlijk was ik verliefd op hem,' zegt Maggie met een frons. 'Tot over mijn oren, stapelverliefd. Zelfs toen hij die afschuwelijke grote bakkebaarden had, vond ik hem de knapste, meest woeste, heerlijkste man die ik ooit had gezien. Je mag hem dit nooit vertellen hoor, maar soms waren de vlinders in mijn buik zo erg voor hij me op kwam halen bij mijn ouders thuis, dat ik ervan moest overgeven.'

Holly trekt een gezicht terwijl ze lacht.

'Ik aanbad hem. Maar ik ben te jong met hem getrouwd. Hij was mijn eerste echte vriendje en een jaar nadat we elkaar hadden leren kennen zijn we getrouwd. Ik dacht dat ik de rest van mijn leven nooit meer naar een andere man zou kijken.'

Holly haalt scherp adem. 'Bedoel je dat je dat wel deed?' Ze begint te fluisteren. 'Heb je een verhouding gehad?'

Maggie glimlacht. 'Nee, liefje. Het ging niet om een ander, het ging erom dat ik weer jong wilde zijn. Ik wilde geen moeder zijn van tieners, ik wilde niet alleen maar bezig zijn met wassen, koken en schoonmaken.'

'Maar je bent dol op koken... je leek altijd zo gelukkig als ik er was. Ik heb nooit gemerkt dat je ontevreden was.'

'Ik hou inderdaad van koken, maar ik deed een cursus naakttekenen bij de plaatselijke kunstacademie en al mijn vriendinnen waren jong en trendy, en zelfs de vrouwen van mijn eigen leeftijd waren erin geslaagd een heel ander leven te leiden. Een leven zonder drukke tieners en etentjes geven voor de baas van je man. Ik wilde mezelf niet zijn, ik wilde hen zijn. Ik wilde gewoon een ander leven dan het leven dat ik leidde.'

'En wat is er toen gebeurd?'

'Ik stond op het punt om weg te gaan, niet omdat ik niet meer van Peter hield, maar omdat ik wat ruimte nodig had om erachter te komen wat ik wilde.' Maggie slaakt een zucht als ze eraan terugdenkt. 'Jezus, Holly, hier heb ik in geen jaren aan gedacht. Zelfs nu kan ik nog bijna niet geloven hoeveel pijn ik die arme Peter heb gedaan.'

177

'Hoe reageerde hij?' Terwijl ze het vraagt, denkt ze aan Marcus. Hoe zou hij reageren? Zou het hem iets kunnen schelen? Hield hij nog van haar? Had hij ooit van haar gehouden?'

'Hij heeft het me ronduit verboden. Geen sprake van. Daar kwam niks van in. Hij zei dat het onacceptabel was. Hij zou de schade die het bij Tom, Will en hem zou veroorzaken niet pikken. Iedereen had van tijd tot tijd opwellingen, en als ik soms dacht dat hij niet af en toe zin had om avonden lang in de Playboy Club te zitten en blonde meiden te versieren, had ik het goed mis.

Hij zei dat een huwelijk voor het leven was, dat hadden we elkaar immers beloofd. Het hield in dat we de pieken en dalen moesten accepteren, moesten aanvaarden dat het huwelijk niet altijd champagne en rozen was, maar dat het ook niet altijd saai of afschuwelijk was. Dat alles voorbijgaat en dat liefde, echte liefde, inhoudt dat je de storm doorstaat en sterker uit de crisis tevoorschijn komt.'

Holly's ogen worden groter als ze dat allemaal tot zich door laat dringen. 'Dus je bent gebleven.'

'Ja, natuurlijk.' Maggie glimlacht. 'Goed, in het begin met tegenzin, maar om je de waarheid te zeggen, schrok ik nogal toen hij zei dat hij meiden wilde versieren. Dat ik ervan droomde om single te zijn was een ding, maar het was heel iets anders om me voor te stellen dat Peter ervandoor ging met een of andere blonde del. En bovendien…' Ze buigt zich naar voren met een samenzweerderige glimlach. '… vond ik hem hartstikke aantrekkelijk toen hij zo streng deed.'

Holly schatert het uit.

'Echt waar.'

'Heb je er ooit spijt van gehad?' Holly's lach verdwijnt en ze verzinkt in gepeins.

'Nee, liefje, nooit. We zijn bijna veertig jaar getrouwd en het is precies zoals hij zei.' Ze zwijgt een poosje en kijkt Holly vervolgens met een tedere glimlach aan. 'Nou, meisje, dat is mijn verhaal, en het is alleen van mij. Als mijn ervaring jou ook maar enigszins kan helpen, is het mooi, maar welke reis jou ook te wachten staat, het is jouw persoonlijke reis, en niemand kan je vertellen wat je moet doen.'

Met een zucht staart Holly naar de tafel. 'Dat helpt niet echt, Maggie.'

'Dat weet ik, liefje. Dat is ook niet nodig. Jouw antwoorden komen nog wel. Vertrouw erop dat de tijd, en ervaring, je zullen vertellen wat je moet doen.'

178

'Jij bent echt mijn moeder, hè?' Holly glimlacht.

'Hoe bedoel je dat?'

'Mijn eigen moeder zou hier zitten en me precies vertellen wat ik verkeerd doe en wat ik moet doen om het goed te maken.'

'Het is niet mijn taak om jou te veroordelen, Holly.'

'Nu klink je net als Tom.'

'Dat zegt Will ook altijd.'

Bij het horen van zijn naam voelt Holly dat ze licht begint te blozen. Ze had zijn naam willen noemen in bijzijn van Maggie, om erachter te komen of... Wat? Iets. Wat dan ook. Vermoedt Maggie iets? Heeft hij met haar over Holly gesproken? Zou Maggie anders denken over Holly's aanstaande reis en de uitkomst ervan als ze wist dat Will, haar eigen geliefde zoon, de katalysator was van deze storm van emoties en gevoelens?

Maggie ziet Holly rood worden en ze weet niet goed wat ze moet zeggen, of ze wel iets moet zeggen. Want zoals Tom haar zorgzame, betrouwbare, geweldige, degelijke zoon was, is Will altijd haar nietsnut geweest, de onverantwoordelijke, frustrerende maar o zo geliefde benjamin van het gezin.

Als moeder hoor je geen lievelingetjes te hebben. Als iemand ooit aan Maggie zou vragen – voor Toms dood, natuurlijk – wie haar lieveling was, zou ze vol afschuw haar hoofd schudden en zeggen dat ze van allebei evenveel hield, dat de liefde voor beiden anders was, maar dat ze niet meer of minder van de een of de ander hield.

Maar dat is niet helemaal waar. Tom had altijd een speciaal plekje in haar hart gehad als haar oudste, een band die onvervangbaar was, maar iets in haar hart verschoof op het moment dat Will geboren werd. Een liefde die zo overweldigend was, met een puurheid die zo sterk was, dat ze voor dat moment niet had geweten dat een dergelijke innige liefde bestond.

Toen hij een peuter was, hield ze Will in de gaten en zag ze zijn gezicht vertrekken van de lach, en hij lachte altijd. Hij was de blijste, grappigste, ondeugendste peuter die ze ooit had gezien.

En, o, hij was gek op zijn moeder. Maggie heeft jarenlang gezegd dat hij het liefst terug zou kruipen in haar buik, als dat kon. En dat was waar. Waar ze ook was, wat ze ook deed, Will was naast haar, of op haar, en sloeg zijn armen om haar heen terwijl hij haar bedolf onder de zoenen.

'Ik houw van jouw, mammie,' zei hij op zijn tweede, vrijwel het enige zinnetje dat hij kon zeggen.

'Ik houw ook van jouw,' zei ze dan, en hij papegaaide het na,

179

steeds opnieuw. Dat konden ze samen uren volhouden.

Als ze boos op hem was en tegen hem uitviel, keek hij haar met grote, verschrikte ogen aan en zei hij: 'Mammie, waarom doe je gemeen tegen me?' En dan vergaf ze hem op slag alles.

Ze had vaak gedacht dat ze daarom een zwak voor hem had; omdat hij zoveel van haar hield, liet hij haar weinig keuze. Tom was altijd onaangedaan en onafhankelijk geweest. Uiteraard had Tom van haar gehouden, maar hij had haar niet nodig gehad en Will had haar altijd nodig. Nog steeds.

Zelfs nu hij, als vijfendertigjarige en (volgens eigen zeggen) onafhankelijk, zijn eigen leven zou moeten leiden, wist Maggie dat ze alles zou overhebben voor Will.

Het ergste is – en ze doet haar best om daar niet bij stil te staan, ze heeft dat zelfs nog nooit tegen iemand anders gefluisterd – het ergste is dat wanneer ze midden in de nacht wakker ligt, overweldigd door het verdriet om het verlies van Tom, ze vaak denkt: in elk geval was het Will niet. In elk geval is Will er nog.

Will, die overal waar hij gaat een spoor van gebroken harten achterlaat. Will, van wie ze hoopt dat hij uiteindelijk het geluk zal vinden. Will, die zo duidelijk iets heeft met de lieftallige, lieve Holly en die onmiskenbaar de reden is van de huwelijkscrisis die Holly zich inbeeldt.

O, hemel, denkt ze. Wat moet ik zeggen? Maar de woorden komen vanzelf, zonder dat ze erover na hoeft te denken. Ze heeft dit namelijk al veel vaker meegemaakt, weliswaar met andere vrouwen dan Holly, maar die wel diepbedroefd waren vanwege Will. Omdat hij zich niet wil binden, omdat hij niet van hen kan houden zoals zij van hem houden, omdat hij niet de man is die ze willen dat hij is. En nu zit ze tegenover Holly.

Die lieve Holly die getrouwd is en kinderen heeft en die haar hoop, of wat dan ook, niet op de lieve, onverbeterlijke Will moet vestigen.

'Wees voorzichtig,' zegt Maggie plotseling zacht.

Holly's lichtroze wangen worden diep bordeauxrood.

'Wat bedoel je?' vraagt ze kalm.

'Ik bedoel Will, liefje.'

Holly probeert te lachen. 'Maggie, ik heb niks met Will. We zijn gewoon vrienden. Hij is absoluut niet de reden voor deze… midlifecrisis.'

'Meisje, het is niet mijn taak om te oordelen en als ik het mis heb, dan hoop ik dat je me zult vergeven.' Ze haalt diep adem. 'Als

180

Will toch iets te maken heeft met wat je nu doormaakt, en het is heel goed mogelijk dat dat niet het geval is, maar als het wel zo is, verander dan niets in je leven, doe niets, denk niet dat Will de juiste man voor je is, liefje.'

Holly schaamt zich dood. Voelt zich vernederd. Hoopt dat de grond onder haar stoel zich zal openen en haar compleet zal verzwelgen.

'Ik heb niet...' begint ze. 'Ik zou nooit... Ik bedoel...' Verder komt ze niet, want de leugen staat duidelijk op haar gezicht te lezen.

Maggie buigt zich vooDATover, legt haar hand onder Holly's kin en dwingt Holly om haar aan te kijken. 'Meisje, ik hou van je en ik wil dat je gelukkig bent. En ik hou meer dan wat ook van mijn overgebleven zoon, maar toch kan ik je als zijn moeder op een briefje geven dat hij een slechte keuze is. Hij is vreselijk knap, grappig en opwindend, maar je kunt geen slechtere man treffen om een relatie mee te beginnen. Als hij de reden is voor je ontevredenheid en je een einde wilt maken aan je huwelijk omdat je gelooft dat je een toekomst hebt met Will, dan zal het verkeerd aflopen.'

In de stilte die volgt, wendt Holly haar blik af, en Maggie trekt met een zucht haar hand terug.

'Stel je voor dat je het mis hebt?' zegt Holly met de agressie van een zestienjarige. 'Stel je voor dat Will en ik voor elkaar bestemd zijn?'

'O, liefje.' Maggies stem klinkt treurig. 'Geloof je dat echt?'

'Nee!' zegt Holly vol overtuiging. 'Dat denk ik niet. Ik weet niet eens waarom ik het zei. Ik wil gewoon... Ik weet het niet. Ik lijk niets anders te weten dan dat ik geprikkeld ben, dat er grote veranderingen op stapel staan en dat ik geen flauw idee heb wat ik overal mee aan moet. Maar goed...' Ze kijkt misnoegd naar Maggie. '... je zei toch dat je me niet zou veroordelen?'

Met een grijns zegt Maggie: 'Dat zou ik nooit doen, schatje. Maar als Wills moeder moet ik wel een oordeel over hem vellen. Dat is mijn taak.'

'Dus ik moet Marcus niet verlaten en weglopen naar de Bahama's, of waar Will deze winter dan ook maar heen gaat?' probeert Holly te grappen.

'Ga vooral weg bij Marcus als dat echt is wat je moet doen, maar doe het om de juiste redenen. Niet om Will, niet om wie dan ook. Doe het niet om je in de armen van een ander te storten. Als het inderdaad zo ver komt, doe het dan omdat je zeker weet dat je onge-

181

lukkig bent, dat je nooit gelukkig zult worden als je niets aan de situatie verandert. Dat is voor mij de enige juiste reden.'

'Hoe wist jij dat je weer gelukkig kon worden toen je op het punt stond om Peter te verlaten?'

'Waarschijnlijk omdat ik daarvoor zo gelukkig was geweest.' Maggie schokschoudert. 'Het voelde als een tijdelijke dip. Ik hield nog altijd van hem, ik moest er gewoon voor zorgen dat ik weer verliefd op hem werd.'

Er volgt een lange stilte en de ober brengt hun cappuccino's en Holly neemt bedachtzaam een slokje van de hare.

'Maar stel nou...' begint ze, en ze zet het kopje zacht op tafel. 'Stel nou dat je nooit verliefd op hem was geweest?'

Heb ik ooit van je gehouden, vraagt Holly zich die avond af als ze in de Automat zitten te eten met een echtpaar van Daisy's school. Een moeder die de afgelopen maanden overdreven veel moeite had gedaan om bevriend te raken met Holly, die Daisy elke week had uitgenodigd om met haar dochtertje te komen spelen, en die daarna had voorgesteld om een keer bij elkaar te komen met hun echtgenoten erbij.

Holly zit met de moeder – Jo – te praten over mevrouw Phillips, de klassenlerares, over nanny's, over de andere moeders uit de klas en over naar welke lagere school ze de meisjes zullen sturen. Marcus en Edward praten over werk – Edward is advocaat – en als het hoofdgerecht wordt geserveerd ontstaat er eindelijk een groepsgesprek. Jo vertelt smakelijk hoe Edward en zij elkaar hebben leren kennen en Marcus komt met zijn versie hoe Holly en hij een stel zijn geworden.

Ze kijkt naar hem terwijl hij praat en ze beseft dat hij haar elke keer dat zij iets probeert te zeggen, wil corrigeren of iets wil toevoegen, subtiel op haar nummer zet, haar belachelijk maakt of haar opmerkingen als onbelangrijk afdoet. Uiteindelijk doet ze wat ze altijd doet: ze trekt zich terug.

Dus in plaats van deel te nemen aan het gesprek, kijkt ze naar Marcus en vraagt ze zich af of ze ooit van hem heeft gehouden.

Wat is liefde eigenlijk, denkt ze. Maggie had het vandaag gehad over houden van Peter, over verliefd zijn op hem, over dat tijdelijk kwijtraken en daarna opnieuw verliefd kunnen worden. Maar hoe moet je weer verliefd worden als dat gevoel er om te beginnen nooit is geweest?

Holly weet dat ze zelfs in het begin niet verliefd op hem was, maar ze dacht dat ze wel van hem zou gaan houden, en dat dat vol-

182

doende zou zijn. Ze wist dat ze geen hartstocht voelde, geen opwinding, maar ze geloofde dat die zaken pijn en ongemak berokkenden, en het leven leek veiliger zonder.

Maar op dit moment is haar leven zo veilig dat het oersaai is. En er is niets aan Marcus waar ze van houdt, en slechts weinig dat ze waardeert. Ze beseft dat hetgeen ze tegen Olivia heeft gezegd over haar huwelijk zonder meer waar is. Ze zijn geen partners. Ze zijn zelfs geen vrienden.

En als ze geen partners zijn, geen vrienden en geen minnaars – zelfs al heeft zij met tegenzin seks als het echt moet, als Marcus van geen nee wil horen – wat zijn ze dan wel?

Wat heeft het uiteindelijk ook allemaal voor nut?

Olivia staat in de rij bij Boots en drukt de zwangerschapstest tegen haar borst. Ze is ervan overtuigd dat een bekende de zaak zal binnenlopen en haar zal zien, dat iemand haar zal betrappen in deze vreselijke, treurige situatie. Een situatie waarvan ze weet dat die slechts één uitkomst zal kunnen hebben.

Deze test is niet meer dan een formaliteit.

Ze had geen bescherming gebruikt omdat ze niet had geweten hoe ze het onderwerp moest aansnijden. Ze had zeven jaar een relatie gehad en ze was de regels vergeten, vergeten hoe het spel gespeeld werd. Bovendien was ze bij George aan de pil geweest en had ze nooit hoeven nadenken over voorbehoedsmiddelen. En het had wat onkies geleken om over condooms te beginnen bij het moment van binnengaan.

Bovendien was het de dag na het einde van haar menstruatie geweest, dus ze was ervan overtuigd geweest dat het geen kwaad kon. Wie wordt er in vredesnaam zwanger op de achtste dag? Dat was toch zeker fysiek onmogelijk...

Maar nu weet ze dat dat niet zo is. Met een zwaar gemoed gaat ze naar huis, urineert op het staafje en probeert een paar minuten een tijdschrift te lezen terwijl ze wacht tot de test klaar is. Ze houdt het wachten echter slechts een paar seconden vol, en terwijl ze staart, ziet ze het begin van een blauwe streep.

O, God. Laat dit alstublieft een vergissing zijn. Een vals positief resultaat, laat zoiets bestaan. Ze rukt het andere pakje open, plast op het staafje en daar is hij weer. Geen twijfel mogelijk. Olivia, die single is, nooit kinderen heeft gewild en niet genoeg geld heeft om een kind groot te brengen, zelfs al zou ze het willen, is zwanger. Daar staat het in blauw en wit. Onweerlegbaar.

In verwachting.

183

19

Met wazige blik strekt Saffron haar hand uit naar de telefoon, stoot hem van de houder en laat vloekend haar hand zakken over de rand van het bed. Eindelijk vindt ze hem.

'Hallo?' Ze is nog half in slaap en doet één oog een stukje open om naar de flikkerende tijd op de wekker op het nachtkastje te kijken. Zes over half zes. Wie belt haar in godsnaam zo vroeg in de ochtend?

'Saffron Armitage?'

'Ja?'

'Ik ben van de *National Enquirer*. In ons volgende nummer staat een verhaal over jouw verhouding met Pearce Webster en we vroegen ons af of je commentaar wilt geven?'

'Wat?' Met een ruk gaat Saffron rechtop zitten, ze slaakt een gil en zet de telefoon dan met een klap terug in de houder. Haar hand trilt.

Een paar tellen later wordt er weer gebeld.

'Hallo, met Jonathan Webster van *E!Online*. In onze ochtendeditie brengen we het verhaal over jouw relatie met Pearce Webster. Wil je ons co...'

Saffron smijt de telefoon neer en rolt zich op in bed, onder de dekens, terwijl de telefoon gaat. En gaat. En gaat.

Elke keer slaat het antwoordapparaat aan en worden er berichten ingesproken door journalisten. Tien minuten later wordt er tot haar ontzetting bij haar aangebeld. Voorzichtig duwt ze een houten lat van haar jaloezie weg en ze hapt geschrokken naar adem bij het zien van de nieuwsploegen die in de hele straat staan. De journalisten staan in groepjes Starbucks koffie te drinken. Met microfoons onder hun arm wachten ze tot zij naar buiten zal komen.

'O, kut,' fluistert ze, en ze trekt zich terug in een hoekje van de kamer waar ze heen en weer wiegt. Dan pakt ze haar gsm en belt de enige die ze kan bedenken die haar uit deze ellende kan krijgen.

P.

184

'Weet je wel hoe ik bof met een man als jij?' Anna opent haar armen terwijl Paul haar thee voorzichtig op het nachtkastje zet en haar vervolgens omhelst en een dikke natte zoen op haar lippen drukt.

'En hoeveel geluk ik heb met jou?' zegt hij, zijn hoofd omdraaiend om de marmelade van zijn vingers te likken.

'Nou, gelukkige man van me, wat denk je van White Barn Fields?' Anna heeft in bed liggen wachten tot Paul thuiskwam met verse croissants en de zondagskranten. In die tijd heeft ze nagedacht over hoe ze het huis kunnen opknappen met het weinige geld dat ze nog over hebben.

'Jij ziet het als een project, hè?' Paul kijkt haar met een begrijpende glimlach aan.

'Lieverd, ik wil voorlopig even geen zwangerschap, adoptie en baby's aan mijn hoofd hebben. Ik wil gewoon een tijdje leven zonder erbij stil te staan dat ons leven niet compleet is, terwijl dat in feite best meevalt, dus ja, in dat opzicht lijkt dit me een geweldig project.

Begrijp je dat, schat? Ik moet mezelf weer worden voor ik me er opnieuw instort, en bezig zijn met dit huis zou wel eens precies kunnen zijn wat ik, wat wij, nodig hebben.'

'Daar ben ik blij om,' zegt Paul na een lange stilte. 'En ik denk dat je gelijk hebt. Het lijkt alsof ons leven maandenlang alleen om mogelijke zwangerschappen heeft gedraaid, en we hebben een adempauze nodig. De vraag is, gaan we het zelf doen?'

Anna gaat tegen de kussens zitten en smeert dik boter en marmelade op een croissant. 'Weet je,' zegt ze, langzaam kauwend. 'Onze oorspronkelijke plannen zijn nu onhaalbaar geworden. Hoe mooi Phils ontwerpen ook zijn, na alle behandelingen hebben we er het geld niet voor en bovendien weet ik niet zeker of dit het juiste moment is voor een grote renovatie. Maar...' Ze zwijgt even. '... het is niet zo veel werk om het bewoonbaar te maken, en ook al ziet het er dan niet uit alsof het rechtstreeks uit *House and Garden* komt, daarom kan het nog wel een volmaakt toevluchtsoord voor ons zijn.'

'Wat denk je dat ervoor nodig is?'

Anna telt de lijst af op haar vingers. 'Het enige waar we echt geld aan moeten uitgeven is de badkamer.'

'Bedoel je dat je niet van de buitenplee gebruik wilt maken als je er woont?' Paul grijnst.

'Precies. Dus als we een loodgieter weten te vinden die sanitair kan aanleggen in die nutteloze kamer naast de grote slaapkamer,

185

kunnen we daar een badkamer van maken, en we kunnen er ook een beneden aanleggen. Als een loodgieter het werk doet en de spullen installeert, dan kunnen wij hem betegelen, verven en nieuwe vloeren leggen.

De keuken is het hardst aan een opknapbeurt toe. Ik zou dolgraag alles willen vervangen, maar daar hebben we geen geld voor en het is ook niet nodig, dus voorlopig kunnen we de keukenkastjes verven en die afschuwelijke formica werkbladen vervangen door houten bladen. Dan zetten we eenvoudige witte tegels op de muren en nemen we nieuwe apparatuur, waardoor het er heel anders uitziet. Op internet heb ik een zaak gevonden die voor vrijwel niks industriële roestvrijstalen werktafels verkoopt. Die zouden ideaal zijn.

En daarna,' gaat ze verder, bijna ademloos van opwinding, 'hoeven we eigenlijk alleen nog maar de vloeren te schuren en te lakken. Misschien kunnen we ze mooi zwart beitsen.'

'Over welke "we" heb je het eigenlijk?' Stomverbaasd kijkt Paul haar aan. 'Je ratelt maar door over schuren, tegelen en beitsen. Heb je ooit eerder in je leven iets getegeld?'

'Al voor ik met Fashionista begon, schatje. Vroeger deed ik alles zelf. Mijn eerste flat in Londen heb ik samen met Bob de Bouwer gedaan.'

Lachend zegt Paul: 'Zo heette hij toch niet echt?'

'Jawel,' zegt ze met een grijns. 'Hij deed alles en ik keek toe en hielp hem. Tegen de tijd dat ik mijn volgende appartement kocht, kon ik alles zelf. Maar sinds ik de zaak heb, heb ik er geen tijd meer voor gehad. En hier is nooit echt iets dat opgeknapt moet worden.'

'Nou, als we even in gedachten houden dat tijd altijd een probleem is, wanneer kunnen we het doen.'

'Daar heb ik over nagedacht. Volgens mij moet een loodgieter de badkamers vrij snel af kunnen hebben, en zodra die klaar zijn, kunnen jij en ik er een paar weken heen gaan om bijna al het werk te doen. Het belangrijkste is dat alles is besteld en daar is afgeleverd, zodat we nergens op hoeven te wachten.'

'Ik ken jou,' zegt Paul langzaam. 'Je hebt alles al besteld, hè?'

Anna haalt haar schouders op en wendt haar hoofd af. 'Eh… Nou, eigenlijk weet ik niet goed hoe ik dit moet zeggen, liefje, maar…'

Paul slaat zijn ogen ten hemel. 'Je gaat me vertellen dat het al is gebeurd.'

'Nou… nog niet alles. Maar ik heb wel een loodgieter aangeno-

186

men en de badkamers zijn klaar, nou, in elk geval zijn de grote dingen klaar. Het tegelen is nog niet gedaan. Dat betekent dat we er kunnen slapen en de rest van het werk kunnen doen.'

'Jezus, Anna. Had je dat niet even met mij kunnen bespreken? Je hebt de rest zeker ook al gekocht?'

'Nou... O, Paul. Wees niet boos. Ik heb die badkamers alleen laten doen omdat alles in de uitverkoop was, en er nog maar twee dagen over waren, en alle spullen heel goedkoop waren. Het moest een verrassing voor je zijn,' zegt ze pruilend. 'Ik dacht dat je blij zou zijn.'

Paul schudt zijn hoofd. 'Ik ben alleen verbaasd dat je zo'n belangrijk besluit hebt genomen zonder er met mij over te praten.'

'Ben je boos op me?' Een meisjesstemmetje.

Paul schudt zijn hoofd. 'Nee, niet boos. Alleen een beetje geërgerd dat je het me niet hebt verteld. Dat lijkt nogal oneerlijk.'

Anna kijkt geschrokken en laat vervolgens haar hoofd zakken. 'Je hebt gelijk. Zonder meer. Het spijt me heel erg. Ik wilde je niet bedriegen, ik heb me laten meeslepen door de opwinding.'

'Het geeft niet,' zegt Paul. 'Het is mooi dat we het nu kunnen gebruiken.'

'Mag ik je dan de rest van de spullen die ik heb uitgekozen laten zien?'

'Dus het is een voldongen feit? Waar zijn al die dingen?'

'Hopelijk staan ze in White Barn Fields te wachten tot ik alles heb opgebiecht en we een bezoekje kunnen plannen om aan het werk te gaan.'

Na die woorden opent ze de la van haar nachtkastje en haalt er een stapel catalogi uit waar heel veel post-its uitsteken.

Een halfuur later staat Paul onder de douche en bladert Anna lui door wat zij grappend haar 'geheime ondeugd' noemt: het roddelblad *News of the World*.

Als ze bij de middenpagina's aankomt, hapt ze vol ongeloof naar adem. 'Paul! Kom snel hier... het is Saffron!'

Het verhaal is overal. Het kwam als eerste uit in Amerika, maar daarna heeft elk tv-station het opgepikt. Iedereen praat erover, iedereen wil zoveel mogelijk te weten komen over Saffron Armitage en Pearce Webster, en hoe ze iets hebben gekregen.

Saffron heeft een paar afschuwelijke dagen haar toevlucht gezocht in een hotel – waar ze snel heen was gebracht door P's manager, tot de pers er lucht van kreeg – waar ze langs alle kanalen zapte

187

en steeds misselijker werd toen ze hoorde wat er allemaal gezegd werd.

Veel ervan klopte niet. Ze snakte vol afschuw naar adem toen die teef Alex van de bijeenkomst te gast was bij een van de entertainmentprogramma's. Ze werd voorgesteld als 'goede vriendin' van het stel. Hoe langer ze luisterde naar Alex, hoe meer ze vermoedde dat zij degene was die het verhaal naar buiten had gebracht.

Maar genoeg ervan klopte wel. Genoeg om haar ineen te laten krimpen van afgrijzen toen allerlei mensen in de openbaarheid traden om over haar te praten, hun mening te geven en onbelangrijke feitjes over Saffron te vertellen waar ze zelf in geen jaren aan had gedacht.

Haar ouders boden haar een schuilplaats aan bij hen thuis, maar aangezien zij ook werden belaagd door de pers, net als haar appartement, leek dat niet erg handig. Ze voelde zich nergens veilig en ze had zich nog nooit zo kwetsbaar gevoeld. Het enige wat ze wilde, was haar kop in het zand steken en pas weer bovenkomen als alles was overgewaaid.

'Ik hou van je,' had Pearce eerder die ochtend aan de telefoon gezegd. 'En alles zal goed komen. Dit zal wegebben.'

'Ga jij nog iets zeggen?'

'Nee. Mijn managers hebben me geadviseerd om me gedeisd te houden. Marjie en ik gaan vanavond belachelijk gemaakt romantisch dineren in een poging de zaak te sussen.' Als hij dat zegt, slaat Saffron de angst om het hart. Het laatste wat ze verwachtte was dat hij ten overstaan van de hele wereld net zou doen alsof alles normaal was, dat Saffron onbelangrijk was, dat zijn huwelijk veel hechter was dan het publiek nu dacht.

'Is alles goed met jou?' Aan haar stilte hoort Pearce dat dat niet zo is.

Saffron haalt diep adem. Dit heeft ze geleerd op de bijeenkomsten. Om niet te zeggen: 'Ja, alles is goed,' maar om uit te leggen hoe ze zich voelt. Duidelijk en vriendelijk.

Zeg wat je bedoelt, meen wat je zegt en zeg het niet gemeen.

Toch is dat moeilijk. Zelfs na al deze jaren valt het niet mee om iemand te vertellen hoe ze zich werkelijk voelt, vooral niet als het iemand is van wie ze houdt. Haar grote angst is altijd geweest dat ze een hekel aan haar zullen krijgen, en daar is ze nog steeds bang voor. Dat ze op een of andere manier in de steek gelaten zal worden omdat ze uiting heeft gegeven aan haar behoeften.

'Om eerlijk te zijn,' zegt ze kalm, 'kwetst het me dat je de hele

188

wereld laat weten dat alles goed zit tussen Marjie en jou. Ik voel me...' Ze zwijgt even om te bedenken hoe ze zich voelt. 'Nou, afgezien van bang, overmand en verdrietig, heb ik ook het gevoel dat ik overbodig ben in jouw leven.'

Er volgt een lange stilte. 'Saff,' zegt Pearce uiteindelijk, 'ik wil graag bij je zijn. Ik wil niets liever. Maar ik moet ook aan mijn carrière en mijn leven denken. Ik geloof dat jij en ik ooit samen zullen zijn, maar mijn managers hebben gezegd dat ik niets ergers kan doen dan Marjie nu voor jou verlaten.'

Saffron dwingt haar stem kalm te blijven, luchtig en onaangedaan. 'En wat moeten wij dan?'

'Wij gaan gewoon op dezelfde voet door. Ik hou van jou en ik wil bij je zijn, maar je moet geduld hebben, schat. Het enige wat ik zeker weet, is dat we niet samen gezien mogen worden tot dit is overgewaaid.'

Saffron pruilt in stilte. Hij heeft natuurlijk gelijk. Alleen is het niet wat ze nu wil horen.

'Hoe heeft Marjie het opgenomen?' vraagt ze na een poosje, als ze haar nieuwsgierigheid niet langer kan bedwingen.

'Dat van jou en mij zal haar een zorg zijn, maar ze heeft het idee dat ze publiekelijk is vernederd en daar is ze behoorlijk kwaad om.'

'Het spijt me,' zegt Saffron treurig.

'Mij ook. Maar het spijt me het meest dat ik niet bij je kan zijn om je op te vrolijken. Heeft iemand van mijn managersteam met je gepraat over Engeland?'

'Ja. Ze zetten me vanochtend op een vliegtuig en ik ga me daar een poosje schuilhouden, tot de storm wat is gaan liggen. Mam en pap worden belaagd door de pers, maar ik heb berichten achtergelaten bij oude vrienden. Hopelijk wil een van hen me helpen.'

'Beloof dat je contact houdt en me laat weten waar je bent. Ik bel je later weer, lieverd. En vergeet niet: wat er ook gebeurt, ik hou van je.'

'Saffron? Gaat het wel? We hebben net gelezen... Nou, we maakten ons een beetje zorgen om je.' Anna bijt snel op haar tong, stomverbaasd dat ze Saffrons stem hoort als ze de telefoon opneemt.

'Ja, het gaat wel goed. Als je je schuilhouden in een hotel in Beverly Hills met miljoenen journalisten die zich proberen voor te doen als mensen van de roomservice om je kamer binnen te dringen tenminste goed kunt noemen. Er staan verdomme bodyguards voor de deur. Het is behoorlijk eng, dat kan ik je wel vertellen.'

189

'Arme meid. Je belt vast voor Paul, maar hij is weggegaan en hij heeft zijn mobieltje hier gelaten. Zodra hij er weer is, zal ik hem je laten terugbellen.'

'Staan er ook journalisten voor jullie huis?'

Anna snuift van de lach. 'Nee! Moet dat dan?'

'Ze zijn erin geslaagd om bijna alle anderen te vinden. Luister eens, Anna, ik weet dat jij en ik elkaar nauwelijks kennen, maar ik moet echt een rustige plek hebben waar ik kan logeren tot dit overwaait. Zou ik misschien bij Paul en jou mogen komen? Het is nogal wat om te vragen en ik zou het niet hebben gevraagd als ik niet de wanhoop nabij was, maar ik weet echt niet waar ik anders naartoe moet.'

'Natuurlijk kun je bij ons komen. En als je echt rust wilt, kun je zelfs naar het platteland gaan. We zijn een oude schuur aan het opknappen, ver van de bewoonde wereld in Gloucestershire, wat volgens mij een veel betere plek voor je is. Al stelt het op het ogenblik niet veel voor. We zijn er net aan begonnen, maar in elk geval is er een mooie badkamer.

Als je hier bij ons logeert, heeft de pers je zo gevonden. Noord-Londen is niet bepaald de geschiktste plek om je te verstoppen, maar Gloucestershire lijkt me volmaakt.'

'O, Anna! Ik ken je nauwelijks, maar ik ben nu al dol op je. Dank je, dank je, dank je!'

'Nou, wanneer kom je?'

Nu is het Saffrons beurt om schaapachtig te klinken. 'Eigenlijk verstop ik me op het ogenblik in de eersteklaslounge van LAX en sta ik op het punt om aan boord van een vliegtuig te stappen.'

'Dus je wilde naar Engeland komen zonder dat je ergens terecht-kon?'

'Ik was ten einde raad.'

'Nou, natuurlijk ben je hier welkom! Moet iemand je komen ophalen van het vliegveld?'

'Nee. Pearce heeft een chauffeur geregeld. Moet ik rechtstreeks naar Gloucestershire gaan? Ik vind het wel een beetje raar om in mijn eentje ergens heen te gaan waar ik nog nooit ben geweest.'

'Geloof me, alles komt goed. We zullen je erheen brengen om je te laten zien waar alles is, en dan red je het best. Ik weet zeker dat je heel erg zult opknappen van lange wandelingen in de natuur en knappende haardvuren.'

'Hebben jullie knappende haardvuren?'

'Ach. Eh. Nee, eigenlijk niet. We moeten eerst iemand in de arm

190

nemen om de schoorsteen te controleren. Maar die hebben ze wel in de pub aan het eind van de weg en dat is de volmaakte plek om lekker mct een goed boek te gaan zitten. Niemand zal je er storen en als je wilt, zullen wij in het weekend komen met flessen wijn en heerlijk eten.'

'Geen wijn voor mij, alsjeblieft,' zegt Saffron. Ze weet dat ze op een gegeven moment moet uitleggen waarom niet, maar dat komt nog wel. 'Maar als je het niet vervelend vindt om naar me toe te komen, zou ik dat fijn vinden.'

'O, trouwens,' zegt Anna langzaam. 'Heb je bezwaar tegen slaapzakken op de grond?'

'Ik geloof niet dat ik een keuze heb.' Saffron lacht. 'Ik koop onderweg wel een luchtbed.' Nadat ze heeft beloofd te bellen zodra ze is geland, verbreekt ze de verbinding.

Het is rustig in de lounge van de eerste klas, maar zelfs al zijn er maar weinig mensen, Saffron merkt dat iedereen naar haar staart. Het barpersoneel heeft onafgebroken staan fluisteren en haar steelse blikken toegeworpen. Ook liggen overal gratis kranten zodat iedereen de laatste ontwikkelingen kan lezen.

Waarschijnlijk hoort ze ergens dankbaar te zijn. Iemand heeft immers ooit gezegd dat negatieve publiciteit niet bestaat. Maar het is haar nooit om de roem te doen geweest. Voor Saffron is acteren een vak en de enige reden waarom ze beroemd zou willen zijn, is om betere rollen te krijgen. Dit soort publiciteit heeft ze nooit gewild, al weet ze dat er veel mensen zijn, zoals Alex, die een moord zouden doen voor dergelijke aandacht, hoe slecht ze ook zouden worden afgeschilderd.

Dat is nou juist het probleem. Niemand leest over de prachtige liefde die Saffron heeft met Pearce. Ze schilderen Saffron af als iemand die andermans huwelijk verwoest, een goedkope slet die haar zinnen op Pearce heeft gezet en vastbesloten is hem weg te kapen bij zijn vrouw. Vreselijke kerels met wie ze slechts één of twee keer uit is geweest zijn plotseling tevoorschijn gekomen om te vertellen dat Saffron de meest ambitieuze vrouw is die ze kennen, dat ze altijd heeft gezegd dat ze er alles voor overheeft om iets te krijgen met Pearce, Mel of Tom en dat ze haar ambitie door niets in de weg laat staan.

Niets ervan is waar.

Een uur voor er wordt omgeroepen dat ze aan boord kan gaan, loopt Saffron langs de bar. Een muur van gratis drankjes. Vroeger

191

zou ze op een kruk zijn gaan zitten en het ene na het andere hebben besteld, alleen omdat het gratis was en omdat ze het kon.

Maar dat doet ze tegenwoordig niet meer.

'God, schenk me de kalmte...' begint ze in gedachten te reciteren, maar het gebed om kalmte wordt overstemd door een roes. Een roes die ze al lang niet meer heeft gevoeld, een roes die al het andere lijkt te overstemmen, elke redelijke gedachte, elk mechanisme dat ze had kunnen gebruiken om zichzelf tegen te houden.

Eigenlijk moet ze haar coach bellen. Ze moet iemand bellen die ook meedoet aan het programma. Iemand die dit uit haar hoofd kan praten, maar de roes heeft haar al naar de bar geleid.

Stik maar, denkt ze. Na alles wat ik heb meegemaakt, verdien ik een drankje. Eentje maar, alleen om te kalmeren. Wie zou geen drankje verdienen na zoiets, welk normaal mens zou geen recht hebben op eentje na dit gedoe? En wat kan het eigenlijk voor kwaad? Nee, ik meen het. Wat kan het nou eigenlijk voor kwaad?

192

20

Holly had Marcus 's ochtends gebeld en gevraagd of ze 's avonds uit eten konden gaan. Het was lang geleden dat ze een goed gesprek hadden gevoerd en er waren wat dingen waar Holly over wilde praten.

En ditmaal wilde Holly echt praten. Haar gesprek met Maggie was haar bijgebleven, en al voelde ze zich steeds ongelukkiger worden, ze wist ook dat ze niet zomaar kon opstappen zonder Marcus erbij te betrekken. Ze had hem nooit iets verteld van haar gevoelens voor hem of over hun huwelijk, behalve dan het verplichte 'ik hou van je' nadat ze met elkaar naar bed waren geweest, of soms aan de telefoon.

Ze praatten nooit met elkaar over wat ze wilden, hoe ze de toekomst zagen, of ze wel dezelfde dingen nastreefden. Dat stoorde Holly nog het meest, vooral gezien haar hechter wordende vriendschap met Will.

Stel je voor dat Marcus een andere man kan worden, dacht ze telkens opnieuw. Zou ik dan van hem houden? Zou ik dan gelukkiger zijn? Het duiveltje op haar schouder fluisterde steeds dat mensen niet veranderen en dat Marcus geen andere man was, dat ze zich daarbij neer moest leggen. Maar de engel haalde haar over om hem een kans te geven, om hem op zijn minst te vertellen hoe ze zich voelde.

Maar toch… Het valt niet mee om de wil die ze eerder heeft uitgeschakeld ineens terug te vinden. Vrijwel zonder het te merken heeft ze zich emotioneel en mentaal uit haar huwelijk teruggetrokken. De enige zet die ze nog kan doen is fysiek.

En dat is heel lastig aangezien ze alleen aan Will kan denken, vierentwintig uur per dag.

Hun mailtjes en sporadische lunches hebben zich ontwikkeld tot telefoongesprekken. Als Holly overdag iets meemaakt, als de kinderen haar aan het lachen maken, als ze iets interessants leest, of als ze heel tevreden is met zichzelf vanwege een nieuw ontwerp voor

193

een kaart, dan is Will de eerste die ze belt, sterker nog, hij is de enige die ze belt.

In het begin bezorgde het haar een ongemakkelijk gevoel dat ze zich tot hem aangetrokken voelde, maar dat is wat verminderd. Hij is nog altijd de knapste man die ze kent, maar ze voelt zich nu op haar gemak bij hem. Ze kunnen elkaar plagen en ze onthult dingen aan hem die ze nog nooit aan iemand heeft verteld, vooral niet aan Marcus.

Zaken uit haar verleden die Marcus weerzinwekkend, beschamend of walgelijk zou hebben gevonden. Verhalen die hij nooit leuk zou hebben gevonden, zoals hij nooit heeft willen horen wie Holly was voor ze zijn vrouw werd. Verhalen over de echte Holly.

'Wat is het beschamendste wat je ooit is overkomen?' had Will een paar dagen eerder met een grijns gevraagd toen ze zaten te lunchen. Tegenwoordig gingen ze geregeld met elkaar lunchen. Het geeft haar zo'n veilig gevoel: vrienden doen niet anders dan met elkaar lunchen en achter een lunch hoeft niks gezocht te worden.

Bovendien houdt ze Maggies raad in gedachten. Hoe vernederend het ook was om 'betrapt' te worden, ze heeft goed in haar oren geknoopt dat Maggie haar heeft aangeraden om voorzichtig te zijn. Niet dat ze iets kan veranderen aan haar gevoelens, maar daarom hoeft ze daar nog niet aan toe te geven.

'Ik heb een hekel aan dat soort vragen,' had Holly verzucht. 'Waarom zou ik jou in godsnaam iets vertellen wat beschamend is? Bovendien vergeet ik dat soort dingen altijd heel snel.'

'Ah, toe nou. Als jij me iets gênants over jezelf vertelt, vertel ik je iets van mij.' Hij had haar met een grijns aangekeken omdat hij wist dat ze het zou doen.

Holly had gekreund. 'Jezus, ik kan niet geloven dat je me iets gênants laat vertellen. Goed dan. Ik was een keer op vakantie op Jamaica…'

'Hoe oud was je?'

'Helaas oud genoeg om beter te weten. Volgens mij was ik twintig. Misschien eenentwintig. Ik was in een café met een stel kerels die we eerder die dag op het strand hadden ontmoet en die heel aardig leken. Ik bestelde een rum-cola, maar in plaats daarvan kreeg ik een glas met alle alcoholische drankjes die je je kunt voorstellen en wat cola erin voor de kleur.'

'Dat heb je toch zeker niet opgedronken?'

'Toevallig wel. Ik ben nooit een zware drinker geweest en ik heb

194

altijd een hekel gehad aan rum. Dat dronk ik alleen omdat iedereen rum-cola leek te bestellen en het kwam niet bij me op dat het zo ongelooflijk smerig smaakte door de mix.'

'Laat me raden, je raakte buiten bewustzijn.'

'Ja, maar eerst sprong ik op het podium om mee te doen aan een natte T-shirt-wedstrijd, voosde ik met ongeveer acht mannen in de club en vervolgens heb ik vanaf het podium de hele eerste rij ondergekotst.'

'Wauw.' Will had achterover geleund en zijn lichaam had geschokt van het lachen. 'Dat is echt walgelijk.'

'Ja, nou. Dat zei ik toch.'

'Maar dat van die natte T-shirt-wedstrijd spreekt me wel aan... heb je trek in een rum-cola?' Terwijl hij het zei, wenkte hij een ober en Holly had een kreet geslaakt en hem een tik op zijn arm gegeven.

'Heel grappig,' had ze gegrijnsd. 'Jouw beurt.'

Will had haar met grote, onschuldige ogen aangekeken. 'Ik heb er geen,' had hij schouderophalend gezegd. 'Nee, even serieus. Ik ben een man. Ik schaam me niet zo snel.'

'Wat ben jij een leugenaar. Er moet iets zijn.'

'Goed dan. Niet het gênantste, maar vorig jaar is mijn vriend Nick getrouwd en zijn we met zijn allen naar Brighton gegaan voor een hengstenweekend. Vergeet niet dat we allemaal rugby speelden op school, dus we wisten dat we een weekendje stevig zuipen voor de boeg hadden. Nou... we gingen 's middags op kroegentocht en toen kreeg iemand het briljante idee om in ons ondergoed op het strand te gaan rugbyen.'

'Tot nu toe is het niet erg beschamend.'

'Tja, eh... Een of ander genie had heel attent gezorgd voor felroze donzige strings van Ann Summers als ondergoed.'

Er verschijnt een glimlach op Holly's gezicht. 'Ik ga het verhaal steeds leuker vinden.'

'Dus daar stonden we dan, negen grote rugbyspelers, behoorlijk bezopen, met slechts een stukje roze bont voor ons kruis. We tackelen elkaar op het veld en dan verschijnt er ineens een kerel, iemand die er heel normaal uitziet, die zegt dat hij fotograaf is, en vraagt of hij een paar foto's mag nemen.'

'O, o.' Holly buigt zich voorover met haar kin op haar handen.

'Als we nuchter waren geweest hadden we misschien ook bedenkingen gehad, maar toen zeiden we min of meer: Tuurlijk, ga je gang. Dus wij doen allemaal heel stoer, laten onze spieren rollen en

195

gedragen ons supermacho en die kerel schiet het ene plaatje na het andere. Vlak voor hij wegging, riep Nick hem terug om te vragen of hij die foto's ergens voor ging gebruiken.

"Ja, ze zijn voor *Boyz*, een homoblad. Hartstikke bedankt, jongens," zei hij. Hij verdween en liet ons compleet vernederd achter.'

Holly barst in lachen uit. 'Ha! Net goed. Dan moet je je maar niet in het openbaar vertonen in niets anders dan een vrouwenstring van roze bont.'

Op haar negentiende is ze een keer naar een concert van The Police gegaan. De nacht ervoor hadden Saffron en zij bij Saffron geslapen en voor het concert hadden ze stevig geblowd. Opgewonden waren ze Wembley Stadium genaderd, vastbesloten om backstage te komen, Sting te ontmoeten en ervoor te zorgen dat hij smoorverliefd op hen werd. Het maakte hen niet zoveel uit op wie hij verliefd werd. Wat hen betrof mocht hij hen allebei hebben. Het belangrijkste was om backstage te komen.

En dat was gelukt, maar alleen omdat ze zich hadden gedragen als de klassieke rockstergroupies en een paar roadies hadden gepijpt. Die hadden hun geluk niet op gekund. En Sting had hen toevallig gedag gezegd en gevraagd of ze het optreden leuk hadden gevonden, en dat was het dan. Tot hun grote schrik was hij op geen van beiden verliefd geworden.

'Van Sting naar Marcus, dus,' peinsde Will. 'De gelijkenis ontgaat me een beetje.'

Holly praat alsnog niet vaak over Marcus tegen Will. Daar kan ze het met Will niet over hebben. Af en toe roeren ze het onderwerp aan, hebben ze het erover dat Holly zich ongelukkig voelt, maar ze gaat niet in op de details en deelt de intimiteiten van hun huwelijksleven niet met Will.

En ze heeft ook niet verteld dat ze Marcus heeft gevraagd om vanavond met haar uit eten te gaan. Dan zal ze diep ademhalen en hem vertellen dat ze zich niet gelukkig voelt. Ze gaat hem vragen om vaker thuis te zijn en meer aandacht aan de kinderen te besteden. Meer aandacht aan haar. Eigenlijk wil zij niet dat hij vaker thuis is, maar ze gelooft dat het misschien beter zal gaan als ze elkaar vaker zien, als ze zich meer als een stel gedragen.

Om kwart voor zeven, net als Holly onder de douche vandaan stapt, belt Marcus. 'Het spijt me, schat,' zegt hij. 'Ik ben net gebeld door een cliënt voor wie ik snel wat zaken moet nazoeken over kin-

196

deralimentatie. Het zal niet zo lang duren, maar ik haal het nooit om eerst naar huis te gaan en dan weer terug te moeten naar de stad. Kunnen we in het restaurant afspreken?'

Vol ontzetting schudt Holly haar hoofd. Wat kan ze zeggen? Wat, behalve dan dat het niet bepaald een goed begin is?

Holly zit aan de tafel met een Cosmopolitan en ze grijnst als ze een sms'je van Will leest.

Tegenwoordig gaat Holly nergens heen zonder haar telefoon. De oude Holly vergat haar mobieltje dagelijks, dacht er meestal niet eens aan dat ze er een had, maar de Holly van tegenwoordig heeft haar gsm dag en nacht in haar hand. Want zelfs als ze winkelt, de kinderen uit school haalt of in de bus zit op weg naar haar werk, kan ze Will sms'en. Het is niet zo fijn als e-mailen, maar het scheelt niet veel.

En hun e-mails, sms'jes en telefoontjes volgen elkaar in hoog tempo op. Haar ogen lichten op als hij haar sms't; dan excuseert ze zich en staat van tafel op, onderbreekt het eten met Marcus en de kinderen en vlucht naar het toilet om het laatste berichtje te lezen en snel iets korts en grappigs terug te schrijven, waarna ze zich weer bij haar gezin of vrienden voegt.

'Hallo.' Marcus duikt op en geeft haar een zoentje op haar wang. 'Het spijt me dat ik zo laat ben. Wat drink je?'

'Een Cosmopolitan,' zegt ze, en ze leunt achterover. Ze kijkt naar hem alsof hij een vreemde is. Jenevermoed, denkt ze. Dit is haar tweede al. Zij was vroeg, Marcus was laat en ze zit hier al drieëntwintig minuten. De eerste Cosmopolitan heeft haar zenuwen wat onderdrukt en de tweede maakt de taak van vanavond – Marcus vertellen dat ze ongelukkig is – bijna bespottelijk gemakkelijk.

'Hoe was jouw dag?' Marcus glimlacht over de tafel naar haar terwijl hij een menukaart aanpakt. Zijn magere vingers slaan hem open en als hij naar beneden kijkt denkt Holly aan Wills vingers. Ze is gek op zijn vingers en op zijn handen. Ze kijkt graag naar hem als hij ze beweegt en ze kan zich uren op zijn onderarmen concentreren. Ze is gewend geraakt aan Marcus' magere, bleke lichaam. Het haar op zijn armen steekt zwart af tegen de bleekheid van zijn huid, zijn vingers zijn elegant en expressief, maar niet sterk. Niet sexy.

Will heeft grote handen. Dikke vingers. Als hij zijn polsen beweegt, kan Holly de spieren onder de huid zien bewegen. Zijn huid is donker, bijna olijfbruin. Zelfs midden in de winter ziet hij eruit

197

alsof hij in de zon heeft gelegen, maar zoals hij zelf zegt: meestal lígt hij midden in de winter ook in de zon op een exotisch eiland met een exotische vrouw. Holly probeert niet aan de vrouw te denken.

Maar hij is heel anders dan Marcus. Holly onderdrukt een huivering. Van wellust? Afkeer? Ze weet het niet, maar ze wendt haar blik af van Marcus' vingers en kijkt hem aan.

'Is alles goed, schat?' zegt hij, maar hij vraagt het niet omdat hij iets vermoedt. Het is gewoon een van zijn standaardzinnen.

'Laten we bestellen,' zegt Holly met een geforceerde glimlach, en ze neemt nog een grote slok van haar drankje als de ober naar hen toe komt. Als hij weer weggaat, haalt ze diep adem.

'Marcus,' begint ze. 'We moeten praten. Ik...' Ze zwijgt even. Hoe moet ze dit zeggen? Welke woorden moet ze gebruiken? Eerder die dag had het zo veel eenvoudiger geleken, toen ze had geoefend voor de spiegel in de badkamer, en toen ze een eenzijdig gesprek met zichzelf in de auto had gevoerd, nadat ze de kinderen naar school had gebracht.

'Ik heb het gevoel dat je heel ver van me af staat,' zegt ze langzaam, nauwelijks in staat hem aan te kijken. 'Je bent altijd op je werk en je lijkt geen belangstelling voor ons te hebben en ik voel me niet gelukkig.' Zo. Ze had het gezegd. Ze slaat haar blik op en kijkt hem aan, bijna bang voor zijn reactie. 'Dit is niet hoe ik me het huwelijk had voorgesteld.'

'Wat?' Marcus kijkt verbijsterd. 'Waar heb je het in godsnaam over? Ik begrijp er niks van. Wat probeer je te vertellen?' Hij ziet er gekwetst en boos uit, en dat is precies de reactie die Holly had verwacht. De reactie die ze niet wilde.

Ze is bang voor Marcus' woede. Dat is ze altijd geweest. Daarom is ze de confrontatie niet eerder aangegaan. Ze ziet zijn opvliegende temperament niet vaak, maar als het de kop opsteekt, is het explosief. Dan kan hij schreeuwen en stampvoeten als een kleine jongen, en is hij in staat om zowel bijtend als wreed te zijn.

In zijn woede heeft hij vaak dingen gezegd die Holly diep hebben gekwetst, waarna ze hem een paar dagen uit de weg is gegaan om haar wonden te likken en een poging te doen om van de klap te bekomen. Uiteindelijk is hij altijd berouwvol, en zij heeft hem altijd vergeven en ze heeft hard haar best gedaan om niks te zeggen of te doen waardoor hij opnieuw zou ontploffen.

Vanavond beseft ze dat ze er vaak aan had gedacht hoe haar leven eruit zou zien als ze single was, als ze Marcus zou verlaten en de kinderen in haar eentje zou opvoeden. Ze heeft vaak in bed gelegen

198

en daar plannen voor gemaakt, maar als eerste moet ze altijd tegen Marcus zeggen dat ze bij hem weggaat en ze weet bijna zeker wat hij zal zeggen: 'Ik? Weggaan?' zou hij roepen, zijn stem hard van kwaadheid, waardoor Holly ineen zou krimpen. 'Ik? Jij wilt weg. Vertrek jij dan maar. Ik blijf met de kinderen in het huis wonen.' En tenslotte is hij advocaat gespecialiseerd in scheidingszaken, weet hij precies waar hij recht op heeft, hoe hij het spelletje moet spelen. Daarom is ze altijd te bang geweest om het te doen.

'Ik probeer je niks te vertellen,' zegt Holly kalm. Ze probeert de plooien glad te strijken, en ze pakt zijn hand beet. 'Hoor eens, Marcus. Ik zeg dat ik ongelukkig ben. Dat ik ervan overtuigd ben dat dit niet meer is dan een fase in ons huwelijk, maar dat er iets moet veranderen. Zo kan ik niet verder.'

'Hoe precies?' Zijn stem klinkt ijskoud.

'Zo!' Haar stem stijgt van woede, en ze moet heel welbewust een keer diep ademhalen. 'Bijvoorbeeld dat je altijd overal te laat voor komt. Dat je voortdurend weg bent, dat je onze plannen afzegt en de kinderen niet ziet. Daisy huilt bijna elke avond omdat ze jou wil zien. We hebben geen vrienden meer over omdat niemand meer plannen met ons wil maken, en ik zie je nooit. Als ik je wel zie, lijken we net twee onbekenden. We praten nauwelijks meer met elkaar. We vragen elkaar plichtmatig hoe onze dag was, maar daar blijft het bij. Ik heb niet het gevoel dat ik getrouwd ben, Marcus. Ik zie er het nut niet meer van in.'

'Wat bedoel je nou eigenlijk?' Marcus buigt zich voorover en zijn stem klinkt gevaarlijk zacht. 'Wil je dat ik mijn baan opgeef? Moet ik ophouden met werken om meer tijd door te brengen met de kinderen? Mij best.' Zijn eigen stem klinkt ook harder en als de mensen om hen heen naar hen kijken, wenst Holly dat ze in het niets kan verdwijnen.

'Als je wilt dat ik een huisman, of huisvader, word, vind ik het prima, maar wie moet de hypotheek dan betalen? Wie zorgt er voor het brood op de plank? Wie gaat de schoolopleiding van de kinderen betalen? Jouw illustratiewerk levert niks op, maar mij best, als dat is wat je wilt, zal ik morgen ontslag nemen.'

'Jezus,' fluistert Holly, rollend met haar ogen. Ze vraagt zich af waarom Marcus alles als persoonlijke kritiek opvat, waarom hij nooit gewoon naar haar kan luisteren. 'Dat zeg ik helemaal niet, ik bedoel dat we een andere manier moeten vinden om de dingen te doen.'

'Goed.' Marcus leunt achterover en slaat afwachtend zijn armen over elkaar. 'Hoe dan?'

199

'Ik weet het niet, Marcus!' Holly is bijna in tranen. 'Ik probeer hier met jou over te praten, je te vertellen hoe ik me voel. Ik val je niet aan en ik begrijp niet waarom je zo in de verdediging schiet.'

'Ik zal je vertellen waarom,' snauwt Marcus. 'Omdat ik me uit de naad werk om jou gelukkig te maken. Denk je soms dat ik dat voor mezelf doe? Ik geef geen moer om mijn werk, ik geef alleen om mijn gezin, om jou en de kinderen, en ik doe dit zodat jij in je mooie grote huis in Brondesbury kunt wonen. Zodat jij kasjmieren truien kunt dragen en je je nergens zorgen om hoeft te maken. Je kunt niet van twee walletjes eten, Holly. Zo zijn we niet getrouwd.'

Holly leunt achterover en kijkt hem aan terwijl er vier woorden door haar hoofd spelen. Steeds maar weer opnieuw.

Jij vieze vuile leugenaar.

Hij doet dit niet voor haar of voor de kinderen. In werkelijkheid geeft Holly niks om het grote mooie huis of de stomme kasjmieren truien. Dat heeft ze nooit gedaan.

Zij geeft geen zak om alles wat Marcus zo belangrijk vindt. Alle dingen die andere mensen ervan moeten overtuigen dat hij belangrijk en bijzonder is. Een hoge pief.

Jij vieze vuile leugenaar.

Hij doet precies hetzelfde als anders. Hij luistert niet naar wat ze zegt, hij wil niks horen wat hij als kritiek zou kunnen interpreteren. Dat kaatst hij direct terug naar Holly. Hij zorgt ervoor dat het haar schuld wordt, doet net alsof hij het slachtoffer is en hij zorgt dat Holly zich terugtrekt door de kracht van zijn ontkenning.

Hun voorgerecht komt. Holly kijkt treurig naar haar pastinaak-appelsoep, haar eetlust is al lang verdwenen. Daarna kijkt ze weer naar Marcus die net zijn zoemende Blackberry uit zijn zak vist en een e-mail intoetst in het apparaat.

'Nou, wat wil je dat ik doe?' vraagt Marcus als hij klaar is met zijn correspondentie en de Blackberry op tafel naast zijn bord legt. 'Wat moet ik doen?'

'Ik weet het niet.' Holly haalt haar schouders op. 'Ik wilde je alleen vertellen hoe ongelukkig ik ben. Ik wilde dat het je iets zou kunnen schelen.'

'Het kan me ook schelen, Holly.' Zijn stem klinkt zacht omdat hij zich niet langer aangevallen voelt. 'Natuurlijk vind ik het vervelend dat je ongelukkig bent, schatje, maar ik geloof niet dat het iets met mij te maken heeft. Ik heb geen flauw idee waarom je je zo voelt. Ben je soms ongesteld?'

Holly schudt haar hoofd en weerstaat de neiging om over de tafel te springen en hem te wurgen.

200

'Misschien moet je naar een dokter gaan,' zegt Marcus teder. 'Het kan best een depressie zijn en dan heb je medicijnen nodig. Ik begrijp dat je niet gelukkig bent, maar ik weet ook dat het niks met mij te maken heeft.'

Holly haalt haar schouders op en speelt verder met haar eten.

Ze heeft het geprobeerd, denkt ze. Ze heeft het in elk geval geprobeerd.

Het schrille geluid van de telefoon wekt Holly uit een heel bizarre droom. Will en zij waren in het theater, de actrice op het podium hoorde Saffron te zijn, maar was in feite Olivia en Holly bleef zich maar afvragen waarom Olivia op het podium stond terwijl ze niet kon acteren. En Will en zij leken net een stel, maar zij wist dat ze slechts deden alsof.

'Holly? Ben je wakker?'

'Nauwelijks. Met wie spreek ik?'

'O, shit, sorry. Met Paul.'

'Hé Paul, hoe gaat het met je?'

'Nou, met mij gaat het prima. Maar waar ik voor bel: je hebt de kranten zeker wel gelezen, hè?'

'Over Saffron? Ja, ik weet het! Vreselijk, hè? Die arme stakker. Ik heb ik weet niet hoeveel boodschappen bij haar ingesproken, en zij een paar bij mij, maar we zijn er niet in geslaagd elkaar echt te spreken te krijgen. Heb jij al met haar gepraat?'

'Nou, daar gaat het nou net om. Je weet toch dat we een huis hebben op het platteland? Dat hebben we haar aangeboden als toevluchtsoord omdat het ver van de bewoonde wereld ligt, en ze zou komen logeren. Maar waar het op neerkomt is dat haar chauffeur vanochtend belde vanaf Heathrow om om hulp te vragen omdat ze... nou ja... ladderzat is.'

Holly gaat met een ruk overeind zitten. 'Hoe bedoel je ladderzat?'

Paul begint te lachen. 'Wat denk je dat ik bedoel? Hier, ik geef je haar even. Ze wil je spreken.'

'Holly Mac? Is dat mijn lieve Holly Mac?'

Holly weet natuurlijk onmiddellijk dat Saffron dronken is. En ze begrijpt ook direct wat dat betekent. Ze weet alles over Saffrons drankprobleem, haar vroegere jaren, en haar langdurige nuchterheid sinds ze bij de AA is binnengelopen. Eigenlijk hoort ze dat niet te weten, maar Tom had het haar verteld, nadat ze had gezworen het niet verder te vertellen, en Paul weet duidelijk nergens van. Hij denkt dat Saffron gewoon dronken is. Iets eenmaligs. Een grappig voorval.

201

'Waar ben je, Saff?'

'Ik sta op het punt om in een auto te stappen, liefje. Waar ben jij? Waarom ben je niet hier? Ik wil dat we weer allemaal samen zijn.'

'Geef me weer even aan Paul, Saff. Ik praat zo weer met jou.'

'Waar ben je Paul?'

'Ik rij door Somerset om haar af te zetten. Maar we kunnen haar nu niet alleen laten. Ik denk dat we bij haar moeten blijven tot ze ontnuchterd is.'

'Paul,' fluistert Holly. 'Weet je dat ze bij de AA zit?'

'Wat? Dat meen je niet!'

'Reken maar van wel. Dit is heel verkeerd, Paul. Ze is weer aan de drank. Dit is verschrikkelijk.'

'O, shit,' mompelt hij. 'Daar had ik geen idee van. Ik vond het gewoon grappig dat ze... O, verdomme. Wat moeten we nu doen? Moeten we een...' Hij laat zijn stem dalen tot een fluistering. '... interventie of zoiets regelen?'

'Ik zou het niet weten.'

'O, jezus, Holly. Daar gaan we weer: Saff uit de problemen halen. Hoor eens, ik weet echt niet wat ik moet doen. Kun jij misschien komen? Alsjeblieft?'

'Waar? In Gloucestershire?'

'Ja. Neem de kinderen mee. Neem Marcus mee. Zie maar. Maar ze heeft ons nu allemaal nodig, Holly. Toe, kom alsjeblieft.'

Holly haalt diep adem. 'Goed,' zegt ze. 'Ik moet wel even wat dingen regelen, maar ik zal komen. Ik bel je nog wel om je het plan te vertellen.'

O, god. Weer aan de drank. Holly gaat direct op internet zoeken naar informatie over interventies, om te kijken wat ze moet doen en terwijl de pagina uploadt, denkt ze aan de droom die Paul heeft verstoord.

En ze realiseert zich iets.

In veertien jaar heeft ze nooit over Marcus gedroomd. Ze heeft gedroomd over haar kinderen, haar vrienden en haar ouders. Ze heeft gedroomd over partners die naamloos of gezichtsloos waren en sinds kort komen Tom en de laatste tijd Will vaak voor in haar dromen.

Maar in veertien jaar heeft ze nooit over Marcus gedroomd. Hij heeft nooit een voet in haar onderbewustzijn gezet.

Ze weet niet precies wat dat betekent, maar ze is ervan overtuigd dat het niet veel goeds kan zijn.

202

21

'Waar gaan we heen, mam?' vraagt Oliver opnieuw als Holly hun koffers naar beneden zeult en in de kofferbak van de auto gooit. 'Wiens huis is het ook alweer?'

'Van mijn vrienden Paul en Anna, schatje. Onze vriendin Saffron is er ook en het gaat niet zo goed met haar, dus we moeten allemaal voor haar zorgen.'

'Wat is er dan met haar?' vraagt Daisy die op het trapje voor het huis zit met Lambie in haar armen. 'Heeft ze griep?'

'Zoiets.' Holly glimlacht en kruist haar vingers in de hoop dat ze Saffron bij aankomst niet stomdronken zullen aantreffen. Paul had later die ochtend weten te ontsnappen om Holly te bellen en haar het laatste nieuws te vertellen. 'Ze is in de auto in slaap gevallen en nu is ze wakker en heeft ze een behoorlijke kater,' had hij plechtig gezegd. 'Ze zei dat het nu genoeg was, dat ze nooit meer zou drinken.'

'Denk je dat ze dat meent?' had Holly bedenkelijk gevraagd.

'Jawel. Ze leek heel kalm en ze zei dat ze een knallende koppijn had. Volgens mij vindt ze het vreselijk wat er is gebeurd, maar Joost mag weten wanneer ze weer gaat drinken. Wij hebben geen drank meegenomen, dus we moeten haar maar een beetje in de gaten houden. Hoe laat denk je dat je hier bent?'

'Na school. De au pair haalt de kinderen op en dan laad ik alles in en rij ik naar jullie toe.'

'Geweldig. Saffron heeft om sushi gevraagd. Kun je onderweg misschien ergens stoppen en wat meenemen?'

Lachend had Holly een gezicht getrokken. 'Jezus, ook al is een vrouw niet langer in LA, ze blijft zich gedragen alsof ze er nog woont. Sushi, maar liefst. Waar denkt ze dat ze is?'

'Nou, in elk geval niet in Gloucestershire,' had Paul lachend gezegd. 'We zijn even naar een buurtwinkel gegaan, maar ze leek geen genoegen te nemen met mayonaise en witte bonen in tomatensaus.'

'Ik zal mijn best doen, maar ik beloof niks.'

203

'O, nog iets. Het is hier ijskoud. De loodgieter moet morgenoch-tend komen, en we wachten op de man voor de schoorsteen, maar neem alsjeblieft heel veel kleren mee. We hebben vannacht in onze jassen geslapen.'

'Leuk, hoor,' had Holly met een dramatische zucht gezegd. 'Eerst vertel je dat er alleen mayonaise en witte bonen in tomaten-saus te eten is en nu zeg je dat het er even koud is als op de Noord-pool. Is er nog iets wat ik moet weten voor ik in de auto stap?'

'Shit! Ja! Kun jij Olivia ophalen? Ik weet dat je ervoor moet om-rijden, maar Saffron stond erop dat Olivia ook komt. Is dat goed?'

'Ja, leuk. Een echte reünie. Ik denk dat we er rond een uur of vijf, zes zijn. Tot straks en bedankt voor de routebeschrijving.' En Hol-ly had haar kop koffie meegenomen naar haar kantoor om Marcus te bellen.

'Hè? Je gaat wat?' Marcus sputtert van woede. 'Je neemt de kinde-ren mee waarheen? Wel een beetje toevallig, nietwaar? Eerst vertel je me dat je ongelukkig bent en dan vertrek je ineens op stel en sprong. Denk je nou echt dat ik geloof dat het om Saffron gaat? Je-zus, Holly, je kent die mensen nauwelijks. Je hebt ze in geen twintig jaar gezien en nu laat je ineens alles voor hen vallen?' Dan krijgt zijn stem de bekende, enge kalmte.

'Nee,' zegt hij. 'Dit pik ik niet. Je gaat niet.'

'Jawel, Marcus,' zegt Holly rustig. 'Het spijt me, maar ik moet echt gaan.'

'Als je gaat,' zegt Marcus nog altijd beangstigend kalm. 'Als je gaat en je neemt de kinderen mee, dan hoef je niet meer terug te ko-men, Holly. Ik waarschuw je, als je zo doorgaat, ben ik er niet als je terugkomt. Ik sta niet toe dat mijn vrouw me opzettelijk tart. Dit is onacceptabel. Holly, dit is je laatste kans. Je moet kiezen tussen mij of die lui van wie je denkt dat het je vrienden zijn. De keuze is aan jou, Holly. Aan jou.'

Holly staart nietsziend naar het computerscherm en luistert naar de bekende geluiden in huis. Het lichte getik van de buizen, het ge-zoem van de wasmachine beneden, de blikkerige, nauwelijks hoor-bare muziek van de radio in de keuken. Alles klinkt precies als an-ders, maar opeens is alles veranderd.

Hier is het dan. Alsof Onze-Lieve-Heer naar beneden is afge-daald om een kans voor haar te creëren. Een kans waarvan ze alleen heeft kunnen dromen en waarvan ze nooit zeker heeft geweten of ze hem zou aangrijpen als hij zich voordeed.

204

Hier is hij dan.

En in haar hart kent ze geen enkele twijfel, geen enkele bedenking, ze is zelfs nauwelijks in staat om te denken. De vrijheid wordt haar in de schoot geworpen en als ze voelt hoe het gewicht van haar hart wordt getild, zegt ze: 'Het spijt me dat je er zo over denkt, Marcus. Het spijt me dat je me voor de keuze stelt, maar ik kan mijn vrienden niet in de steek laten. Ik ga erheen.'

'Best,' roept hij. 'Ik zal je spullen inpakken tijdens je afwezigheid, want begrijp me goed, jij zult het huis verdomme niet krijgen. En ik zal je geen cent geven.'

'Best,' herhaalt Holly, en met het gevoel alsof dit een droom is, en bepaald geen onaangename, verbreekt ze de verbinding om direct daarna Will te bellen.

Ze spreekt een bericht in op zijn gsm en op zijn vaste telefoon en ze stuurt hem een korte e-mail om te vertellen wat er net is gebeurd. Ze weet niet precies hoe ze zich voelt, en ergens weet ze dat ze bang hoort te zijn, maar waarom glimlacht ze dan? Waarom huppelt ze de trap op om te gaan inpakken en neemt ze veel meer spullen mee dan ze zou hebben gedaan als ze dit gesprek net niet had gevoerd?

Een paar minuten later weet ze al dat dit hét moment is. Ze kan niet meer terug. Denk na. Denk na. Wat doet Marcus als hij pijn heeft? Als hij kwaad is? Ze weet niet precies hoe ver hij zal gaan, maar dit is de ultieme vernedering voor hem, en als Marcus verdriet heeft, slaat hij om zich heen.

Ze moet alles meenemen wat belangrijk voor haar is, denkt ze. Ze weet niet of hij de sloten zal hebben vervangen als ze terugkomt. Niet dat dat haar veel kan schelen, maar er zijn schilderijen die ze wil hebben. Boeken. Dingen die ze in de loop der jaren heeft verzameld en die geen financiële waarde hebben, maar waaraan zij grote emotionele waarde hecht.

Ze kijkt op haar horloge. Erg veel tijd heeft ze niet. Ze loopt van de ene kamer naar de andere en pakt de dingen die ze echt wil hebben, die ze zou missen als Marcus zich inderdaad zo gemeen zou gedragen als sommige van zijn cliënten doen.

De kleinere schilderijen legt ze op een stapel in de auto, samen met haar verzameling antieke pillendoosjes. De boeken laat ze achter, behalve een paar die ze al heeft sinds ze een klein meisje was en die ze aan Daisy hoopte te geven.

Haar moeders parels, de ring van haar oma. Een paar van haar lievelingstassen en -sjaals. Het lijkt niet alsof ze het huis voorgoed heeft verlaten, en ze hoopt dat dat ook niet zo zal zijn. Ze hoopt en weet dat er maar weinig rechters zijn die waardering hebben voor een echtgenoot die zijn vrouw en kinderen buitensluit, maar ze bereidt zich voor op het ergste.

In de kinderkamers is het veel lastiger. Hoe moet ze dit aan hen uitleggen? Hoe zullen zij het opnemen? Vooral Oliver die zijn vader aanbidt, ook al ziet hij hem bijna nooit.

Huiverend gaat Holly op Olivers bed zitten en ze grijpt zijn oude deken stevig beet. Ze kan niet huilen, ze voelt geen enkel verdriet om Marcus, maar wel om haar kinderen. Haar lieve kinderen. Hoe kan ze hun dit aandoen?

Maar hoe kan ze het zichzelf nog aandoen? Al die jaren dat ze ongelukkig was. Al die jaren dat ze wist dat ze een vergissing had begaan, maar dat ze had gewacht tot het beter zou worden. Ze had gedacht dat ze het wel zou uithouden tot de kinderen gingen studeren, dat ze dan weg kon gaan om zichzelf te herontdekken.

Ze had nooit verwacht dat dit zou gebeuren. Niet zo snel of eenvoudig. Het ene moment was ze getrouwd en het volgende heeft ze het gevoel dat ze dat niet meer is. Ze schudt haar hoofd en gaat verder met het uitzoeken van belangrijke dingen voor de kinderen.

Een halsketting die Daisy van haar overgrootmoeder heeft gekregen. Haar teddyberen en lievelingsjurken. Haar kleurboeken en krijtjes. Olivers verzameling Star Wars transformers. Zijn pratende masker van Darth Vader dat al tijden niet meer spreekt, maar nog altijd een van zijn dierbaarste bezittingen is. Uppy, de tot op de draad versleten hond die vroeger bruin-grijs was, maar nu voornamelijk grijs. Het beest is zoveel geknuffeld dat het geen vacht meer over heeft en Oliver valt nog elke avond met hem in slaap.

Holly verzamelt alles en propt het in de kofferbak van haar auto. Ze hoopt dat ze de rest van haar spullen kan halen als ze terugkomt, maar dat is niet zeker. Ach, uiteindelijk zijn het maar dingen. Ze heeft haar kinderen bij zich en ze heeft de spullen die het belangrijkst voor haar zijn.

De rest is slechts meubilair.

Ze zeggen dat er zeven stadia zijn in een echtscheiding: instorting, schrik, boosheid, pijn, haat, verdriet en aanvaarding.

Wat ze je er niet bij vertellen is dat er in dit soort gevallen, gevallen zoals die van Holly, in feite acht zijn. Ze vertellen je niet over het allereerste stadium, dat nog voor de instorting komt. Dankzij dat stadium slaagt Holly erin naar Olivia's huis te rijden terwijl High School Musical keihard uit de radio klinkt en de kinderen en zij uit volle borst meezingen. Zij met een brede grijns op haar gezicht.

206

Het eerste stadium?

Extase.

'Wat zie jij er goed uit!' Olivia stapt in de auto en duwt haar rugzak onder Daisy's voeten op de vloer van de achterbank.

'Dank je.' Holly glimlacht. 'Ik geloof dat mijn huwelijk voorbij is.' Ze dempt haar stem zodat de kinderen haar niet horen en ze draait zich om om naar hen te kijken. Maar omdat ze zo slim is geweest om haar computer en een handvol dvd's mee te nemen, zijn ze volledig verdiept in *The Ant Bully*.

'Wat?' Olivia's mond valt open. 'Hoe bedoel je?'

'Ik bedoel dat ik net een enorme ruzie met Marcus heb gehad, en dat hij tegen me heeft gezegd dat ons huwelijk voorbij is als ik naar Paul en Anna ging.' Holly voelt zich ontzettend dom omdat ze onophoudelijk glimlacht. Al meer dan een uur.

'Ach, dat meent hij natuurlijk niet.' Olivia voelt zich verward. Hoe kan Holly zulk vreselijk nieuws vertellen met zo'n stralende glimlach?

'Jawel. Volgens mij wel.'

'En hoe voel jij je dan? Of is dat een domme vraag?'

'Wil je het eerlijk weten?' Holly kijkt Olivia aan. 'Ik voel me bevrijd. De afgelopen drie uur, nadat de ergste schrik weg was, heb ik alleen maar kunnen glimlachen.'

'Jezus, Holly. Ik had geen idee… O, nee. Stoppen.'

Holly kijkt nogmaals naar Olivia die lijkbleek is geworden.

'Ik meen het, Holly. Nu direct. Alsjeblieft.'

Holly brengt de auto tot stilstand en kijkt bezorgd toe als Olivia eruit springt, zich vooroverbuigt en overgeeft in de goot. Ze stapt snel uit en streelt over Olivia's rug, en als Olivia klaar is en de tranen uit haar ogen wrijft, vraagt Holly zacht of alles goed met haar is.

'Ja, hoor,' zegt Olivia, waarna ze zich plotseling weer vooroverbuigt en heftig in de goot kotst.

'Niet waar,' zegt Holly. 'Je moet naar een dokter.'

'Nee, ik heb echt geen dokter nodig,' zegt Olivia effen. 'Maar ik kan wel een paar crackers gebruiken.'

Holly kijkt haar onderzoekend aan als het haar begint te dagen. 'Ben je…'

Olivia knikt.

'Maar… van wie? Die Amerikaan? Ik bedoel, moet ik je feliciteren of juist niet?'

207

'Nee.' Olivia schudt haar hoofd. 'Ik denk niet dat ik het ga houden. Ik weet vrijwel zeker dat ik een abortus wil. Het was gewoon een vent. Niets bijzonders en hij speelt geen rol meer in mijn leven.'

'Hoor eens, als je denkt dat het gaat, moet je weer in de auto gaan zitten, dan ga ik even naar die winkel daar om gemberbier en crackers voor je te halen. Als ik ergens verstand van heb, is het van ochtendmisselijkheid.'

Een halfuur later begint Olivia te lachen. Tegen die tijd wordt er naar *Barnyard* gekeken, en de twee vrouwen hebben aan een stuk door gepraat nadat Holly weer in de auto is gestapt met het gemberbier, de crackers en snoep voor de kinderen.

'Waarom moet je lachen?' Holly werpt haar een steelse blik toe terwijl ze over de inhaalstrook rijdt om een witte bestelbus in te halen.

'Ik lach omdat het leven van ons allemaal zo'n zootje is. Jij hebt je man misschien net verlaten, ik ben zwanger, Saffrons geheim is bekend geworden. Jezus, wat kan er verder nog gebeuren? Ik heb het gevoel dat Toms dood ons allemaal in een enorme midlifecrisis heeft gestort.'

Holly snuift en tuurt door de voorruit naar de grijze lucht. 'Bedankt, Tom. Een interessante manier om ons bij elkaar te houden.'

'Maar is het niet gek?' Olivia verdraait wat in haar stoel zodat ze Holly kan aankijken. 'Het houdt ons inderdaad bij elkaar. Ik bedoel, ik vond het fantastisch om iedereen te zien bij Toms herdenkingsdienst, hoe treurig de omstandigheden ook waren. En ik had me voorgenomen om meer contact met jullie te houden, maar ik vergat mensen te bellen en ik belde ze niet terug als ze mij belden. Ik had het gewoon heel erg druk, maar nu zijn we weer bij elkaar. Ik heb echt het idee dat Tom hierachter zit.' Na die woorden tuurt ze door de voorruit naar de hemel. 'Goed gedaan, Tom. Eigenlijk moet ik kwaad op je zijn vanwege de zwangerschap, maar ik ben dankbaar dat ik de anderen weer zal zien.'

'Doe jij dat ook?' vraagt Holly zacht.

'Wat? Tegen Tom praten?'

'Ja, en naar de hemel kijken terwijl je dat doet. Dat doe ik ook. Nog altijd. Ik heb vaak gesprekjes met hem.'

'Ik weet het. Ik heb vaak het gevoel dat hij toekijkt, en hoe afgezaagd het ook klinkt, ik heb het idee dat hij een beetje over me waakt, als een soort beschermengel.'

'Dat is niet afgezaagd.' Holly voelt tranen in haar ogen opwellen. 'Ik voel het precies zo.'

208

'O, verdomme.' Olivia steekt haar hand naar achteren om een zakdoekje uit haar tas te halen. 'Maak mij nou ook niet aan de gang. Ik huil tegenwoordig om het minste of geringste.'

'Dat hoort zo.' Holly glimlacht door haar tranen heen als Olivia haar een zakdoekje geeft. 'Je hormonen zijn van slag.'

De telefoon gaat en Holly neemt op. Ze doet het oortje in terwijl ze op het schermpje kijkt wie het is.

Will.

'Hoi,' zegt ze zacht. 'Heb je mijn bericht gehad?'

'O, Holly,' zegt hij. 'Ik schrok me dood. Ik kan niet geloven dat hij dat heeft gedaan. Hoe voel je je? Gaat het wel?'

'Ja. Eigenlijk voel ik me uitstekend. Maar ik kan nu niet echt praten. Ik ben onderweg naar het platteland. Het is een lang verhaal. Ik zal het je een andere keer wel vertellen. Is alles goed met jou?'

'Alles is prima. Ik maak me alleen zorgen om jou.'

'Dat hoeft niet. Ik bel je zodra ik kan.'

Ze verbreekt de verbinding en ziet dat Olivia haar met opgetrokken wenkbrauwen aankijkt.

'Wat is er nou?' vraagt Holly met het schaamrood op haar kaken.

'Zo te horen zit er meer achter.'

'Hè? Vanwege dat telefoontje?' Holly probeert het weg te lachen. 'Dat was gewoon een vriend. Will, om precies te zijn. Je weet wel, Toms broer.'

Olivia houdt haar hoofd schuin. 'O, dat had ik niet begrepen. Dan had ik het bij het verkeerde eind. Als je nou had gezegd dat het Toms broer was, de gevaarlijk sexy, single, ongelooflijk knappe Will.'

Holly gaat rechtop zitten. 'Er is niks aan de hand. Eerlijk niet. We zijn alleen goede vrienden geworden.'

'Holly,' zegt Olivia. 'Het kan mij niks schelen of er iets aan de hand is. Bovendien ben ik wel de laatste die er een oordeel over mag vellen, aangezien ik zwanger ben na iets wat neerkwam op een avontuurtje voor vier nachten.'

'Maar er is echt niks aan de hand.'

'Je bent mij geen verklaring schuldig. Trouwens, Will is een schatje en Tom heeft Marcus nooit gemogen, dus ik weet zeker dat hij het goed zou vinden.'

Holly is stomverbaasd. Had Tom Marcus nooit gemogen? Hij had nooit iets gezegd, nooit laten doorschemeren dat hij een hekel aan hem had.

209

'Wat heeft Tom dan gezegd over Marcus?'

Olivia kreunt. 'O, verdomme. Nou heb ik mijn mond alweer voorbijgepraat.' Ze slaakt een zucht. 'Goed, wie A zegt, moet ook B zeggen. Weet je nog dat Tom en Sarah een keer iets zijn gaan drinken met Marcus en jou? Ik geloof in een van de cafés in West End?'

'Ja. De Blue Bar in het Berkeley Hotel. Dat was Marcus' idee.'

'Ik weet niet of ik je dit moet vertellen...'

'Je kunt nu niet meer terug.' Holly kijkt haar boos aan, want ze kan de spanning bijna niet verdragen.

'Goed, blijkbaar had Tom gezegd dat hij zou betalen en Marcus bekeek de drankkaart en toen de ober kwam, keek hij Tom aan met opgetrokken wenkbrauwen en vroeg hij: "Vind je het goed?"'

'Vind je wat goed?' Holly probeert zich de avond voor de geest te halen, maar slaagt er niet in.

'Nou, dat is precies wat Tom dacht, dus hij zei: "Tuurlijk, ga je gang." En toen de rekening kwam...' Olivia houdt op en huivert bij de gedachte dat ze dit aan Holly moet vertellen die er duidelijk geen idee van heeft. 'Hij had een glas cognac besteld.'

'Dat kan ik me nog vaag herinneren.'

'Die cognac kostte honderdvijfentwintig pond per glas.'

'Wat?' Holly stikt zowat. 'Wat?' vraagt ze vol afschuw.

'Ik weet het.' Olivia kijkt gespannen. 'Tom was geschokt.'

'Maar, maar...' sputtert Holly. 'Wie doet dat nou? Wie doet dat in vredesnaam?'

'Marcus, blijkbaar.'

'Jezus.' Holly schudt haar hoofd. 'Zoiets walgelijks heb ik nog nooit gehoord. Dat heeft hij besteld omdat hij wist dat Tom zou betalen. Ik weet echt niet wat ik moet zeggen. Dat is echt iets voor Marcus en ik schaam me dood,' zegt ze kreunend.

'Daarna is het eigenlijk alleen bergafwaarts gegaan,' ging Olivia verder. 'Hij heeft gewoon nooit begrepen waarom jullie iets hebben gekregen of wat jij in hem zag. Hij zei dat Marcus op zich wel ging, maar dat hij een enorme blaaskaak was. Volgens hem was jij niks veranderd, was je nog even nuchter als je op school was geweest, en hij heeft nooit begrepen hoe je het met hem uithield. Maar goed, volgens mij zou Tom het enig vinden als jij iets zou krijgen met Will.'

Na die woorden buigen ze zich allebei voorover om naar de hemel te kijken. Daarna werpen ze elkaar een blik toe en schieten in de lach.

210

Het is donker als ze hobbelend over de oude oprit met kiezels rijden die naar de schuur leidt. De kinderen zijn diep in slaap op de achterbank, en Holly en Olivia hebben aan een stuk door gekletst. Ze hebben elkaar overal over bijgepraat. Niet alleen over hun leven na St. Catherine's, waar ze al een vaag idee van hadden na het etentje bij Holly, maar ook over hoe ze zich voelen over het verloop van hun leven, of hun dromen zijn uitgekomen en waar ze in hun leven op een tweesprong hadden gestaan en keuzes hadden moeten maken.

Na de gebeurtenissen van die ochtend beseft Holly dat ze daar is waar ze hoort te zijn.

Bij vrienden die meer op familie lijken, niet omdat ze hen zo na staat, maar vanwege de kracht van een gedeeld verleden. Ze kennen haar moeder, zij kent die van hen. Ze kent hun broers en zussen, ze weet wie ze waren voor ze een mantel van volwassenheid omsloegen, en zich gingen gedragen als degene die ze meenden te moeten zijn.

Al is haar nieuwe situatie slechts een paar uur oud en vermoedt Holly dat het de vaagste scheiding in de geschiedenis van de echtscheiding is, voor haar is hij echt. Hij is onbetwistbaar. En de klok kan niet worden teruggedraaid.

Ze hoeft niet langer mevrouw Marcus Carter te zijn, echtgenote van een succesvolle advocaat, moeder van twee kinderen en sporadisch illustratrice van wenskaarten. Ze hoeft niet langer in die onbekende, ongemakkelijke schoenen te staan. Sinds kwart voor negen die ochtend weet Holly weer wie ze is.

Holly Mac.

Niemand meer, niemand minder.

'Hallo!' Paul komt het huis uit en stampt over de oprit om hen naar binnen te helpen.

'Lieve hemel, Holly. Kom je hier soms wonen?' Zenuwachtig kijkt hij in de achterbak, waar de tassen en spullen zo hoog zijn opgestapeld dat ze bijna het dak raken.

Holly begint te lachen tot ze opeens in huilen uitbarst.

'Ik bedoelde er niks mee,' zegt Paul nerveus. Hij springt van het ene been op het andere en wenst dat hij zijn mond had gehouden. 'Het spijt me echt.'

Olivia loopt naar Holly en slaat haar armen om haar heen. Holly legt haar hoofd tegen haar schouder en laat de snikken komen.

'Mam?' klinkt een klein stemmetje van de achterbank. 'Mam?

211

Zijn we er al? Waarom huil je?' Holly maakt zich voorzichtig los en tovert een stralende glimlach op haar gezicht terwijl ze een excuus probeert te bedenken om aan Oliver te vertellen.

'Wauw... Dit is echt... nog lang niet af.' Holly en Olivia staan in de woonkamer en kijken naar de stapel verfblikken in de ene hoek en de lakens in de andere en ze snuiven de geur op van zaagsel en gebrek aan meubels.

'Ik had jullie toch gewaarschuwd dat we ermee bezig waren?' Paul grijnst.

'Ik dacht... Nou, ik wist niet dat jullie nog aan het bouwen waren,' zegt Olivia. 'Hoort dit bij je gemene plannetje?'

Anna komt uit de tuin naar binnen. 'Je bedoelt, jullie zover krijgen om hier te komen zodat we jullie aan het werk kunnen zetten? Reken maar. We zijn niet gek, hoor. Hoe gaat die uitdrukking ook alweer... Voor niets gaat de zon op.' Lachend loopt ze op hen af en omhelst hen allebei.

'Nou, waar is ze?' vraagt Holly. 'Waar is Saffron?'

'Ze had hier geen bereik op haar gsm,' legt Anna uit. 'Ze is naar het begin van de oprit gelopen omdat ze iemand wilde bellen. Zijn jullie haar niet voorbijgereden?'

'Waarschijnlijk wel,' zegt Paul. 'Maar het is daar pikkedonker. Dat doet me eraan denken, kunnen we niet een soort buitenlicht organiseren? Ik vind het daar levensgevaarlijk.'

'Ik zal het op de lijst zetten.' Anna trekt een gezicht. 'Ik moet jullie trouwens waarschuwen dat de bedden nogal bizar zijn.'

'Bedden? Ik dacht dat we in een slaapzak op de grond moesten slapen.'

'Eerst wel, maar bij Fashionista overwegen we om ook meubels te gaan verkopen. We hebben een bedrijf gevonden dat buitenissige, prachtige opblaasbedden maakt in retro-patronen uit de vroege jaren zeventig, dus daar hebben we er een stel van meegenomen.'

'Geweldig. Eerlijk gezegd had ik niet zo veel zin in een slaapzak. Leuk als je nog geen twintig bent, maar lang niet zo leuk als je bijna veertig bent.' Olivia lacht.

'Nee, leuk als je nog geen tien bent,' zegt Holly. 'Maar daarna is de lol er snel af.'

'Beseffen jullie wel dat het al bijna een halfuur geleden is? Denken jullie dat we moeten kijken hoe het met Saffron gaat?'

'Ik ga wel.' Paul springt van het aanrecht in de keuken.

212

'We gaan met zijn allen,' zegt Holly. 'Ik ben dol op de geur van frisse buitenlucht.'

'Wacht maar tot morgen,' zegt Anna. 'Het uitzicht hier is schitterend.'

'Saff!' roepen ze in koor als ze over de oprit lopen. En vervolgens dwingender als ze aan het einde komen. 'Saff? Saff!'

'O, verdomme.' Paul kreunt. 'Ik weet precies waar ze is.'

'Er is toch zeker geen pub in de buurt?' Holly kijkt Paul met opgetrokken wenkbrauwen aan.

'Grappig dat je dat zegt. Ik ga wel.'

'Ik ga met je mee,' zegt Anna met een bezorgd gezicht. 'Lieve hemel, denk je echt dat ze aan het drinken is? Vanochtend zei ze dat het mooi was geweest, dat ze nooit meer zou drinken.'

'Uit wat ik vanochtend online heb gelezen, horen dat soort opmerkingen er gewoon bij,' zegt Holly.

'Bedoel je dat die niks te betekenen hebben?'

'Als het wordt gezegd door een alcoholist die een terugval heeft zijn die beloftes volgens mij geen stuiver waard.'

'Heel fijn,' kreunt Anna terwijl ze zich voorzichtig weer een weg baant naar het huis om de autosleutels te pakken. 'Kun jij misschien water opzetten voor koffie?'

213

22

Saffron ligt bewusteloos op een roze-oranje luchtbed in een van de slaapkamers die boven aan de galerij liggen. Anna en Holly zijn in de keuken om koffie te zetten en Olivia helpt Paul met het halen van houtblokken uit de schuur buiten zodat het vuur in de open haard niet uitgaat.

Het is binnen bijna net zo koud als buiten. Holly leunt tegen het aanrecht als Anna de ketel op het fornuis zet en probeert rookkringen te blazen met haar adem.

'Het spijt me heel erg,' mompelt Anna, en ze wrijft in haar handen boven de gasvlam van het fornuis. 'Ik denk dat de leidingen zijn bevroren of gesprongen of iets dergelijks. Ik had eerlijk gezegd niet verwacht nu al een stel vrienden te moeten ontvangen.'

'Volgens mij zijn wij allemaal een stuk steviger dan we eruitzien,' zegt Holly. 'Hoe dan ook, ik heb het idee dat we allemaal nogal verwend zijn door onze manier van leven en het is net alsof we hier teruggaan naar de natuur. De schuur is prachtig en daardoor besef je dat er slechts een paar dingen nodig zijn om het volmaakt te maken. Een bank, een tafel...'

'... Bedden,' zegt Anna lachend.

'Eh, ja, maar niet al die dingen die iedereen om zich heen verzamelt. Ik heb het gevoel dat ik heel veel overbodige spullen heb. Ik heb al die troep niet nodig.'

'Paul zei dat je bijna al je spullen hebt meegenomen...' Anna draait zich naar Holly en kijkt haar onderzoekend aan. 'Is alles in orde?'

'Nou, ik zou bijna zeggen dat het een lang verhaal is, maar dat is het eigenlijk niet.' Ze haalt diep adem. 'Ik geloof dat ik weg ben bij Marcus.'

'Ik hoor te zeggen dat het me verbaast, maar dat is niet zo,' zegt Anna met een frons.

'Ik heb het idee dat het niemand verbaast. Weet je, Anna, ik heb me in geen tijden gelukkig gevoeld. In geen jaren, volgens mij. Niet

214

dat er in die tijd geen gelukkige momenten zijn geweest en ik heb natuurlijk fantastische kinderen, maar pas de laatste tijd besef ik dat hetgeen me ongelukkig maakt, precies datgene is wat ik niet onder ogen durf te zien.'

'Je huwelijk.'

'Inderdaad. Om allerlei redenen. Ik zie Marcus nooit, ik heb niet het gevoel dat we een huwelijk hebben of dat we in welk opzicht dan ook partners zijn.' Holly slaakt een diepe zucht, het is fijn om hier eindelijk over te kunnen praten, om alle heimelijke gedachten uit te kunnen spreken, alle gedachten die haar al maandenlang elke nacht uit de slaap houden. De gedachten die ze tot nu toe niet onder ogen had durven zien.

'Ik heb niet het idee dat we vriendelijk zijn voor elkaar,' gaat ze door. 'Er is geen tederheid, geen respect en liefde. Overigens ben ik even onaardig tegen hem. Het is net alsof we voortdurend in een woordenstrijd zijn verwikkeld en als we grapjes maken gaan die altijd ten koste van elkaar.'

'Denk je dat hij van je houdt?' vraagt Anna.

Holly zucht. 'Ik geloof dat hij houdt van de vrouw die hij wil dat ik ben, maar dat is niet degene die ik ben. Hij lijkt geen enkele belangstelling te hebben voor de delen van Holly die niet passen bij het beeld dat hij van me heeft en daarom ben ik iemand anders geworden. Een Holly die ik zelf niet meer ken.

En al is het best leuk om een poosje in andermans schoenen te staan, om een tijdje een rol te spelen, toch komt daar een keer een eind aan. Dat hou je niet eeuwig vol.'

'Wees trouw aan uzelf,' zegt Anna. 'Dat zei mijn opa altijd, maar dan natuurlijk in het Zweeds.'

'Daar zit wat in.' Holly knikt. 'Ik ben helemaal niet trouw geweest aan mezelf. Ik begrijp de redenen waarom ik met hem ben getrouwd. Op papier leek hij alles wat ik zou moeten willen, en ik had net een mislukte relatie achter de rug en hij leek me een heerlijk stabiel luxe leven te bieden. Ik dacht… Nou… Ergens wist ik wel dat ik niet verliefd op hem was, maar ik bleef mezelf voorhouden dat hartstocht altijd verdwijnt dus dat het niet uitmaakte dat het er vanaf het begin al niet was. Dat het veel belangrijker was om elkaars beste vriend te zijn.

Anna houdt haar hoofd schuin. 'Het klinkt alsof je nooit hebt geloofd dat je zowel hartstocht als een beste vriend kunt hebben.'

Opeens springen Holly de tranen in de ogen. 'Nee. Ik dacht dat Marcus het beste was wat ik kon krijgen, en hij leek me te aanbid-

215

den en dat had nog nooit iemand gedaan. Ik dacht dat het genoeg zou zijn.'

'Ik hoop dat je dit niet verkeerd opvat,' zegt Anna voorzichtig. 'Maar die avond dat we met zijn allen bij je kwamen eten, heeft Paul me gevraagd of ik dacht dat jullie huwelijk het zou redden toen we weer weggingen.'

'Echt waar? Maar hoe kon hij weten dat er iets mis was als ik het zelf niet eens wist?'

'Om dezelfde redenen die jij mij net vertelde. Er leek geen enkele tederheid tussen jullie. Jullie waren samen grappig, en blijkbaar klikte er iets, maar hij scheen elke gelegenheid te baat te nemen om je te kleineren. Dat moest dan grappig zijn, maar dat was het niet. Het was heel ongemakkelijk. Ik heb het idee dat hij iedereen kleineert. Dat lijkt een gewoonte van hem.'

'Ik weet het.' Holly huivert. 'Hij is geen slechte man, maar hij is vreselijk onzeker en hij heeft een enorm meerderwaardigheidscomplex. Hij denkt dat hij grappig is, maar het is een subtiele manier om te laten merken dat iedereen minder is dan hij.'

'Dat is precies de indruk die wij die avond kregen. En hij probeerde je heel erg onder de duim te houden, Holly. Elke keer dat jij je mond opendeed, hield hij op met praten om te horen wat jij te zeggen had, en jij werd steeds stiller tot je leek te zijn verdwenen. Het was mij niet eens opgevallen, want ik wist niet hoe je vroeger was, maar Paul was er heel erg verbaasd over. Hij zei dat het net leek of Marcus de poppenspeler was die aan jouw touwtjes trok tot hij je compleet in zijn macht had.'

Verbijsterd schudt Holly haar hoofd. 'Niet echt een gezonde relatie, vind je ook niet?'

Anna lacht. 'Lijkt me niet, nee.'

'En… Hebben Paul en jij het allebei? Hartstocht en vriendschap?'

'Geloof me, als je zo veel IVF hebt gehad als wij, dan is er niet veel hartstocht over.' Anna slaakt een zucht. 'Maar zelfs nu, na dit alles, wil ik hem af en toe zijn kleren uitscheuren en hem op bed gooien.'

Holly lacht om Anna's verkeerde Engels. 'Meen je dat?'

'Ja. En hij is mijn beste vriend. Om je de waarheid te zeggen lig ik bijna altijd om negen uur in bed en wil ik niet eens aan seks denken, laat staan het doen, maar er zijn ook momenten dat ik nog precies dezelfde gevoelens voor hem heb als in het begin. Maar jij moet Marcus toch ooit aantrekkelijk hebben gevonden… Nee? Zelfs niet een beetje?'

216

Holly schudt treurig haar hoofd.

'Maar je bent toch al... dertien of veertien jaar met hem getrouwd? Jullie hebben twee kinderen. Hoe heb je dan... Waarom ben je... Waarom blijf je zo lang bij een man als alles waar is wat je net hebt gezegd?'

Holly haalt haar schouders op terwijl ze koffie in de cafetière doet. 'Uit angst, denk ik,' zegt ze langzaam. 'Ik geloof dat ik te bang was om bij hem weg te gaan. Ik was altijd heel sterk, heel onafhankelijk. Maar ergens tijdens het huwelijk lijk ik mezelf te hebben verloren, zat ik zo onder de plak dat ik niet in staat was hem te verlaten. En ik moet natuurlijk aan de kinderen denken. Ik voel me er nog altijd afschuwelijk over. Hoe kan ik de kinderen dit aandoen?'

'Als hun moeder gelukkig is, zullen zij het ook zijn,' zegt Anna teder. 'Voor kinderen is er niets ergers dan ouders die niet gelukkig zijn met elkaar. Maar weet je echt zeker dat je huwelijk voorbij is? Zou je het nog een kans geven?'

'Ik weet het niet,' zegt Holly. 'Ik weet zeker dat het voorbij is, maar als ik eraan denk dat ik mezelf en de kinderen moet onderhouden, word ik heel erg bang. En het is pas een paar uur geleden gebeurd. Joost mag weten hoe ik me morgenochtend voel.'

'Ik vind je heel dapper.' Anna zet de koffie op een dienblad. 'En ik geloof dat je de juiste beslissing zult nemen, welke dat ook mag zijn. Leef bij de dag en vergeet niet dat alles een reden heeft. Kom mee, laten we proberen warm te worden.'

'Dus Saffron slaapt echt?' vraagt Paul. Hij duwt tegen de houtblokken zodat de vlammen naar de bovenkant van de open haard schieten.

'Wat? Nee, ze is eerder bewusteloos,' zegt Holly die net boven bij de kinderen en Saffron heeft gekeken. 'Het is net alsof ik weer student ben. Ik heb haar op haar zij gedraaid en een bezem tegen haar rug gezet om te voorkomen dat ze zich op haar rug draait, voor het geval ze moet overgeven. En ik heb een emmer naast het bed gezet.'

'Hoe gaat het met de kinderen?'

'Die hebben het koud. Ik heb alles wat ik kon vinden op ze gelegd en ze zijn diep in slaap, dus ik neem aan dat alles nu goed is. Maar ik maak me wel een beetje zorgen.'

'Waarom slapen we vannacht niet allemaal bij het vuur?' stelt Anna plotseling voor. 'Morgen komt de loodgieter, dan hebben we weer verwarming en dit is de warmste kamer. We kunnen de kinderen naar beneden dragen.'

217

'En Saffron?'

'We kunnen haar het beste laten liggen,' zegt Paul. 'De kou is goed voor haar kater. En over kou gesproken...' Hij haalt een flesje uit zijn jaszak. 'Dit is waarschijnlijk niet slim met Saffron in huis, maar wil iemand wat cognac in de koffie?'

Er klinkt gedempt gejuich en er worden drie mokken naar Paul toegestoken. Hij schenkt een ruime hoeveelheid in elke beker. 'We kunnen het maar beter opmaken,' zegt hij, en hij giet de laatste druppels in de mokken. 'Als we klaar zijn, zal ik het buiten weggooien zodat zij het niet vindt.'

'Zeg, het verbaasde me echt toen ik zag hoe dronken ze was,' zegt Olivia zacht. 'Ik weet nog dat ze van feesten hield op school en dan dronken werd, maar ja, ergens verwacht je dat van tieners. Het is jaren geleden dat ik iemand heb gezien die met dubbele tong praatte en wankel op haar benen stond.'

'Wat me met name verbaasde, was hoe dronken ze in zo'n korte tijd is geworden,' zegt Holly. 'Ze is toch niet langer dan veertig minuten weggeweest? Hoeveel moet je dan wel niet drinken om zo bezopen te worden? Heeft ze aan een infuus met wodka gelegen of zo?'

'Min of meer. De barkeeper zei dat ze wodka-martini's dronk alsof het water was. En door een rietje.'

'Nou, fantastisch. Hoe word ik straalbezopen in vijf minuten,' zegt Holly smalend. 'Een rietje? Wie drinkt er nu martini's door een rietje?'

'Iemand die in vijf minuten straalbezopen wil zijn.' Paul grijnst.

'Ik weet niet precies hoe ik dit moet aanpakken,' zegt Anna bedaard. 'Toen ze hier net was, vond ik het wel grappig en heel begrijpelijk, gezien alles wat ze net had meegemaakt, maar ik had er geen flauw idee van dat ze alcoholiste is. Ik maak me echt zorgen over hoe ze dit moet aanpakken. Persoonlijk zou ik niet weten wat ik moet doen om haar te helpen.'

'Ik heb wat informatie gezocht over interventies,' zegt Holly. 'Waarbij je tegen de alcoholist zegt hoe het is om met hem te leven en hoe hij is als hij dronken is en zo. Maar aangezien wij geen van allen echt weten hoe ze dan is, heeft dat niet zo veel nut. Het is niet dat we haar goed kennen en het verschil kunnen zien. Ik voel me ook nogal machteloos.'

Als het vuur eindelijk echt warmte geeft, knoopt Paul zijn jas los, en de anderen volgen zijn voorbeeld. 'De eerste stap van die programma's is toch dat je machteloos staat tegenover de alcohol? En

218

volgens mij is er ook iets over machteloos staan tegenover de alcoholist. Ik denk dat wij niks kunnen doen om haar echt te laten stoppen met drinken, maar misschien wil ze uit zichzelf stoppen. Ze heeft het al eerder gedaan, dus ik weet zeker dat ze het nog eens kan.'

'Bedoel je dat wij gewoon moeten toekijken terwijl zij zich elke keer klemzuipt?'

'Nee. Ik denk dat we haar zoveel mogelijk uit de buurt van alcohol moeten houden, maar ik vind ook dat we haar niet mogen veroordelen als ze een uitglijer maakt. We moeten haar zoveel mogelijk steunen.'

'Wat dacht je van haar bezighouden?' zegt Anna opeens. 'Ik vind dat we haar hier aan het werk moeten zetten.'

Olivia barst in lachen uit. 'Iets van: "Saffron, klim even op het dak om de dakpannen er opnieuw op te leggen? O, Saffron, ik zie dat je niks omhanden hebt. Wil je misschien even wat nieuwe keukenkastjes maken?"'

Ze lachen allemaal, tot Holly zegt: 'Weet je, dat lijkt me eigenlijk een heel goed idee. Ik weet dat we grapjes hebben gemaakt over jouw gemene plannetje om je vrienden in te zetten als slaven, maar waarschijnlijk kunnen we er maar het beste voor zorgen dat Saffron het druk heeft. En zelf zou ik het ook niet erg vinden om iets te doen te hebben. Het ergste wat me nu kan overkomen is dat ik te veel tijd heb om te piekeren over mijn leven.'

Paul kijkt haar vragend aan.

'Het is een lang verhaal, Paul. Maar het komt erop neer dat ik geloof dat mijn huwelijk voorbij is, wat ongetwijfeld een geluk bij een ongeluk is. Anna kan je later de bijzonderheden wel vertellen. Ik heb er voor vandaag wel genoeg over gepraat, als je het niet erg vindt.'

'Dat geeft niks,' zegt Paul met een meelevende blik in zijn ogen. 'Het spijt me.'

'Leugenaar!' Anna schopt hem, en Holly lacht.

'Ik bedoel dat het me spijt als Holly verdriet heeft.'

'Ik heb niet erg veel verdriet, dus je hoeft geen medelijden met me te hebben. Op dit moment voel ik me voornamelijk opgelucht. Maar vraag het me morgenochtend nog maar een keer.'

'Over morgenochtend gesproken.' Olivia rekt zich uit. 'Ik ben volkomen uitgeput. Kunnen we nu de bedden van boven gaan halen? Ik geloof niet dat ik mijn ogen nog veel langer kan openhouden.'

219

Om vijf uur 's ochtends is Holly klaarwakker. Het duurt even voor ze zich kan oriënteren, want er ademen te veel mensen en het is te koud. Waar is ze? Ze glipt uit bed, slaat het dekbed om zich heen en legt nog wat houtblokken op het vuur. Ze duwt en blaast er net zo lang tegenaan tot de vlammen eruitslaan, want het is ijskoud in de kamer. De eerdere hitte is naar de top van het boogplafond getrokken.

Als het vuur weer brandt, blijft Holly er een poosje voor zitten, en ze staart in de vlammen. Ze denkt na over haar leven. Eigenlijk was ze bang geweest dat ze vol paniek zou ontwaken, doodsbang voor de toekomst, wetend dat ze een grote vergissing had begaan. Maar in feite voelt ze zich op dit moment, gewikkeld in een dekbed terwijl de vlammen over de stenen likken, vooral vredig.

Voor het eerst in jaren heeft Holly een vredig gevoel.

Ze geeft Daisy en Oliver een zoen en ze houdt haar adem in als Daisy wat beweegt, maar met een zachte snurk weer tot rust komt. Ze pakt haar mobieltje en haalt diep adem als ze de buitenlucht trotseert en naar het begin van de oprijlaan stampt. Het is nog donker en doodstil. Op de grond ligt vorst en het gras knispert heerlijk onder haar laarzen als ze naar de weg loopt.

Het is in de afgelopen maanden niet eerder voorgekomen dat ze zo lang niet met Will heeft gepraat. Hun korte gesprekje in de auto telt niet mee, niet nu ze eraan gewend is om haar intiemste gedachten met hem te delen. En niet met hem te praten na deze gebeurtenis, het belangrijkste wat haar is overkomen sinds het overlijden van Tom, is ondenkbaar.

Om vijf uur 's ochtends kan ze hem niet bellen, maar ze hoopt, bidt, dat ze een sms'je van hem heeft gekregen. Ze zet haar gsm aan en loopt net zo lang rond tot ze een kort signaal heeft. Een regel slechts, maar het is genoeg.

Mis praten. Denk aan jou & maak me zorgen. Alles goed? Waar ben je? Lunch? Wxx

Ze glimlacht. Waarom maken zijn berichten, zijn sms'jes, e-mails of telefoontjes haar toch altijd direct blij?

Alles goed. Op platteland. Mis jou ook. Lunchen gaat niet. Probeer later te bellen. Ik xx

Tot haar schrik gaat haar telefoon een minuutje later.

220

'Waarom ben je wakker?' Ze glimlacht van oor tot oor.

'Ik kon niet slapen,' zegt Will. 'Ik zat achter mijn computer wat e-mails van je te lezen, toen ineens boem! je sms'je binnenkwam. Ik was bang dat ik je niet zou kunnen bereiken. Waar ben je?'

'Wat een leuke verrassing,' zegt Holly. 'Ik ben in Gloucestershire. Bij Paul en Anna.'

'Hoezo dat?'

Moet ze het hem vertellen? Ze proberen Saffrons situatie stil te houden. Tenslotte heet het niet voor niets Anonieme Alcoholisten. Maar ze hoeft hem niet alles te vertellen en bovendien vertrouwt ze hem. Ze heeft hem al wekenlang haar intiemste gedachten en angsten toevertrouwd. Nee, al maandenlang.

'Saffron is bij ons,' zegt ze. 'We houden haar verborgen. Je hebt de kranten toch wel gezien?'

'Gezien?' vraagt hij. 'Ik heb het gisteren online gelezen. Het klinkt heel gemeen en het meeste wat er wordt geschreven lijkt onwaar. Mam belde gisteravond en zij is ontzettend naïef, maar zelfs zij begrijpt dat de mensen die ineens tevoorschijn komen om hun schokkende liefdesverhalen over Saffron te vertellen op geld uit zijn.'

'O, verdomme,' kreunt Holly. 'Dat meen je toch niet. Nog meer verhalen?'

'Ze lijken wel geobsedeerd. Dankzij Saffron en Pearce Webster zijn Angelina en Brad verstoten naar pagina vier. Maar ik moet zeggen dat het behoorlijk indrukwekkend is. Pearce Webster, maar liefst! Zo'n beetje de beroemdste man ter wereld.'

'Jezus, wat ben jij oppervlakkig.' Holly begint te lachen. 'Je bent echt onder de indruk, hè?'

'Ja, wel een beetje. Niet slecht voor een meisje uit Noordwest-Londen.'

'Tegenwoordig is ze meer beïnvloed door LA.' Holly snuift. 'Op weg hierheen moest ik sushi voor haar halen.'

'Meen je dat?' vraagt Will lachend.

'Helaas wel.'

'Ook al is een vrouw niet langer in LA…'

'Dat zei ik ook!' En ze lachen allebei. 'Ik ben blij dat je belde,' zegt Holly na een gemoedelijke stilte. 'Het is echt heel fijn om je stem te horen.'

'En om de jouwe te horen.' Wills glimlach is hoorbaar over de telefoon.

'Vind je het niet vreemd,' begint Holly hakkelend, 'dat we zo snel

221

zulke goede vrienden zijn geworden? Ik... Nou, ik wil je geen on-gemakkelijk gevoel bezorgen of zo, maar ik heb het gemist om een goede vriend te hebben. De enige mannelijke vriend die ik had, was Tom, en nadat hij iets kreeg met Enge Sarah is het nooit meer hele-maal hetzelfde geweest. Ik weet echt niet wat ik zonder jou zou moeten beginnen.' Ze zwijgt en begint te blozen. Is ze te ver ge-gaan? Het was niet haar bedoeling geweest om dat te zeggen, zelfs al is het onmiskenbaar waar, ze had niks klefs, sentimenteels of ern-stigs willen zeggen.

'Ik heb precies hetzelfde gevoel,' zegt Will. 'Soms kan ik nauwe-lijks geloven dat we elkaar een halfjaar geleden niet echt kenden. Tegenwoordig is onze vriendschap heel belangrijk voor me, en ik vertel jou alles wat er gebeurt in mijn leven. Ik heb het idee dat ik eindelijk een beste vriendin heb.'

Een steek. Blijdschap of teleurstelling? Holly weet niet of ze dit wel wil horen. Sluit een beste vriend al het andere uit? En waarom spookt die gedachte ineens door haar hoofd? Ze had toch geaccep-teerd dat ze alleen vrienden waren? En zelfs al is haar huwelijk mis-schien voorbij, dit is een heel slecht moment om iets met een ander te beginnen.

Zelfs al noemde die ander haar net zijn beste vriendin. Wat houdt dat eigenlijk in?

'Maar ik wil jouw verhaal horen,' zegt Will snel. 'Het klonk alsof Marcus het heel slecht opvatte. Gaat het wel met je?'

'Ja, hoor.' Holly gaat voorzichtig op een grote steen zitten, ter-wijl ze haar signaal bekijkt omdat ze Will voor geen geld ter wereld wil verliezen. Het horen van zijn stem biedt haar zo veel troost. 'Ik weet dat het vreemd klinkt, maar ik voel me heel rustig. Wel een beetje bang, natuurlijk, en wat angstig over de toekomst en ik ver-wacht dat Marcus zich als een echte lul zal gedragen, maar ik voel me... vrij. Vredig. Alsof ik mezelf ben.'

'Je stem klinkt opgewekter,' zegt Will na een stilte. 'Ik weet dat het gek klinkt, maar het is echt zo.'

'Ik voel me ook opgewekter.' Holly lacht.

'Maar denk je dat dit het echt is?'

'Ja,' zegt Holly. 'Weet je, niemand is verbaasd. Blijkbaar zag ie-dereen dat ons huwelijk niet geweldig was. Ik ben eigenlijk alleen bang dat ik terugga omdat ik het niet in mijn eentje aandurf.'

'Denk je echt dat dat zou gebeuren? Holly, volgens mij ben je veel sterker dan je denkt. Volgens mij heb je jezelf in angst laten le-ven omdat je daar min of meer toe werd gedwongen. Maar dat is nu

222

niet langer nodig en je hoeft niet bang te zijn dat je het in je eentje zult moeten opknappen. Er zijn meer dan genoeg mensen die voor je klaarstaan.'

'Marcus snauwde dat ik het huis niet zou krijgen en dat hij me geen cent zou geven.'

'Echt iets voor een man als Marcus om dat te zeggen. Zo reageerde hij omdat jij in zijn ogen net zijn leven hebt verwoest en hem ongelooflijk hebt vernederd.'

'Weet je wat het gekke is? Ik zat net voor de open haard aan hem te denken en opeens kreeg ik het idee dat hij erop zal terugkijken en zal beseffen dat ons huwelijk verkeerd was. Ik hou niet van hem en iedereen verdient het om van gehouden te worden. Ik vind het vreselijk dat ik niet in staat was om van hem te houden. Ik heb hem nooit de aandacht of de liefde kunnen geven die hij wilde. Misschien zat hij daarom wel altijd op kantoor.'

'Dat is heel edelmoedig van je,' zegt Will zacht. 'En je hebt gelijk, iedereen verdient liefde. Jij ook. Jij hebt toch immers altijd gezegd dat je het gevoel had dat Marcus niet van je hield. Dat hij alleen hield van de persoon die hij wilde dat je was? Jij verdient toch ook liefde om wie je bent, en niet omdat je je netjes aankleedt en mensen weet te vermaken en de perfecte vrouw voor een man als Marcus bent?'

'Ja. Fijn dat je dat even zei.'

'Graag gedaan. Zeg, hoe lang blijf je daar eigenlijk?'

'Geen idee. Ik neem aan dat Saffron hier blijft tot alles is overgewaaid en de rest van ons moet maar zien. Misschien kunnen we een soort rooster maken.'

'Kan Saffron soms niet alleen zijn?' vraagt Will lachend. 'Is ze echt zo'n prima donna geworden?'

'Jezus, nee. Het is niet wat je denkt. Maar ze is nogal... kwetsbaar op dit moment. Ze heeft haar vrienden nodig.'

'Ik maakte maar een geintje. Ik vind het fantastisch dat jullie allemaal voor haar klaarstaan. Dat is precies wat Tom zou hebben gedaan.'

'Ik weet het. Dat zeiden Olivia en ik ook al.' Huiverend staat ze op, en ze ijsbeert in de kou. 'Ik heb het ijskoud, Will. Ik moet echt naar binnen, maar daar heb ik geen ontvangst.'

'Kan ik jou daar bellen?'

'Ik denk niet dat je me kunt bereiken, maar als je me sms't of een boodschap inspreekt, zal ik je terugbellen als ik bereik heb. Bedankt, Will. Het betekent heel veel voor me dat je hebt gebeld.' En

223

Holly gaat weer naar binnen waar ze opgekruld voor de haard gaat liggen nadenken over haar leven terwijl ze wacht tot de rest wakker wordt.

'Bacon, eieren, brood, jus d'orange…' Paul wendt zich tot Olivia. 'Verder nog iets?'

Olivia kijkt op haar lijst. 'Melk. Kranten.'

'Goed. Ik haal de kranten en ga naar de kassa. Haal jij de melk.'

Paul grijpt een stapel kranten, maar hij blijft doodstil staan als hij de voorpagina van de *News of the World* ziet.

'Hier is de melk,' roept Olivia die terugloopt met een enorme fles halfvolle melk. 'Wat is er aan de hand?' Ze gaat naast hem staan en slaat haar hand voor haar mond als ze de voorpagina ziet.

'Straalbezopen Saffy,' fluistert Olivia die de kop leest. 'Britse actrice die Pearce neukt vliegt ladderzat naar Heathrow! Kent u haar mysterieuze nieuwe man? Bel dit nummer en vertel ons wie het is!'

'Godverdomme,' fluistert ze. 'Dat ben jij, toch? Je kunt het niet zo goed zien omdat je Saffron draagt, maar dat ben jij.'

'O, shit,' fluistert hij. 'Laten we in godsnaam hopen dat niemand hen belt. Het laatste wat we nodig hebben is dat de pers Anna erbij betrekt en er vervolgens achter komt waar we zijn. Dit is afschuwelijk.'

'Wat een nachtmerrie.' Olivia zucht. 'Koop die maar niet. Laten we kijken of er ook Saffron-loze kranten zijn, dan nemen we die wel.'

'Wat? Geen zondagse roddelbladen? Welke man gaat er nou kranten kopen om terug te komen zonder de *News of the World*?'

'Een man die zijn vrienden wil beschermen tegen nog meer verhalen,' fluistert Paul in Holly's oor.

'O, verdraaid. Is het zo erg?'

'Laten we het erop houden dat het niet goed is. Sst. Ik geloof dat Saffron naar beneden komt. Hou er maar over op, dan zal ik het je later vertellen. Kluts jij de eieren maar.' Hij overhandigt Holly de doos eieren en een grote blauwe schaal.

224

23

Saffron houdt niet van half werk. Toen ze rookte, rookte ze twee pakjes per dag. Vanaf het moment dat ze stopte, heeft ze nooit meer een sigaret aangeraakt... tot ze weer begon. Als ze traint, doet ze het fanatiek, twee uur per dag met een privétrainer. Als ze in haar bed ligt traint ze in gedachten en kan ze aan praktisch niks anders denken, tot ze één of twee dagen overslaat en vervolgens maandenlang niks doet.

Soms geeft ze weken geen cent uit, om plotseling te gaan winkelen en allerlei dingen te kopen die ze niet wil hebben of nodig heeft. Dan kan ze bijna niet meer helder denken, helemaal opgewonden door de roes van het winkelen, als een drugsverslaafde die high is.

Of een alcoholiste die dronken is.

Dus als Saffron weer aan het drinken slaat, doet ze dat niet langzaam en weloverwogen. Ze doet het zoals ze alles doet in haar leven. Op spectaculaire wijze. Razendsnel en buitensporig.

Het was niet haar bedoeling geweest om haar nuchterheid te verliezen. In de bar op de luchthaven was ze echt van plan geweest het bij één drankje te laten. Misschien twee, zodat ze zich wat zou kunnen ontspannen, alleen om de plotselinge stress in haar leven wat te verlichten. Andere mensen konden het ook bij één of twee borrels laten, dus waarom zou zij dat niet kunnen? Ze was al jaren nuchter, ze was op heel wat feestjes geweest waar alcohol werd geschonken en ze was nooit in de verleiding gekomen. Natuurlijk kon ze een paar drankjes aan, waarom zou zij anders zijn?

Daarna kwam het vliegtuig. Eerste klas. Gratis champagne. Waarom niet? Alleen voor deze ene keer, hield ze zichzelf voor. Dat bekende warme gevoel en het was zo heerlijk om zich te ontspannen toen ze de roes voelde. Ze voelde zich losjes, giechelig en gelukkig. Voor het eerst in dagen was ze weer gelukkig. Ze was geen lawaaiige dronkaard, ze nestelde zich stilletjes onder haar deken en dronk het ene glas na het andere terwijl de rest van de passagiers in slaap viel of naar films keek.

225

Van de aankomst kan ze zich niet veel meer herinneren. Stewards en stewardessen leken in hun walkietalkie te mompelen en ze dacht eraan om haar hoofd te bedekken met een sjaal en een enorme zonnebril à la Jackie Kennedy op te zetten. Ze weet nog dat ze door een grote menigte werd geduwd, dat haar naam werd geroepen en dat er lichtflitsen afgingen in haar gezicht terwijl ze aangeschoten giechelde. Daarna werd ze – tot haar vreugde – opgetild, naar een auto gedragen en viel ze in slaap tegen iemands schouder.

De vorige avond had ze ook niet willen drinken. Ze had elk woord gemeend toen ze tegen Anna en Paul – de lieverds die haar te hulp waren geschoten – had gezegd dat ze nooit meer een druppel zou drinken. Toen ze eindelijk wakker was geworden, had ze zich vreselijk gevoeld. Haar hoofd had gebonkt, ze was overspoeld door de ene golf misselijkheid na de andere en ze wist dat het slechts een korte terugval was geweest. Ze wilde zich nooit meer zo voelen als in die jaren voor ze bij de AA was gegaan.

Maar gisteren, laat in de middag, had ze alleen kunnen denken aan een drankje. Eentje maar. Niet om dronken te worden. Alleen… omdat ze het kon. De gedachte werd een obsessie en niemand zou het merken als ze wegglipte om er snel eentje achterover te slaan. Eentje maar. Waarom ook niet?

'Saff!' Holly kijkt op van het eieren klutsen. Ze trekt een gezicht als ze Saffron ziet met haar opgezwollen ogen en vreemde grijze tint in haar katerige gezicht. 'O, als ze je nu eens konden zien.' Vol verbazing schudt ze haar hoofd, en ze denkt aan alle publiciteitsfoto's van Saffron door de jaren heen. Daar stond ze altijd beeldschoon en tot in de puntjes verzorgd op; overal ter wereld op rode lopers, in enkellange met kralen bezette japonnen.

Daar steekt de vrouw die voor haar staat schril bij af. Geen spoortje make-up, oude grijze joggingbroek, flodderige trui en haar lange glanzende lokken zitten in een slordige staart.

'O, begin nou niet.' Saffron kreunt en loopt naar Holly om haar een zoen te geven. 'Ik voel me vreselijk. Als ze me nu zagen, zouden ze hun geluk niet op kunnen.'

Paul en Olivia kijken elkaar even aan: gelukkig hebben ze die kranten niet meegenomen.

'O, moet je jouw kindjes toch eens zien!' zegt Saffron als ze door het keukenraam kijkt en Oliver en Daisy, dik ingepakt met mutsen en handschoenen, ziet buitenspelen. 'Wat een schatjes!'

'Het verbaast me dat je iets van ze kan zien onder al die lagen kle-

226

ding,' zegt Holly met een glimlach. 'Maar bedankt. Ik vind het inderdaad schatjes, al ben ik natuurlijk een beetje bevooroordeeld.'

'Koffie?' vraagt Paul opgewekt, en hij zet een beker voor een dankbare Saffron neer.

'Hmm.' Ze neemt een slokje en kijkt dan schaapachtig de tafel rond. 'Ik geloof dat ik jullie allemaal mijn verontschuldigingen moet aanbieden,' zegt ze zacht. 'Het spijt me heel erg van gisteravond. Het was niet mijn bedoeling...' Met een zucht houdt ze op. 'Het zal niet meer gebeuren. Echt niet. Ik weet niet wat me bezielde, maar ik zal het niet nog eens laten gebeuren.'

De anderen kijken haar alleen zwijgend aan en Saffron steekt haar hand op en laat haar hoofd beschaamd zakken. 'Ja, ja, ik weet dat ik dat al eerder heb gezegd, maar ditmaal meen ik het.'

'Weet je, je zult het te druk hebben om te bedenken hoe je stiekem naar de pub kunt gaan.' Anna zet de borden op tafel terwijl Paul de eieren brengt.

'Te druk? Waarmee dan?'

'We hebben besloten om het huis af te maken.' Paul gaat zitten en pakt wat bacon. 'We hebben iedereen taken toegewezen en Anna en jij beginnen met het betegelen van de badkamer.'

Saffron begint te lachen. 'Au,' kreunt ze met een hand tegen haar hoofd gedrukt. 'Shit, dat doet pijn. Je maakt toch zeker een geintje. Ik? Een badkamer betegelen?'

Olivia's mond valt open van verbazing. 'Nou zeg, zo veel sterallures heb je toch niet gekregen?'

'Nee!' roept Saffron geschrokken uit. 'Maar ik ben gewoon heel slecht in dat soort dingen. Ik heb nog nooit iets betegeld. Mij best, ik zal het doen, als je het maar niet erg vindt dat je tegels schots en scheef komen te zitten.'

'Je brengt het er vast prima van af.' Anna slaat geen acht op haar bezwaren. 'Ik zal je helpen en laten zien hoe het moet. Er is niks aan. Maar als je het liever niet doet, mag je ook de vloer schuren.'

'Nee, nee.' Saffron schudt haar hoofd en kijkt door de keuken naar de enorme hoeveelheid ruw, gebeitst hout in de woonkamer. 'Tegelen is prima.' Ze begint te lachen.

'Wat is er zo leuk?' vraagt Paul.

'Ik had niet gedacht dat ik hier een badkamer zou gaan betegelen. Mijn leven leek zo ordelijk en toen... Het is heel bizar hoe vlug alles kan veranderen.'

'Vertel mij wat.' Holly snuift. 'Het is maar dat je het weet, maar ik heb Marcus verlaten.'

227

'Echt waar? Goed, zeg!' roept Saffron uit.

'Waarom is dat goed?' Alsof Holly dat zelf niet weet.

'Omdat hij een arrogante, bekakte kwal is.'

'Saffron!' zegt Olivia verwijtend.

'Wat nou? Het is toch zeker zo?' Na die woorden begint Holly te lachen.

'Jij bent helemaal niks veranderd,' zegt ze met een grijns. 'Je zegt nog altijd precies wat je denkt.'

Saffron haalt haar schouders op. 'Ik ben altijd het liefst eerlijk, al spijt het me als ik je heb gekwetst. Ik had best wat minder hatelijk kunnen zijn.'

'Maak je niet druk.' Holly haalt haar schouders op. 'Hij is een arrogante kwal. Ik ben er alleen nog niet aan gewend dat mensen dat ronduit zeggen. Maar doe me een lol en zeg het niet waar de kinderen bij zijn.'

'Als de mensen eenmaal weten dat jullie uit elkaar zijn, zal iedereen je volgens mij hetzelfde vertellen, maar ik zal heus niks zeggen waar de kinderen bij zijn. Waarom stel je ons niet even aan elkaar voor?'

'Is het ontbijt klaar?' Holly kijkt naar Paul, die knikt. 'Laten we ze binnenroepen.'

'Mammie.' Daisy heeft haar vork neergelegd en staart naar Saffron. 'Je zei toch dat je vriendin een knappe, beroemde actrice was?'

Paul schiet in de lach en Saffron werpt hem een quasi valse blik toe.

'Daisy!' zegt Oliver. 'Dat is heel onbeleefd van je.'

'Niet waar,' zegt ze half in tranen. 'Het is niet onbeleefd, maar waar.'

'Het is onbeleefd. Ja toch, mammie? Om commentaar te hebben op mensen die tegenover je zitten?'

'Ik had geen commentaar,' zegt Daisy pruilend. 'Ik zei alleen dat ze niet knap is.'

'Het geeft niks, Oliver,' zegt Saffron glimlachend. 'Ik vind het niet erg. Meestal ben ik knap en beroemd, maar vandaag ben ik heel gewoon. Ik verander af en toe, een beetje zoals Assepoester.'

'Je vergat te zeggen dat je ook bescheiden bent,' zegt Paul met een grijns.

'O, ja. Dat ben ik ook.'

'Olivia?' Opeens kijkt Saffron Olivia aan. 'Je ziet er vreselijk uit. Gaat het wel?'

228

'Ik ben zo terug.' Olivia slikt moeizaam en rent van tafel met haar hand voor haar mond.

Een paar tellen later horen ze de onmiskenbare geluiden van kokhalzen en overgeven uit de badkamer boven komen.

'O, verdomme.' Paul houdt op met kauwen en legt zijn mes en vork neer. 'Net wat ik wil horen tijdens het ontbijt.'

Saffron pakt een stukje bacon van zijn bord en kauwt er bedachtzaam op. 'Mij stoort het niet. Is ze ziek of zwanger?'

Paul begint te lachen. 'Olivia, zwanger? Dat lijkt me niet.' Dan ziet hij Holly's gezicht. 'O, god. Is ze dat wel?'

Holly probeert zo onschuldig mogelijk te kijken, maar ze heeft nooit goed kunnen liegen.

'Dat moet je niet aan mij vragen,' zegt ze uiteindelijk. 'Het zijn mijn zaken niet.'

Olivia komt de keuken weer in, haar tanden fris gepoetst, en ziet er nogal ongemakkelijk uit.

'Nou… ben je zwanger?' Saffron kijkt haar recht aan.

'Jezus, Saff,' zegt Paul met een zucht. 'Een beetje subtieler kan geen kwaad, hoor.' Olivia werpt Holly een blik toe, en die schudt heftig haar hoofd. Ze hebben het niet van mij, wil ze zeggen.

'Wat is zwanger?' vraagt Oliver hard. 'Wat betekent dat?'

'Sst, Oliver,' zegt Holly. 'Dat vertel ik je straks wel.'

'Het geeft niet, Oliver.' Olivia gaat weer aan de tafel zitten en ze haalt haar schouders op. 'Dat betekent dat ik een kindje krijg. Wat een klotesituatie. O jee, dat had ik niet mogen zeggen. Maar, inderdaad. Het lijkt erop dat ik zwanger ben, al ben ik overtuigd single en heb ik nooit kinderen gewild.'

'Nou, wie is de gelukkige man?' vraagt Saffron.

'Hij doet er niet toe. Aardige kerel. Amerikaan en we hebben geen contact meer.'

'Weet hij het?' vraagt Anna, en Olivia schudt haar hoofd.

'Ik zou niet weten waarom ik het hem zou moeten vertellen,' zegt ze zacht. 'Ik heb nog niet besloten of ik het wel of niet zal houden.'

Holly kijkt naar Anna terwijl Olivia praat en ze ziet de schrik op Anna's gezicht. De schrik en de afschuw dat Olivia zo gemakkelijk een kind zou laten weghalen, terwijl Paul en zij er alles voor over hebben om er een te krijgen.

'Zou je een abortus nemen?' vraagt Anna zacht. Ze probeert haar emoties niet door te laten klinken in haar stem, ze probeert Olivia niet te veroordelen of in elk geval om haar afkeur niet te laten blijken.

Ineens herinnert Olivia zich dat Paul en Anna het over IVF hebben gehad en ze probeert haastig wat terug te krabbelen. 'Ik weet het niet…' zegt ze vlug. 'Ik bedoel, ik heb nog geen besluit genomen. Ik weet niet wat ik moet doen en ik heb eigenlijk nog niet bepaald…'

'Het geeft niet,' zegt Paul, en onder de tafel pakt hij Anna's hand en knijpt er even in. 'Je hoeft om ons niet op je woorden te letten.'

'Het spijt me echt.' Olivia kijkt Anna recht in de ogen. Die ziet eruit alsof ze elk moment in tranen kan uitbarsten. 'Ik wilde niks zeggen. Ik wilde het voor me houden en het stilletjes laten weghalen zonder dat iemand het ooit zou weten.'

'Rustig maar,' zegt Paul, als er langzaam een traan over Anna's wang glijdt. 'Maak je niet druk. Het belangrijkste is hoe jij je voelt.'

'Mam?' vraagt Oliver opnieuw, met een verwarde uitdrukking. 'Wat is een bortus?'

Holly trekt een gezicht en buigt zich naar hem toe. 'Vraag maar aan je vader,' zegt ze met een zucht, en ze schenkt nog wat koffie voor zichzelf in.

'Hoe gaat het met je?' Paul loopt knerpend over het veld naar een oude boomstronk waar Anna op zit. Met een verkreukeld papieren zakdoekje in haar hand staart ze in de verte. Haar ogen zijn rood omrand en als ze Paul ziet, komen er nog meer tranen.

'Het lijkt zo oneerlijk,' wil ze zeggen, maar het komt eruit als een snik. 'Wij proberen het al zo lang en dan wordt iemand als Olivia zomaar zwanger en wil ze een abortus. Hoe kon dit gebeuren? Hoe kon ze dat doen?'

'Ik heb nooit geweten dat je tegen abortus was,' zegt Paul verbaasd.

'Dat ben ik ook niet. Ik bedoel, dat was ik ook niet. Ik heb er nooit zo bij stilgestaan, maar nu weet ik het niet… Ik begrijp gewoon niet hoe iemand dat kan doen, terwijl er zo veel mensen zijn die dolgraag kinderen willen maar ze niet kunnen krijgen.'

Paul slaat zijn arm om Anna heen en knuffelt haar teder. Ze drukt zich tegen hem aan en leunt met haar hoofd tegen zijn borst. Veilig. Bemind. Uitgeput. Geen gesnik meer, daar is ze te moe voor. Alleen een leegte terwijl ze telkens opnieuw fluistert: 'Het is gewoon niet eerlijk. Het is niet eerlijk.'

Die ochtend ontlopen ze elkaar door in verschillende delen van het huis te blijven terwijl ze wachten tot de emoties zijn afgenomen.

230

Anna en Saffron zijn in de badkamer, Paul schuurt de vloer van de woonkamer, Olivia schildert de raamkozijnen en Holly en de kinderen schuren de keukenkastjes. De kinderen vinden het heerlijk dat ze hetzelfde werk mogen doen als de volwassenen en ze hebben allebei schuurpapier in hun knuistje en werken aan hun eigen kastdeurtjes.

Saffron vraagt Anna niet naar de IVF, hoe ze zich voelt, of hoe het met haar gaat en daar is Anna blij om. Soms moet je echt over dingen praten, maar op andere momenten, zoals vandaag, ga je je van geen enkel gesprek beter voelen. Die dagen kun je alleen ademhalen, je ene been voor het andere zetten en de dag zo goed en zo kwaad als het gaat overleven tot je weg kunt zinken in vergetelheid, in de hoop dat het de volgende dag gemakkelijker zal gaan. Dat alles dan weer in orde zal zijn.

'Paul!' Holly loopt de woonkamer in en verheft haar stem om boven het geluid van de industriële schuurmachine uit te komen. Ze hoest als er een wolk stof op haar neerdaalt.

'Wacht even.' Hij zet het apparaat uit en trekt het kapje van zijn gezicht. 'Ja?'

'Kom eens naar de keukenkastjes kijken. Volgens mij is het hout verrot.'

'O, verdomme,' kreunt hij. 'Ik roep Anna even, die heeft er meer verstand van dan ik.'

Anna hurkt neer en strijkt met een vinger langs het hout. Vervolgens kijkt ze Paul fronsend aan. 'Ja, dat is inderdaad verrot. En als er één deurtje rot is, zijn ze het waarschijnlijk allemaal. We hebben nieuwe deuren nodig in de keuken.'

Paul slaakt een zucht. 'Dat is het nadeel van die stomme renovaties. Je denkt dat je precies weet wat er moet gebeuren, maar hoe meer je doet, hoe meer dingen je tegenkomt die ook moeten worden opgeknapt. Nou, fijn. Geen van ons weet natuurlijk hoe je deurtjes voor keukenkasten moet maken...' Ze kijken hem allemaal uitdrukkingsloos aan. 'Dus dat gaat een kapitaal kosten. Dat kunnen we net gebruiken.' Zijn ergernis is voelbaar en Anna verschuift ongemakkelijk. Ze voelt zich schuldig dat ze met dit project is begonnen op een moment dat ze het zich niet kunnen permitteren.

Holly's gezicht licht op. 'We kunnen vragen of Will het wil doen,' zegt ze. Olivia onderdrukt een glimlach en kijkt Holly in plaats daarvan met opgetrokken wenkbrauwen aan. 'Nee, ik meen het,' zegt Holly. De anderen kijken haar niet-begrijpend aan. 'Will,

231

Toms broer. Hij is meubelmaker. Hij zou zo komen.'

'O, wauw!' Anna springt op en neer van blijdschap. 'Wat een geweldig idee! Ik wist niet dat Toms broer timmerman is. Heeft iemand toevallig zijn nummer?'

Ditmaal vermijdt Holly Olivia's alwetende blik. 'Ik geloof dat ik dat wel heb,' zegt ze, en van blijdschap zweeft ze zowat naar de deur. 'Ik zal even naar buiten gaan om een signaal te krijgen en dan zal ik hem bellen.'

Twintig minuten later komt Holly stralend weer binnen.

'Waar bleef je nou?' vraagt een nog altijd chagrijnige Paul. Hij is ervan overtuigd dat Will niet zal komen, dat Holly zijn nummer niet eens heeft.

Holly bloost. 'Het duurde even voor ik hem te pakken had,' liegt ze niet erg overtuigend. 'Maar hij komt. Hij pakt vanmiddag de trein. Ik ga hem met de kinderen ophalen bij het station.'

'Jippie!' roept Anna verheugd, en ze kijkt naar Paul. 'Zie je nou wel? Ik zei toch dat alles goed zou komen.'

'We weten nog niet hoeveel hij ervoor gaat vragen,' bromt Paul. 'Misschien is dat wel meer dan we ons kunnen permitteren.'

'Hij zei dat hij het tegen kostprijs zou doen,' zegt Holly, niet in staat de glimlach van haar gezicht te laten verdwijnen. En die zit daar niet omdat hij het tegen kostprijs doet. 'Hij neemt al zijn gereedschap mee. Kennelijk is hout hier veel goedkoper en hij zal niks in rekening brengen voor zijn tijd.'

Anna zet haar handen in haar zij en werpt Paul een ik-zei-het-toch-blik toe. 'Als dat waar is, is het fantastisch.'

'Natuurlijk is het waar,' zegt Holly. 'Vergeet niet dat hij Toms broer is. Tom zou nooit iets hebben beloofd wat hij niet waar kon maken. Je denkt toch niet dat zijn broer anders is?'

'Laten we hopen dat je gelijk hebt,' zegt Paul. Hij doet zijn kap weer voor en gaat terug naar de woonkamer om de rest van de vloer te schuren.

Holly heeft niet veel aan Marcus gedacht. Ze heeft niet aan het eind van haar huwelijk gedacht, of aan het feit dat ze waarschijnlijk niet haar oude leventje kan oppakken als ze weer naar huis gaat. Marcus heeft twee berichten ingesproken. Het eerste woedend, het tweede verdrietig. Daarin vroeg hij of ze konden praten.

Als reactie daarop heeft ze niet hem, maar Frauke gebeld. Ze heeft Frauke verteld waar ze precies was, maar alleen voor in geval

232

van nood en ze heeft Frauke opdracht gegeven om tegen Marcus te zeggen dat Holly met hem zou praten als ze weer thuis was.

De rest van de tijd heeft ze niet aan hem gedacht.

Gedeeltelijk heeft ze haar kop in het zand gestoken. Net als ze gedurende haar hele huwelijk heeft gedaan als haar verdriet haast ondraaglijk was. Dan stak ze de kop in het zand en deed ze net of alles in orde was. Want als ze er niet aan dacht, was het niet echt.

Maar vandaag speelt er slechts één gedachte door haar hoofd. Een gedachte die haar drijft en waardoor ze zich zo duizelig als een tiener voelt.

Will.

Als Saffron nuchter is, is ze even opmerkzaam als direct. Voor haar werk is ze heel goed geworden in het observeren van mensen en zodra Holly Will noemde, zag Saffron haar ogen oplichten. Ook bleef ze maar glimlachen nadat ze hem had gebeld, en na dat telefoontje leek ze bijna over te lopen van geluk.

Saffron zou wel heel dom moeten zijn om te geloven dat Holly zo opgetogen is omdat de keukenkastjes tegen kostprijs zullen worden gemaakt.

Hmm, denkt ze. Heel interessant. Niet dat ze zich Holly en Will samen kan voorstellen. Hoe sexy en charmant Will ook is, hij is absoluut niet toe aan een vaste relatie, maar Holly verdient wel een verzetje na haar huwelijk met die afgrijselijke Marcus. En misschien zal Holly niet de kracht hebben om de scheiding door te zetten – Saffron vermoedt dat Marcus haar zal kunnen overhalen om bij hem terug te komen – dus is het heel goed dat er een ander bij is die Holly helpt inzien dat ze het juiste besluit heeft genomen.

Het zou best eens heel goed kunnen uitpakken.

24

Holly stopt voor het piepkleine stationnetje en gaat direct op een van de parkeerplaatsen naast het spoor staan. Ze is zenuwachtig, opgewonden en ze blijft de spiegel omlaagtrekken om te kijken hoe ze eruitziet. Ze gaat zo op in haar eigen wereldje dat ze de voortdurende stroom vragen van Daisy op de achterbank negeert.

'Ik ben zo terug,' zegt ze tegen de kinderen als ze in de verte de koplampen van de trein ziet. Ze springt uit de auto en loopt het trapje naar het perron op. Ze is duizelig van opwinding en nervositeit.

Het lijkt eeuwen geleden dat ze Will heeft gezien. Maar het is slechts... een week terug. Ze is eraan gewend om de hele dag met hem te praten. En op een of andere manier, nu ze bij Marcus weg is (want in gedachten, de afgelopen paar uur, denkt ze niet meer dat haar huwelijk misschien voorbij is. Ze heeft de geschiedenis herschreven wat betreft Marcus en voor haar is de breuk definitief.) voelt ze zich niet langer schuldig vanwege alle tijd die ze aan Will denkt, de opwinding bij het vooruitzicht dat ze hem zal zien.

Ze ijsbeert nerveus wanneer de treindeuren met een zucht opengaan en ze knijpt haar ogen tot spleetjes als ze hem ziet, een van de drie mensen die uit de trein stappen. Hij loopt naar haar toe over het perron en zwaait ter begroeting.

Hij is onmiskenbaar Will. Holly zou hem altijd uit duizenden herkennen, en haar hart slaat een slag over als ze zijn vertrouwde gezicht en vertrouwde pas ziet. In een oude Levi's, leren laarzen en een versleten jas die nooit dik genoeg kan zijn voor de februarikou, ziet Will er, althans in Holly's ogen, volmaakt uit.

Met zijn lange, slordige bruine haar dat altijd in de war lijkt te zitten en zijn fonkelende bruine ogen. Als hij dichterbij komt wordt zijn grijns breder. Holly's hart slaat nog een slag over.

Hij is zonder enige twijfel de knapste man die ze ooit heeft gezien; een volmaaktere man kan ze zich niet voorstellen, uit al zijn poriën lijkt testosteron te druipen. Zijn benen zijn lang en slank,

234

zijn schouders zijn gespierd en zijn nek is breed. Zijn handen zijn groot, schoon en eeltig van zijn werk, en zijn glimlach – o, die glimlach! Kuiltjes in zijn wangen en ontzettend schattig. Over die glimlach kunnen wel duizend liefdesliedjes geschreven worden.

Holly glimlacht en kan daar niet meer mee ophouden. Ze loopt op hem af en als ze zo dicht bij hem is dat ze zijn gezicht kan zien, ziet ze dat hij ook glimlacht.

En daar niet mee kan ophouden.

Als je een toeschouwer was en toevallig in je auto op de volgende trein naar Londen zat te wachten, dan zou je wellicht denken dat Holly en Will net twee magneten lijken als ze allebei sneller gaan lopen en elkaar om de hals vallen. De kracht van de wederzijdse aantrekkingskracht trekt hen met zo'n snelheid, zo'n intensiteit naar elkaar toe voor een omhelzing die duurt en duurt dat er vermoedelijk meer kracht nodig is dan jij of ik bezit om ze van elkaar te trekken.

Het is hun eerste echte fysieke contact. Een dergelijke omhelzing was niet Holly's bedoeling geweest. Ze had er niet over nagedacht hoe ze hem zou begroeten, ze had het veel te druk gehad met het kalmeren van haar zenuwen om zich druk te maken of ze hem moest zoenen of omhelzen. Om zich af te vragen of er ook een ongemakkelijke situatie zou ontstaan.

Automatisch slaan haar armen zich om zijn rug en de zijne om die van haar terwijl ze elkaar dicht tegen zich aandrukken. Hij legt zijn wang op haar hoofd en doet pas na wat uren lijkt een stap achteruit om een zoen op haar wang te drukken. Ondertussen blijft hij grijnzen als een schooljongen.

Met tegenzin laten ze elkaar los en even voelen ze zich wel degelijk ongemakkelijk. Holly staat te trillen omdat ze zich niet had gerealiseerd welk effect het zou hebben om zijn armen om zich heen te hebben en zich zo veilig, beschermd en gekoesterd te voelen.

Tot op dit moment had ze niet geweten hoe erg ze dit heeft gemist, hoezeer ze genegenheid heeft gemist. Zelfs als Marcus haar dit zou hebben gegeven, denkt ze, zelfs als hij zijn armen om haar heen had geslagen, en haar dicht tegen zich aan had getrokken en zijn wang op haar hoofd had gelegd, zou ze het niet hebben gewild, niet van hem.

Maar van Will? Ze zou wel de hele dag in zijn armen kunnen liggen. Ze verzet zich al heel lang tegen deze gevoelens, ze voelt zich ontzettend schuldig vanwege haar gevoelens voor een andere man dan haar echtgenoot omdat ze weet hoe verkeerd het is, omdat ze

235

nooit ontrouw zou zijn, nooit een verhouding zou beginnen, maar deze gevoelens zijn zo overweldigend dat ze ze niet langer kan verbergen.

'Jezus, wat fijn om je te zien.' Met een grijns kijkt Will haar aan en hij bukt zich om zijn tas en gereedschapskist op te pakken. Samen lopen ze naar de auto.

'Ik zie er niet uit,' zegt Holly nogal dom, en ze voelt zich net een nerveuze zestienjarige.

'Niet waar. Je ziet er prachtig uit. Ik weet dat het stom is om te zeggen, maar je ziet er gelukkiger uit. Nu al,' zegt Will. 'Ik hoopte stiekem dat ik hier zou worden uitgenodigd en toen belde jij, als mijn dame in nood.'

Holly bloost. 'Niet helemaal. Als iemand de dame in nood is, is het Paul. Hij doet nogal moeilijk over die keukenkastjes, al vermoed ik dat geld een groter probleem is dan wij dachten. Hij leek echt in paniek te raken toen Anna zei dat ze vervangen moesten worden.'

'Ik ben blij dat ik de redder in nood kan zijn,' zegt Will als ze bij de auto komen. 'Hallo, daar.' Voor hij instapt, kijkt hij eerst even naar de achterbank.

'Ik ben Will. Jij moet Oliver zijn.' Hij buigt zich naar de achterbank om Oliver een hand te geven. 'En dit schatje moet Daisy zijn.' Daisy glimlacht lief naar hem en Will draait zich lachend om naar Holly. 'Lieve hemel, ze lijkt precies op jou. Ze is beeldschoon.'

'Dank je.' Holly draait het contactsleuteltje om. 'Ze is een behoorlijke lastpost, maar we houden van haar.'

'Nou, kan iedereen het een beetje met elkaar vinden?' Will gaat zo zitten dat hij tegen het portier leunt en naar Holly kan kijken terwijl ze rijdt, waardoor ze zich vreselijk opgelaten voelt. 'Zijn er nog interessante roddels?'

Holly giert het uit. 'Jezus, Will. Dit is zo'n beetje de meest dramatische samenkomst die je je kunt indenken. Maar eerst moet je beloven dat je het tegen niemand zult vertellen. Als je hier blijft, moet ik je het hele verhaal wel uit de doeken doen.'

'Ik zweer het,' zegt hij plechtig, en hij legt zijn hand op zijn hart. Vervolgens vertelt Holly hem het hele verhaal.

'Thee?' brult Will uit de keuken, en iedereen legt zijn gereedschap neer en druppelt een voor een dankbaar de keuken binnen. Daar staat een blad met dampende bekers en chocoladebiscuitjes klaar.

Anna kijkt bewonderend van de thee naar Will. 'Jij bent echt geweldig,' zegt ze. 'Voel je er iets voor om een tweede echtgenoot te worden?'

236

'Nee, dank je. Ik wil niet eens je eerste echtgenoot zijn.' Will kijkt verschrikt en Paul brult van de lach. 'Sorry,' herstelt hij zich haastig. 'Zo bedoelde ik het niet. Het heeft niks met jou te maken, maar het huwelijk is gewoon niks voor mij.'

Dat hoort Holly, en ze draait zich vlug om om melk uit de koelkast te pakken. Het stoort haar dat hij zegt dat het huwelijk niks voor hem is, en dat slaat nergens op. Wat had ze dan verwacht? Dat hij zou zeggen dat hij staat te popelen om te gaan trouwen en dat Holly de volmaakte vrouw voor hem zou zijn?

Maar wat nog belangrijker is, waarom denkt ze er eigenlijk aan? Haar eigen huwelijk is nog niet eens ontbonden en ze is al op zoek naar het volgende? Stel je niet zo aan, denkt ze, en ze schudt huiverend haar hoofd. Doe niet zo kinderachtig, zegt ze tegen zichzelf. Ineens ziet ze zichzelf in gedachten wat krabbelen aan de keukentafel. Holly Fitzgerald, mevrouw Will Fitzgerald. Ze huivert omdat het allemaal zo dom is, omdat de obsessie die ze niet langer lijkt te kunnen ontkennen haar in een tiener verandert.

En het is zonneklaar dat het een obsessie is. Dat ze zichzelf toestaat om erin op te gaan, om zich op Will te concentreren in plaats van op haar eigen ongelukkige gevoelens, om de droom te dromen die al maandenlang net buiten haar bewustzijn zweeft.

Het handjevol keren dat ze zichzelf had toegestaan om haar ogen dicht te doen en aan Will te denken terwijl Marcus boven op haar lag en in haar stootte, had haar schuldgevoel verergerd en ze had zichzelf beloofd om dat niet meer te doen.

Maar de afgelopen nacht, in het bed boven – want de loodgieter was geweest en had de defecte leiding gemaakt, zodat het huis eindelijk warm was – had Holly zich van zichzelf eindelijk mogen overgeven aan de fantasieën die ze tot dan toe altijd had onderdrukt.

In bed had ze zich voorgesteld dat ze Will uitkleedde. Dat ze over zijn onderarmen en zijn borst streelde. Ze had gefantaseerd dat hij haar lichaam langzaam van boven naar beneden zou zoenen. Ze was snel en stil klaargekomen en was eindelijk in een diepe slaap gevallen. Maar midden in de nacht was ze weer wakker geworden, ditmaal met een andere fantasie. Zou Will misschien de juiste man voor haar zijn? Als Marcus de verkeerde was, wat overduidelijk het geval was, was Will dan misschien haar zielsverwant? Is hij degene voor wie ze voorbestemd is?

Eigenlijk had Holly nooit zo geloofd in zielsverwanten. Misschien heel kort toen ze nog een dromerige tiener was, maar nadat ze Marcus had leren kennen, had ze er niet langer in geloofd. Tot nu dan.

'Nou, wees eens eerlijk,' zegt Anna plagend tegen Will. 'Er zijn vast miljoenen verveelde, geile huisvrouwen die je proberen te versieren.'

Will kijkt een beetje schaapachtig. 'Geen miljoenen, maar er zijn er wel een paar geweest.'

'Een paar wat? Versierpogingen of geile huisvrouwen?' vraagt Saffron lachend.

'Allebei,' zegt Will. 'Nee, even serieus. Op dat soort aanbiedingen ben ik al een poos niet meer ingegaan. Ik had de pech betrapt te worden door een echtgenoot die op zakenreis hoorde te zijn. Zijn vlucht werd afgelast en daarom kwam hij weer naar huis.'

'Dat is wel heel afgezaagd.' Saffron rolt met haar ogen.

'Inderdaad,' zegt Will lachend. 'Op het moment zelf was het echter niet erg grappig. Ik viel van de trap terwijl ik mijn broek probeerde aan te trekken, en die kerel was woedend en brulde dat hij me zou vermoorden. Geloof me, ik had mazzel dat ik het er levend van af heb gebracht. Daarna ben ik er meteen mee opgehouden om zaken en pleziertjes te mengen.'

'Doet jullie dat niet aan Tom denken?' Met een grijns kijkt Paul de tafel rond.

'Hoe bedoel je?' vraagt Olivia verward.

'Herinner je je niet meer dat hij een keer boven in de slaapkamer was met dat ene meisje, o, verdomme, hoe heette ze nou… knap blondje, zat een klas hoger dan jullie… Kate Huppeldepup…'

'O, ja!' brult Saffron. 'Kate Barrowman! Dat was ik helemaal vergeten.'

Holly en Olivia beginnen te lachen terwijl Paul het verhaal verder vertelt aan Will. 'Hij deed iets wat niet mocht.'

'Hij was bijna bij het moment suprême, als ik het me goed herinner,' voegt Holly eraan toe en ze slaat haar ogen ten hemel.

'Ja, nou, er zou niemand thuis zijn, maar haar vader had blijkbaar een werkkamer of zoiets op zolder en hij kwam naar beneden en betrapte Tom en Kate, die halfnaakt op het bed van haar ouders lagen te rollebollen. Volgens mij is Tom hetzelfde overkomen, hij viel van de trap terwijl de vader dreigde hem te vermoorden.'

Er volgt een stilte terwijl ze allemaal aan Tom denken en ze weer weten hoe het was om zestien te zijn, en bij vreemden op donkere slaapkamers onder jassen te liggen rotzooien met onbekenden. Om een mixdrankje van bier en cider te drinken en net te doen alsof je heel werelds bent.

'Dit is echt heel gek.' Halffluisterend verbreekt Saffron de stilte.

238

'Wat?' De anderen kijken haar vragend aan.

'Dít. Dat we hier met Toms broer zitten te praten over Tom en dat Tom er niet bij is. Het is gewoon…' Ze knippert twee of drie keer heftig om te voorkomen dat de tranen die in haar ogen zijn opgeweld zullen vallen.

'Will lijkt zo veel op Tom, en ik wil hem de hele tijd Tom noemen of ik wil hem iets vertellen dat hij vroeger heeft gedaan, of iets wat we met zijn allen hebben gedaan en dan weet ik ineens dat Tom dood is. En dan word ik overvallen door een enorm gevoel van verlies.' Saffron veegt een traan uit haar oog.

Iedereen voelt het zo. Ze hebben allemaal precies dezelfde gedachten gehad, maar niemand heeft het durven zeggen, niemand heeft durven toegeven hoeveel verdriet hij of zij heeft nu Toms broer in de kamer zit. Toms broer. Wat geeft hun in godsnaam het recht om zich zo te voelen terwijl zijn broer zich prima lijkt te redden?

'Het spijt me dat ik Tom niet ben,' zegt Will zacht, en zijn stem breekt. 'Het spijt me voor jullie allemaal dat Tom hier niet zit, maar het spijt me vooral voor mezelf. Het spijt me dat ik niet degene was die in die trein zat. Tom was zo'n goede man. In en in goed. Hij was geliefd bij iedereen, hij had een vrouw en kinderen. Hij verdiende het niet om aan stukken geblazen te worden. Ik moet steeds denken dat zijn dood een gapend gat heeft achtergelaten in het leven van heel veel mensen, terwijl ik het had kunnen zijn. Ik zou door niemand worden gemist. Het had mij moeten overkomen.'

'Dat is niet waar, Will.' Saffron kijkt hem aan. 'Het had jou helemaal niet moeten overkomen. Heel veel mensen zouden jou missen. Het spijt me. Het was niet mijn bedoeling om je van streek te maken of je het gevoel te bezorgen dat je niet gewenst was.'

Will staat op en laat zich omhelzen door Saffron, voor hij stilletjes de achterdeur uitloopt. Ze kijken allemaal door het raam als hij over het veld naar de boomstronk gaat. Hij pakt een pakje sigaretten uit zijn jaszak, waarna hij gaat zitten en zijn gezicht in zijn handen begraaft.

'Ik voel me heel rot,' zegt Saffron. 'Ik wilde hem niet van streek maken.'

'Dat heb je ook niet gedaan,' zegt Anna. 'Ik heb het gevoel dat dit wel eens… louterend… voor hem zou kunnen zijn. Ik vermoed dat hij net alle dingen heeft gezegd waarmee hij al maanden rondloopt en die hij waarschijnlijk nog nooit hardop heeft kunnen zeg-

239

gen. Dat staat toch op zijn gezicht te lezen? Die arme man. Het schuldgevoel dat hij bij zich draagt moet afschuwelijk zijn.'

Holly staat plotseling op. 'Let even op de kinderen,' zegt ze vlug. 'Ik ga even kijken of alles goed met hem is.' Ze gaat de deur uit. Ze is niet in staat geweest haar blik van Will af te wenden, en de wetenschap dat hij zit te huilen verscheurt haar hart. Hoe kon ze niet naar hem toegaan? Hoe kon ze hem die vreselijke gevoelens in zijn eentje laten verwerken?

Ze loopt over het gras en gaat achter hem staan, met een hand op zijn schouder om hem te laten weten dat ze er is. En als hij zich omdraait, zijn ogen rood en zijn gezicht nat van de tranen, hurkt ze neer en slaat ze haar armen om hem heen, zoals ze bij haar kinderen zou doen. Zo blijven ze zitten, Holly op haar hurken achter hem, haar armen strak om hem heen geslagen terwijl ze hem teder wiegt en in zijn oor fluistert: 'Rustig maar. Het komt allemaal wel goed.'

Als ze weer naar binnen gaan, lijkt iedereen het heel druk te hebben met opruimen. Saffron loopt direct op Will af en biedt hem opnieuw haar excuses aan. 'Ik heb iets goed te maken bij je,' zegt ze. 'Ik wil je graag zeggen dat ik blij ben dat je hier bent. Dat ik niet verwacht dat je Toms plaats inneemt, maar dat ik blij ben dat je bij ons bent. Het helpt, en hoe gek het ook klinkt, het lijkt ook heel juist dat je hier bent.'

'Absoluut!' Paul heft zijn lege beker op in een stille toost en de anderen volgen zijn voorbeeld.

'Niet als vervanging van Tom,' zegt Olivia die langzaam de rest van de biscuitjes opeet die in snel tempo verdwijnen van het bord. 'Denk eraan dat we dat niet bedoelen. Jij past gewoon in de groep. Het is hartstikke leuk dat je hier bent.'

'En op Tom.' Holly heft haar beker op en kijkt naar het plafond. 'Want op zijn eigen zieke manier heeft hij ons allemaal weer bij elkaar gebracht. Dank je, Tom.' De anderen kijken op en heffen hun eigen beker op. 'Op Tom,' zeggen ze, en als ze hun thee drinken hebben ze allemaal tranen in hun ogen.

'Mam?' Daisy en Oliver komen binnen, hun handen en gezicht onder de paarse viltstift. 'We zijn klaar met kleuren en nu weten we niet wat we moeten doen.' Ze kijken naar de tafel en hun gezichtjes lichten op als ze de biscuitjes zien.

'Toe dan maar,' zegt Holly lachend, en ze duwt het bord naar hen toe. 'Eentje. Willen jullie een video zien?'

240

'Ja!' De kinderen springen op en neer. 'Mogen we *Ice Age 2* zien?' vraagt Oliver.

'Nee,' gilt Daisy. 'Ik wil *The Little Mermaid* zien.'

'Getver,' kreunt Oliver. 'Ik ga niet naar een meidenfilm kijken. *Ice Age 2*, mam.'

Daisy begint te huilen.

'Zo is het wel genoeg.' Holly kijkt ze allebei streng aan. 'Ik kies de film.' Ze gaat naar de auto en neemt *Shrek* mee naar binnen.

'O, niet weer.' Oliver kreunt, maar hij loopt rustig achter hen aan als Holly de computer in hun kamer zet en de dvd opzet.

'Weet je wat we zouden moeten doen?' Anna doorbreekt de stilte als ze weer naar beneden komt. 'We zouden vanavond een heerlijk maal moeten bereiden. Chique kleren. Kaarslicht. Lekker eten.'

Paul barst in lachen uit. 'Er is slechts een probleem, vrouwtje van me. We hebben geen tafel.'

'Nu nog niet, maar er staat een smerige oude schraagtafel in de schuur. En we kunnen een tafelkleed halen in de supermarkt in Gloucester.'

'Stoelen?' houdt Paul vol.

'Wees nou niet zo'n spelbederver.' Anna klakt afkeurend met haar tong. 'We kunnen de banken uit de tuin naar binnen slepen.'

'Wat een goed idee,' zegt Holly. 'Laten we dat doen. We kunnen allemaal wel wat lol gebruiken en ik heb echt zin om wat te drinken. O, verdomme...' Haar gezicht betrekt en ze kijkt ontzet naar Saffron. 'Dat was ik vergeten. Geen drank, natuurlijk.' Ze doet haar best om haar teleurstelling te verbergen.

'Om mij hoef je het niet te laten.' Saffron legt een hand op haar arm. 'Ik weet dat ik een paar keer een terugval heb gehad, maar jullie moeten niet vergeten dat ik jarenlang omgeven ben geweest door alcohol zonder dat ik het wilde drinken. Ik vind het niet erg als jullie drinken. Vooral niet als het rode wijn is.' Ze trekt een gezicht. 'Ik heb altijd een hekel gehad aan rode wijn.'

'Afgesproken!' zegt Anna, die zich net als de anderen laat meeslepen door haar enthousiasme. 'Waarom houden we hier niet op en gaan we boodschappen doen? Als we nu gaan kunnen we om zes uur weer terug zijn.'

De iPod is aangesloten op Pauls boxen en de zoete stem van KT Tunstall vult de kamer. Holly heeft een heerlijke ouderwetse coq au vin gemaakt, Olivia is bezig met de salade en Anna legt de laatste hand aan een bitterkoekjestrifle. Saffron klopt een walgelijk

241

uitziend vetvrij, suikervrij goedje dat een of andere butterscotch-pudding moet voorstellen en waarvan ze beweert dat het heerlijk is.

Paul loopt langs en haalt zijn vinger door de mengkom. 'Hmm.' Verbaasd kijkt hij naar Saffron. 'Dat is best lekker. Suikervrij en vet-vrij, dus? Wat zit er in?'

Koeltjes kijkt Saffron hem aan. 'Chemicaliën,' zegt ze. Hij kijkt heel verschrikt en Anna begint te lachen.

'Nee, even serieus.' Anna loopt naar hen toe. 'Wat zit erin?'

'Echt waar.' Trots tilt Saffron het doosje op. 'Chemicaliën, toe-voegingen en conserveringsmiddelen. Walgelijke dingen die onge-twijfeld mijn ingewanden laten oplossen. Hier zit helemaal niks na-tuurlijks in.'

'Maar in elk geval sterf je slank, zeker?' Olivia heeft nooit iets be-grepen van de hele obsessie met zogenaamd 'gezond' eten. Zij heeft liever een theelepel slagroom dan een liter vetvrije melk.

'Precies, schat.' Saffron lacht en likt de lepel af met overdreven veel genot. 'Zelfs na mijn dood zal ik slank en beeldschoon zijn,' zegt ze met een zwaar Duits accent.

Lachend loopt Holly de woonkamer in om de tafel verder te dek-ken. Ze doet een stap achteruit en constateert tevreden dat hij er heel gezellig uitziet. Het haardvuur brandt fel, er staan kaarsen die de kamer een warme gloed geven en de tafel, tot en met de naam-bordjes die zijn ontworpen en gemaakt door de kinderen, ziet er prachtig uit.

'Kom op, jongens.' Holly steekt haar handen uit naar Daisy en Oliver. 'Bedtijd.'

'Maar mam…' jengelt Oliver.

'Geen gemaar,' zegt ze met een glimlach. 'Het is al een halfuur later dan anders. Kom mee. Naar boven.'

Holly geeft Daisy een kus op haar hoofd en ze doet een stap achter-uit en kijkt een paar tellen op haar neer. Ze snurkt zacht en is al diep in slaap. 'Welterusten,' fluistert ze. 'Ik hou van je.' Als ze op haar te-nen de kamer uitloopt, botst ze tegen Will aan die met over elkaar geslagen armen tegen de muur leunt en haar met een glimlach aan-kijkt.

Holly's hart slaat een slag over.

Er hangt statische spanning in de lucht die bijna voelbaar is. Ze kijkt verwachtingsvol op naar Will, die nog altijd glimlachend zijn hoofd schudt.

242

'Het is heel gek om je als moeder te zien,' zegt hij zacht.

'Gek? Op een vervelende manier?'

'Nee, nee. Geen sprake van. Je lijkt een warme, liefdevolle band met je kinderen te hebben. Het is gek omdat ik nooit aan je heb gedacht als moeder, omdat ik je nooit als moeder heb gekend. Ik wist natuurlijk wel dat je kinderen had, maar nu ik je zo... Ik weet het niet... Zo volwassen zie... Voor mij ben je altijd jong, net als... Nou, als ik.'

Holly trekt haar wenkbrauwen op. 'Je bedoelt jong en onverantwoordelijk?'

Hij haalt zijn schouders op. 'Ik ben bang van wel. Ik heb gewoon nooit nagedacht over jouw verantwoordelijkheden. Ik bedoel, jij bent een volwassene. Een echte.'

'Wil dat zeggen dat je me anders ziet nu je me met mijn kinderen hebt gezien?'

'Een beetje wel,' zegt hij.

'O, o. Is dat goed of slecht?'

'Ik zou jou nooit als slecht kunnen zien,' fluistert hij.

Ze glimlachen geen van beiden meer, en Holly's hart gaat als een razende tekeer.

'Wat denk je nou?' fluistert ze, en haar stem slaat haast over van vrees.

'Ik denk...' Hij buigt zich een heel klein stukje voorover. '... dat ik wil weten hoe het is om je te zoenen.'

Als je Holly had gevraagd hoe het was om iemand voor het eerst te kussen, zou ze lachend hebben gezegd dat ze het is vergeten. Ze zou zeggen dat ze het doodeng vond om nu iemand te zoenen, dat ze niet meer wist hoe het moest nu ze bijna veertig was.

Maar ze was het niet vergeten. Misschien wist ze niet meer hoe heerlijk het is om de man te zoenen naar wie je hebt verlangd, de man aan wie je voortdurend moet denken en over wie je bijna de hele dag fantaseert, de man die je wellicht van jezelf kan redden, of in elk geval van je huwelijk.

Ze was vergeten hoe lieflijk een eerste zoen kan zijn. Dat je je voorhoofden tegen elkaar legt en elkaar na afloop met een lieve glimlach aankijkt, dat je het gezicht van de ander in je handen neemt en dat je hem wel op zou kunnen vreten.

Dat was ze vergeten.

Nu weet ze het weer.

243

25

Elke keer dat Olivia van tafel opstaat, heeft Anna het gevoel dat iemand haar een messteek in het hart geeft. Het is zonneklaar waarom Olivia opstaat, want haar gezicht wordt asgrauw en ze rent met haar hand voor haar mond naar de badkamer.

Ditmaal gaat Saffron achter haar aan om te kijken of alles nog goed met haar is en Anna gaat naar de keuken om de salade te halen.

Het is een fantastische maaltijd geweest. Een maaltijd vol gelach. Het is net alsof de tranen die ze eerder hebben gehuild omdat Toms afwezigheid zo opvallend was heel louterend zijn geweest. Alsof ze allemaal in staat zijn geweest – misschien tijdelijk, misschien ook niet – de mantel van verdriet die ze om hebben gehad sinds hun aankomst af te werpen.

Maar dat geldt niet voor Anna. Anna heeft Tom nooit echt gekend en zij heeft verdriet om een heel andere reden. Anna doet zo haar best om door te gaan met haar leven, ze probeert te accepteren dat Paul en zij misschien niet zijn voorbestemd om kinderen te krijgen, en in plaats daarvan zullen moeten adopteren.

Ze doet ontzettend haar best om geen hekel te hebben aan Olivia, maar als de avond vordert en Olivia steeds opnieuw naar de badkamer rent, merkt ze dat het verdriet zich weer als een molensteen om haar nek nestelt en de moed haar weer in de schoenen zinkt.

Ze steunt even met haar handen op het aanrecht en haalt diep adem. De badkamer is recht boven de keuken en ze kan alles horen wat daar gebeurt.

Ze hoort Olivia kokhalzen boven de toiletpot en dan een zacht geklop waarna Saffron naar binnen gaat. Ze ziet Saffron voor zich die over Olivia's rug streelt en lief vraagt of alles goed met haar is.

'Waarom noemen ze het ochtendmisselijkheid als je er verdomme de hele dag last van hebt?' hoort ze Olivia kreunen.

'Een vriendin van me is haar hele zwangerschap misselijk ge-

244

weest,' zegt Saffron. 'Stel je voor. Haar gynaecoloog zei tegen haar dat het na drie maanden voorbij zou zijn, maar het duurde negen maanden. Afgrijselijk. Ze hebben haar allerlei medicijnen gegeven, maar niks hielp.'

'O, jezus, dat is vreselijk,' zegt Olivia. 'Gelukkig is dit binnenkort voorbij.'

'Dus je weet zeker dat je het niet wilt hebben?'

Er volgt een stilte. 'Heel zeker,' zegt Olivia zacht. 'Wat moet ik met een kind? Daar is geen plaats voor in mijn leven en eerlijk gezegd ben ik nooit zo'n vrouw geweest wier biologische klok begon te tikken. Of die van mij werkte niet, of ik heb er geen.'

'En adoptie?' vraagt Saffron. 'Wil je dat in overweging nemen?'

'Ik weet het niet. Daar heb ik nooit aan gedacht.'

Iedereen kijkt op als Anna de eetkamer binnenstormt.

'Paul,' barst ze uit. 'Ik heb een idee! Wij kunnen Olivia's baby adopteren!'

'Wat?' Paul schudt zijn hoofd. Heeft hij haar goed verstaan?

'Nee, nee. Ik meen het. Zij wil geen baby, maar wij wel. Het is toch heel logisch?'

'O, Anna,' zegt Paul treurig. 'Ik geloof dat ze helemaal geen baby wil. Luister toch naar haar. Ze geeft al dagen over en het laatste wat ze wil is een zwangerschap. Het is een geweldig idee, maar ik geloof niet dat het erin zit.'

'Waarom vraag je het niet,' onderbreekt Holly hem. 'Het is een geweldig idee, en nee heb je en ja kun je krijgen.'

'Denk je dat echt?' vraagt Paul weifelend. 'Ik vind het nogal onbeleefd.

'Dat is het niet!' zegt Anna nadrukkelijk. 'Stel je voor dat ze ja zegt? Dit kan de oplossing voor al onze problemen zijn. Echt, Paul, het is toch wel heel toevallig dat Olivia zwanger is en geen kind wil, en dat ze bij ons logeert, terwijl wij al twee jaar een kind proberen te krijgen en we het over adoptie hebben gehad? Ik geloof dat Onze-Lieve-Heer een reden had om ons allemaal samen te brengen, en wel deze. Echt, ik zweer het.'

'Om welke reden heeft Onze-Lieve-Heer ons samengebracht?' Saffron en Olivia komen de trap af.

Paul kijkt omlaag naar zijn bord, hij wil niet degene zijn die de vraag stelt.

Anna wacht tot Olivia zit en kijkt haar dan recht in de ogen. 'Olivia…' Opeens is ze zenuwachtig. 'Je weet dat Paul en ik IVF hebben

245

geprobeerd en dat het niet is gelukt. En nou dachten wij dat... eh... Misschien, nu jij zwanger bent en je de baby niet wilt... Dachten we dat als jij wilt overwegen de baby te laten komen, wij hem misschien kunnen adopteren.'

Het valt Anna veel moeilijker dit te zeggen dan ze had verwacht. Ze is altijd impulsief geweest en het is nooit een probleem geweest om te vragen wat ze wil. Je kunt niet het op twee na succesvolste internetbedrijf in het Verenigd Koninkrijk leiden zonder te weten hoe je moet vragen wat je wilt. Maar dit is zo belangrijk voor haar, dit wil ze zo graag dat ze ongewoon geagiteerd is en doodsbang dat het antwoord nee zal zijn.

'Jezus... Ik... Ik weet niet wat ik moet zeggen.' Olivia is geschokt. Adoptie is voor haar nooit een echte optie geweest. Het is namelijk niet alleen zo dat ze de baby niet wil, ze wil niet zwanger zijn, ze wil dat haar leven precies hetzelfde blijft als het een paar weken geleden was. Ze wil net doen alsof dit nooit is gebeurd.

Ze wil geen dikker wordende buik krijgen en ze wil niet dat iedereen vraagt wanneer ze is uitgerekend om negen maanden later zonder baby te verschijnen. Ze heeft geen zin om nog zeven maanden over te geven. Wat een verschrikkelijke gedachte.

Maar kan ze een abortus aan? Ze heeft nooit zo over abortus nagedacht, het heeft nooit een rol gespeeld in haar leven. Ze kent ongetwijfeld mensen die er een hebben gehad, maar als dat zo is, hebben ze nooit bij haar aangeklopt voor hulp. Tot veertien dagen geleden is het nooit belangrijk voor haar geweest.

Ze heeft geprobeerd er niet aan te denken. Niet aan wat ze dan doet, dat er een leven in haar groeit dat zij zal kunnen beëindigen. Elke gedachte daaraan heeft ze onderdrukt, ze heeft alleen stilgestaan bij het enige wat zij wil, en de snelste manier om dat te bereiken: het terugdraaien van de klok.

'Ik weet het niet,' herhaalt ze, en voor het eerst vraagt ze zich af hoe het zal zijn om het kind te voldragen. Wat het zal betekenen om te bevallen en het kind vervolgens weg te geven. 'Ik heb er niet echt over nagedacht... Het is niet bij me opgekomen...'

'Ik begrijp dat je erover moet denken. Dat is logisch,' komt Paul tussenbeide. 'En we willen je niet onder druk zetten om iets te doen wat je niet wilt, maar als je besluit om je zwangerschap door te zetten en de baby te laten adopteren, zouden wij je kindje graag hebben.'

'En denk je eens in.' Anna weet dat ze te gretig, te opgewonden is, maar ze kan er niks aan doen. 'Dan kun je een rol blijven spelen in het leven van je kind.'

246

'Ik heb wat tijd nodig.' Olivia kijkt eerst naar Paul en dan naar Anna. 'Ik vind het een ongelooflijk aanbod, maar ik moet er rustig over nadenken.'

'Natuurlijk,' zegt Anna. 'Neem gerust alle tijd.'

Onder tafel streelt Will Holly's hand. Ze zitten naast elkaar en zijn er nauwelijks in geslaagd om normaal te functioneren tijdens de maaltijd. Ze kunnen in elk geval niet van elkaar afblijven.

Ze houden de hele tijd elkaars hand vast. Will legt zijn mes neer en laat zijn hand onder de tafel glijden, waar niemand het kan zien, om zijn hand op Holly's been te leggen of tersluiks een vinger over haar pols te laten glijden. Holly voelt rillingen van genot over haar rug gaan, iets wat haar in geen jaren is gebeurd.

De anderen mogen het dan niet zien, ze weten het wel. De lucht rond Holly en Will is zo geladen dat de vonken ervan afspatten. Holly mag denken dat ze subtiel is door niet naar Will te kijken, door niet te laten blijken dat er iets is gebeurd, maar er is een duidelijke band tussen hen. Een band die weliswaar onzichtbaar is, maar die wel kan worden gevoeld.

Saffron ziet het. Ze ruimt de borden af en als ze terugkomt uit de keuken wordt haar blik getrokken door Will die zijn hand snel van Holly's schoot af haalt. Ze wist het natuurlijk al, maar ze gaat te erg op in haar eigen problemen om er lang bij stil te staan.

Want Saffron had echt gedacht dat ze de alcohol aankon. Dat ze hier net als op andere avonden kon zitten en vrolijk van haar water of haar vruchtensap kon nippen, zonder de smaak van alcohol op haar tong te proeven. Zonder de aangename roes te voelen als de wodka haar doet ontspannen, haar warm en gek maakt.

Maar hoe later het wordt, hoe moeilijker het haar valt om aan iets anders dan drank te denken. Ze kan haar aandacht nauwelijks bij het gesprek houden en ze gaat helemaal op in een fantasie waarin iedereen de kamer verlaat zodat ze de flessen wijn kan pakken, ze aan haar mond kan zetten en ze leeg kan drinken.

Het is zo echt dat ze zich er fysiek van moet weerhouden om een fles te pakken en de inhoud ter plekke op te drinken waar iedereen bij is.

Ze kan niet stilzitten. Ze springt telkens op en haar hele lichaam jeukt, iets waar slechts een remedie voor lijkt te bestaan. Toch is er een deel van haar dat niet wil, dat weet dat ze het niet moet doen, maar ze weet vrijwel zeker dat ze niet de kracht of de wil heeft om zich ertegen te verzetten.

247

Toen Saffron naar haar eerste AA-bijeenkomst ging, wist ze dat ze geen keus had. Haar magere verdiensten van verscheidene reclames gingen allemaal op aan alcohol en niet alleen begon ze opdrachten te verliezen, ze kreeg ook de reputatie dat ze onbetrouwbaar was; dat ze met een kater of nog erger, dronken kwam opdagen.

Eerst dronk ze alleen 's avonds. Dat deed iedereen, zei ze tegen zichzelf. Ze was nog jong, in de twintig, en dat is wat ze 's avonds deden. Toen ze dertig werd probeerde ze zich hetzelfde voor te houden, maar het drinken werd erger en haar carrière nam geen hogere vlucht, zoals de media hadden voorspeld.

Na haar dertigste was ze niet langer het aanstormende talent, had ze in feite afgedaan. Haar agent had haar in contact met de AA gebracht, en ze was vanaf haar allereerste bijeenkomst nuchter geweest. Ze had geweten dat ze geen andere keus had.

Negentig bijeenkomsten in negentig dagen en ze had ze allemaal bijgewoond. Vanaf de eerste bijeenkomst sinds haar aankomst in Amerika had ze zich er thuis gevoeld, had ze zich verwant gevoeld aan de mensen die haar echt begrepen, die luisterden zonder haar te veroordelen en die haar steunden met wat, vreemd genoeg, aanvoelde als onvoorwaardelijke liefde.

Op dat moment had ze gezworen nooit meer te zullen drinken. Ze had precies gedaan wat haar was opgedragen: drink niet. Neem een coach. Voer de stappen uit. Ze had gedacht dat het prima met haar ging. Was ze genezen? Misschien. Anderen omschreven zichzelf als herstellende alcoholisten, een proces waar nooit een einde aan kwam. Ze hadden het, Saffron ook, over een progressieve ziekte, eentje die niet wegging of beter werd, eentje die onvermijdelijk tot de dood zou leiden als je eraan toegaf.

'Ik ben Saffron. Een dankbare herstellende alcoholiste,' was ze gaan zeggen. Maar op een gegeven moment in de afgelopen maanden had ze zichzelf niet langer als herstellend beschouwd, maar als genezen. En daarmee waren de problemen begonnen.

En nu wenst Saffron net als vroeger dat de avond voorbij is zodat ze in alle rust kan drinken. Ze wenst dat ze kan ontsnappen om naar die leuke gezellige pub te rennen, in een hoekje weg te kruipen en zich klem te drinken.

Ze mist Pearce verschrikkelijk. Ze mist de eenvoud van haar eigen leven. En hoe leuk het ook zou moeten zijn op het platteland, met de vrienden die haar al haar hele leven kennen, ze zou liever ergens anders zijn.

Ze zou liever drinken.

248

Tegen middernacht gaan ze naar bed. Saffron zoent iedereen welterusten, maar ze wordt afgeleid door haar plannen om terug te gaan naar de keuken om iets te drinken. Ze gaat naar boven en luistert naar de geluiden van het huis. Ze wacht tot het compleet stil is, tot ze stiekem naar beneden kan sluipen om de fles wijn op te drinken die ze heimelijk achter de schoonmaakspullen onder de gootsteen heeft verstopt.

Elke keer dat ze een voetstap hoort, een deur hoort kraken, een toilet hoort doorspoelen, wil ze het liefst gillen van ergernis en een toverspreuk uitspreken zodat iedereen in huis diep in slaap valt.

Om drie uur 's nachts is ze er uiteindelijk van overtuigd dat het huis stil is. Ze sluipt de trap af naar de keuken, opent het gootsteenkastje en tast achterin.

'Verdomme,' sist ze als een fles bleekmiddel omvalt. De dreun klinkt vreselijk luid in de stilte.

'Wat doe je daar?' Saffron maakt een sprong van schrik als Olivia ineens in de deuropening staat met een koude, natte lap tegen haar nek.

'Ik ben…' Saffron, die altijd zo goed is in het verzinnen van excuses, heeft niets te zeggen. Ze kan niet uitleggen wat ze midden in de nacht onder de gootsteen zoekt. Ze doet het deurtje haastig dicht, maar Olivia duwt haar aan de kant en gaat op haar hurken zitten. Ze haalt de fles wijn achter het bleekmiddel en een fles afwasmiddel vandaan.

Teleurgesteld en berustend schudt ze haar hoofd, en dan ontkurkt ze de fles en kijken ze allebei zwijgend naar de wijn die zich langzaam gorgelend een weg baant door het afvoerputje.

'Waarom?' Olivia kijkt naar Saffron, die niet weet of ze Olivia een klap wil geven of in tranen wil uitbarsten.

'Waarom denk je?' snauwt ze, overmand door woede. 'Omdat ik godverdomme iets moest drinken. Ik ben immers alcoholiste. Wij horen te drinken.' Ze snuift minachtend. 'Waarom? Wat een achterlijke vraag. Waarom niet?'

'Saffron!' Olivia is geschrokken en ze verheft haar stem. 'Ik probeer je te helpen. Dat proberen we allemaal. Denk je soms dat we hier zouden zijn als jij er niet was? We doen allemaal ons uiterste best om jou beter te maken, om de pers bij je uit de buurt te houden en je weg te houden bij de alcohol. Maar dat gaat natuurlijk niet als jij niet bereid bent om jezelf te helpen.'

'Begrijp je het dan niet?' snauwt Saffron. 'Ik ben niet bereid om mezelf te helpen. Dat is nou net het probleem. Was ik dat maar. Ik

249

bid om die bereidheid, maar die is er gewoon niet. Het enige wat ik wil is drinken.'

'Sst.' Opeens hoort Olivia iets. 'Wat was dat?'

'Wat?'

'Hoor dan. Dat… O, verdomme, is dat gekreun?'

Ze lopen samen in de richting van de deur, maar Saffron blijft stokstijf staan en luistert naar het onmiskenbare geluid van een stel dat de liefde bedrijft.

'Zijn dat Paul en Anna?' Olivia is in de war, want het geluid komt ergens anders vandaan.

Saffron begint te lachen en haar behoefte aan drank verdwijnt even. 'Nee!' fluistert ze. 'Het zijn Holly en Will.'

'Nee, toch!' De schrik staat duidelijk op Olivia's gezicht te lezen.

'Zeg, toe nou.' Saffron rolt met haar ogen. 'Voelde je de spanning niet tussen hen, tijdens het eten?'

'Maar… Gaat ze met hem naar bed. Nu al?'

'O, shit. Ik wil dit niet horen.' Saffron bedekt haar oren als ze een zacht gesteun horen, en een hardere, typisch mannelijke kreun.

Olivia giechelt. 'Het lijkt wel of ik weer student ben. Jezus. Dat soort geluiden heb ik in geen jaren gehoord. Denk je echt dat het Holly en Will zijn?'

Saffron knikt. 'Kom, laten we weer naar de keuken gaan. Ik voel me net een voyeur.'

Ze lopen terug en Saffron gaat aan tafel zitten en laat haar hoofd op haar armen zakken. Olivia doet water in de ketel en draait zich om naar Saffron. 'Een kop thee is zeker niet genoeg om je behoefte aan drank weg te nemen?'

'Niet echt. Maar het is beter dan niks. O, verdomme, Olijfje.' Smekend kijkt Saffron naar haar op. 'Wat moet ik doen?'

'O, meid.' Olivia slaat haar armen om Saffron heen en trekt haar dicht tegen zich aan. 'We zullen je wel helpen. Drink gewoon niet. Niet vandaag.'

'Ik weet het,' fluistert Saffron. 'Alleen vandaag niet. Dag voor dag.'

'Trouwens, de pubs zijn allemaal dicht,' zegt Olivia glimlachend. 'En dat was de laatste fles van de wijn die we hadden gekocht. Er is niks meer te drinken, zelfs al zou je het willen.'

En ik wil het, denkt Saffron. Ik wil het nog altijd.

Holly ligt dicht tegen Will aan, zijn arm stevig om haar schouders geslagen terwijl hij op zijn rug ligt en zacht snurkt.

250

Ze draait haar hoofd om naar hem te kijken. Het liefst zou ze haar vingers over zijn gezicht laten glijden, maar dat doet ze niet omdat ze bang is dat hij wakker wordt. Op dit moment wil ze niets anders doen dan dit: hem in zich opnemen, naar hem kijken terwijl hij ademt, zich verbazen over haar verlangen om dicht naast iemand te willen liggen, haar vingers over zijn borst laten glijden, haar vuist teder op zijn sleutelbeen laten rusten en zijn schouders bedekken met kussen.

Vanaf het moment dat hij haar zoende, had ze geweten dat het verder zou gaan. Ze wilde seks, ze wilde de liefde met hem bedrijven, maar ze had gemerkt dat ze niet verder kon gaan dan voorspel. Penetratie kon ze niet toestaan, zelfs al hunkerde ze daar in feite meer naar dan wat dan ook.

Voorlopig was dat een stap te ver voor haar. Maar, o, wat was de rest toch lekker. Het was fantastisch om hem te zoenen.

Met Marcus had ze altijd haar best gedaan om hem niet te zoenen. Ze sloot haar ogen als Marcus in haar stootte, want als ze ze zou openen en Marcus' gezicht boven zich zou zien, zou al het eventuele genot dat ze voelde op slag zijn verdwenen.

Will en zij mogen dan geen seks hebben gehad, maar ze heeft hem wel laten klaarkomen, en ze is zelf klaargekomen – o, reken maar dat ze is klaargekomen… En daarna had Will haar geknuffeld en had hij gepraat en gepraat.

Ze was stomverbaasd geweest. Ze was zo gewend aan een verplicht zoentje, waarna zij op haar kant van het bed was gaan liggen voor een Marcus-loze droom, dat ze was vergeten dat het ook zo kon, elkaar knuffelen en fluisterend praten.

Dit was intimiteit. Dit was wat ze had gemist.

Misschien kunnen we morgen de liefde bedrijven, denkt ze. Misschien zal ze zich dan niet schuldig voelen. Misschien zal ze hem, en zichzelf, dan voldoende vertrouwen. Voor vanavond is dit genoeg. Ze is van plan om over een minuutje op te staan en terug te gaan naar haar eigen slaapkamer, maar voor ze het weet, is ze in een diepe, vredige slaap gevallen.

Om vijf uur 's ochtends wordt Holly wakker. Ze zwemt het bewustzijn binnen en ze weet dat ze dicht tegen Will aan ligt in het midden van het bed. Ze voelt zijn lichaam helemaal tegen het hare en ze blijft een poosje heel stil liggen om aan het gevoel te wennen.

Marcus en zij raakten elkaar nooit aan in hun slaap. Daarom is het extra vreemd dat ze Will onbewust toestaat om haar zo na te komen. Holly glipt uit bed, blij dat de kinderen niet wakker zijn geworden, dat ze haar niet bij Will hebben gevonden. Wat dom, denkt ze hoofdschuddend. Het was het risico niet waard, zelfs al was het ongewild gebeurd en was het niet haar bedoeling geweest in zijn bed in slaap te vallen. Ze loopt door de gang naar haar eigen bed.

Daar laat Holly elke seconde van de avond ervoor de revue passeren. Van die eerste kus, het heimelijke handje vasthouden onder tafel, tot naakt in bed liggen naast de man naar wie ze meer heeft verlangd dan naar welke andere man ook.

Met een glimlach ligt ze in bed en als Daisy wakker wordt en bij haar in bed kruipt 'voor een knuffel', streelt ze haar gezichtje en kijkt ze haar liefdevol in de ogen. Ik bof maar dat mijn kinderen en alle mensen van wie ik hou hier zijn, denkt ze. En daar in haar bed, met Daisy's armen om haar hals geslagen, voelt Holly zich voor het eerst in jaren volledig en onvoorwaardelijk gelukkig.

26

'Ik ben uitgeput,' verkondigt Olivia tijdens het ontbijt. 'We hebben allemaal keihard gewerkt en ik heb nog niks van de omgeving gezien. Is het heel erg als we vanmiddag vrij nemen?'

'Dat is een fantastisch idee,' zegt Anna. 'Jullie verdienen het. Ik denk dat ik hier blijf. We zijn bijna klaar met die verdomde vloeren. Ik ga Paul helpen, maar jullie kunnen naar Gloucester gaan om te winkelen. En Holly, waarom laat je die schatjes van je niet hier? Ik wil graag op ze passen.'

'Echt waar?' Holly's gezicht klaart op. 'Nou, graag!'

'Dus jij gaat mee?' vraagt Olivia aan haar. 'En jij, Saff? En jij, Will?' Ze knikken.

'Ik wil wel eens zien hoe de winkels daar zijn.' Saffron staat op en schenkt nog wat koffie voor zichzelf in. 'Ik voel een aanval van koopwoede opkomen.'

'Je zult niet veel designkleding vinden in Gloucester,' zegt Paul lachend.

'Die heeft ze hier met mij ook niet nodig,' zegt Anna pruilend. 'Ik meen het, Saff. Als je ooit iets nodig hebt, hoef je het me maar te vragen.'

'Dat weet ik, en ik ben je heel dankbaar, liefje. Ik wil gewoon wat cadeautjes kopen voor mijn vrienden thuis.'

'Bedoel je met thuis Los Angeles?' vraagt Holly.

Saffron knikt.

'Bedoel je met vrienden Pearce?' vraagt ze opnieuw. Saffron haalt haar schouders op.

'Ik wil graag iets voor P kopen. Al weet ik niet eens zeker of ik hem ooit nog zal zien.'

'Heb je nog contact met hem gehad?' vraagt Olivia zacht.

'Hij heeft me ge-sms't, maar dat is toch iets anders dan elke dag met hem praten.'

'Hoe is hij?' vraagt Anna nieuwsgierig. Dat wil iedereen dolgraag weten, maar niemand heeft de vraag durven stellen. Iedereen is

253

bang om te geïmponeerd of te nieuwsgierig te lijken.

Daarom vertelt Saffron het hun. Eerst vertelt ze over het gros van de acteurs in Hollywood. Over mensen die zich met veel moeite uit het niets hebben opgewerkt, die succesvol zijn geworden en niet weten wat ze met de plotselinge roem en rijkdom aan moeten.

Ze praat over jonge filmsterretjes die elke week in de roddelbladen staan, die zich laten meeslepen door het typische Hollywoodleventje van drank, drugs en seks met een kleine groep playboys die de vrouwen onder elkaar lijken te verdelen. Ze zegt dat diezelfde sterretjes er alles voor over hebben om beroemd te blijven, maar dat ze geen van allen schijnen te weten hoe ze mensen vriendelijk moeten behandelen, hoe ze aardig, beleefd en innemend moeten zijn. Ze lijken allemaal te zijn vergeten dat als je de mensen op je weg naar de top niet aardig behandelt, zij niet aardig voor je zullen zijn op je weg naar beneden. En uiteindelijk zakt iedereen weer af.

Ze vertelt over grote namen in Hollywood die in het geheim een dubbelleven leiden. In sommige gevallen gaat het om een drugsverslaving, maar meestal om een verhouding met partners van hetzelfde geslacht, het ondertekenen van clandestiene contracten met naieve jonge acteurs en actrices om een relatie met hen te beginnen en soms om met hen te trouwen. Die komedie wordt soms jarenlang volgehouden terwijl ze ondertussen op hun filmsets het bed in duiken met alle toneelknechten en agenten.

Ze vertelt hoe verloren ze zich heeft gevoeld toen ze er net was. Dat ze meende mensen goed te kunnen inschatten, dat ze dacht te weten hoe mensen in elkaar staken en geloofde dat als iemand zei dat iets zwart was, het dan ook zo was.

Maar ze heeft geleerd dat niets of niemand in Los Angeles ooit zo is als het lijkt. Hoe vaak is ze niet voor een tweede en derde auditie uitgenodigd, werd haar een rol beloofd, werd er gezegd dat ze geknipt was voor een rol, dat ze alleen haar wilden? Dan was ze dolgelukkig dat ze in de film zou spelen, om een paar dagen later in *Variety* te lezen dat de rol naar Drew Barrymore ging. Niemand had ooit de moeite genomen om haar dat te vertellen; het was duidelijk dat ze hadden gelogen alsof het gedrukt stond, iets wat iedereen heel gemakkelijk leek af te gaan.

Ze had geleerd om niet opgewonden te raken over een film tot haar agent de contracten had ontvangen en ze waren getekend. Ze had geleerd om niemand te vertrouwen, niet de actrices van wie ze dacht dat het haar vriendinnen waren, maar die haar stante pede zouden laten vallen als ze een rol konden krijgen, en niet de knappe

254

producers en regisseurs die heel subtiel lieten weten dat ze haar beroemd konden maken als zij iets voor hen wilde doen.

Ze zegt dat integriteit een zeldzaamheid is in Hollywood en dat haar eerste AA-bijeenkomst niet alleen de reden was geweest dat ze was gestopt met drinken, maar dat ze daar ook voor het eerst echte mensen in Los Angeles was tegengekomen. Mensen die weliswaar in hetzelfde wereldje zaten als zij, maar die een eerlijk leven leidden en bescheiden genoeg waren om te weten dat ze niet beter of slechter waren dan anderen. Mensen die in staat waren te zeggen wat ze bedoelden, en dat op een liefdevolle, vriendelijke manier deden.

Dat gold overigens niet voor iedereen. Er kwamen heel wat aspirant-acteurs en -actrices naar de bijeenkomsten omdat ze hadden gehoord dat dat de beste plek was om werk te krijgen, om contacten te leggen, om mensen te zien en zelf gezien te worden. Maar je leerde al snel wie echt was en wie niet, en de imitators, de nep-alcoholisten, werden rustig genegeerd door de leden die het programma nodig hadden.

Ze vertelt hun over Pearce. Dat hij eerlijk is tijdens de bijeenkomsten en dat ze hem heel dapper vindt omdat iedereen weet wie hij is en naar de pers kan stappen.

'Maar het zijn de Anoniéme Alcoholisten,' zegt Anna. 'Wie zou er naar de pers gaan?'

Saffron zegt dat dat toch gebeurt. De geheimhouding wordt voortdurend geschonden. Ze vertelt dat een van de gewoontes is om niet te roddelen, maar dat het aantal keren dat ze leden over andere leden heeft horen kletsen niet op een hand te tellen is.

Ze vertelt dat hij een aardige kerel is, dat hij echt oog heeft voor anderen en anderen behandelt zoals hij zelf behandeld wil worden. Het geld dat hij verdient, de miljoenen die hij aan zijn films heeft overgehouden, noemt hij een zegen. Elk jaar geeft hij een groot deel ervan weg aan liefdadigheidsorganisaties, maar zonder er ruchtbaarheid aan te geven, vaak zelfs anoniem.

Ze zegt dat hij grappig is. Lief. Teder. Ze zegt dat hij de wijste man is die ze ooit heeft gekend, dat zijn gevoeligheid en opmerkzaamheid haast vrouwelijk aandoen, maar dat hij desondanks ontzettend mannelijk is.

Bovenal beschouwt ze hem als haar beste vriend. Wat hij ook doet, waar ter wereld hij ook is, hij staat altijd voor haar klaar als ze hem nodig heeft.

En dan is er nog zijn huwelijk. Een zakelijke overeenkomst, zo legt Saffron uit. Er staat te veel voor hem op het spel om nu bij haar

255

weg te gaan. Ze wachten op het juiste moment.

'Zou dat nu niet zijn?' vraagt Paul voorzichtig.

'Dat zou je wel denken, hè?' Saffron snuift om haar angst te verbergen. Want dat is precies wat ze zelf ook denkt, wat ze altijd heeft gedacht, waar ze stiekem over heeft gedroomd: als hun relatie openbaar wordt gemaakt door de pers, wat voor reden kan hij dan nog hebben om bij zijn vrouw te blijven?

'Wie heeft er zin in een spelletje Monopoly?' Anna trekt Daisy's muts af als ze allemaal naar binnen gaan na hun wandeling. Oliver zwaait met een halfvolle plastic zak waar veren, stenen en eikels in zitten die ze bij de beek hebben gevonden.

'Ik dacht dat je mij zou helpen.' Paul loopt de keuken in en glimlacht als hij Anna ziet hurken om Daisy te helpen met het uittrekken van haar jas. Het is leuk om haar met kinderen bezig te zien. Het leidt geen twijfel dat ze van nature een goede moeder is, wat het vreselijk ironisch maakt dat ze zelf geen kinderen kan krijgen.

Paul beseft niet dat het gemakkelijker is om de volmaakte moeder te zijn voor kinderen die niet van jezelf zijn. Kinderen die je tijdelijk onder je hoede hebt, kunnen je niet op dezelfde manier uitdagen als die van jezelf. Je bent niet uitgeput, gespannen of afwezig als de kinderen niet van jezelf zijn.

Holly is een goede moeder, maar ze doet zelden wat Anna vanmiddag met de kinderen heeft gedaan. Ze gaat haast nooit op de grond zitten om met ze te spelen. Ze probeert zichzelf voor te houden dat dat Fraukes taak is. Ja, toch? Zij is er altijd voor haar kinderen, maar het afgelopen jaar is ze zelden echt aanwezig geweest omdat ze worstelde met haar depressie.

Iedereen vindt dat Holly een fantastische moeder is, maar zelf voelt ze zich schuldig want het afgelopen jaar is ze niet de moeder geweest die ze zou moeten zijn, of die ze vroeger was.

Door zich terug te trekken uit het leven, uit haar huwelijk, heeft ze ook afstand genomen van haar kinderen, beseft ze. Sinds ze hier zijn, voelt ze zich al lichter en gelukkiger. Ze hoeft zich alleen maar druk te maken om stompzinnige taken als verven, schuren of tegelen, en haar kinderen vinden het heerlijk om naast haar aan het werk te zijn.

En Daisy en Oliver hebben het geluk dat Anna er vandaag voor hen is en dat zij hun haar onverdeelde aandacht geeft. Ze heeft besloten dat ze vandaag niets anders hoeft te doen dan met Daisy en Oliver spelen. Als Daisy bedden wil maken van takken die ze heeft

256

gevonden, zal Anna haar helpen. Als Oliver denkt dat hij een kristal heeft gevonden en dat wil opensplijten, zal ze hem helpen. Ze gaat niet om de paar minuten op haar computer kijken of ze e-mail heeft. En ze zal hen niet tot stilte manen als ze aan de telefoon is. Ze zal de kinderen niet voor de tv zetten om wat rust te hebben terwijl ze het eten klaarmaakt en ze zal niet tegen ze roepen dat ze moeten ophouden met ruziemaken.

Want ze maken geen ruzie. Ze hebben de onverdeelde aandacht van een volwassene. Waarom zouden ze in vredesnaam ruziemaken?

Holly, Will, Olivia en Saffron staan aan de rand van het voetgangersgebied in de stad, en de straten met kinderkopjes zien er heel uitnodigend uit. Will moet een nieuwe koptelefoon voor zijn iPod hebben en Saffron wil de toeristische winkeltjes aan de andere kant van het centrum bekijken.

'Laten we ons opsplitsen,' stelt Saffron met een glimlachje voor. 'Waarom ga jij niet met Will mee, Holly. Dan kunnen Olivia en ik samen gaan.'

'Leuk!' zegt Will. 'Dan zien we jullie hier over een uur weer.'

'Dat was heel aardig van je,' zegt Olivia lachend als ze weglopen. 'Maar je weet dat zij er geen idee van hebben dat wij het weten.'

'Een jong verliefd stelletje kan wel wat tijd samen gebruiken.' Saffron lacht.

'Denk je dat ze verliefd zijn?'

'In elk geval verlangen ze naar elkaar. Telt dat ook? In de auto bleef ze hem aanraken als ze dacht dat niemand het zag. Heb je dat niet gemerkt? O, verdomme,' verzucht Saffron. 'Dat mis ik echt. Ik mis P.'

'Het klinkt alsof je iets heel bijzonders met hem hebt.'

Saffron blijft stilstaan en kijkt Olivia aan. 'Dank je,' zegt ze met een glimlach, en ze knippert haar tranen weg. 'Lief dat je dat zegt. Ja, ik denk ook dat we iets blijvends hebben.' Ze steekt haar arm door die van Olivia als ze verder lopen. 'En hoe zit het met jou, Olijfje? Tot nu toe heb je niks gezegd over de mysterieuze vader. Er zit duidelijk meer achter. Wil je erover praten?'

'Er valt niet veel te vertellen. Behalve dan dat dit vreemd genoeg Toms schuld is.'

'Wat?' Saffrons mond valt open en ze blijft stokstijf stilstaan. 'Bedoel je... Maar dat kan toch niet...'

Olivia barst in lachen uit. 'Nee! Tom is niet de vader. Hij pro-

257

beerde me te koppelen aan een collega van hem, Fred. We hebben een poosje met elkaar gemaild en hij zou naar Londen komen, maar toen stierf Tom en werd die reis afgelast. We hebben contact gehouden en toen is hij uiteindelijk wel gekomen, en we vonden elkaar... aantrekkelijk en ik had niemand meer gehad na George, en van het een kwam het ander.'

'Heb je geen condoom gebruikt?'

Olivia schudt haar hoofd, ongelovig vanwege haar eigen domheid. 'Nee. Stom, hè? Vooral vandaag de dag. Ik kan het zelf ook niet geloven, maar het was vlak na mijn menstruatie. Ik weet dat het belachelijk klinkt, maar ik dacht dat het dan helemaal niet kon.'

'Hmm. Ik meen me te herinneren dat je nooit goed bent geweest in biologie.'

'Nou, dank je. Maar dat was jouw schuld. Jij keek steeds naar me en maakte me aan het lachen, elke keer dat het over het voortplantingsorgaan van de mens ging.'

'Dat was ik niet! Dat was Holly,' zegt Saffron verontwaardigd.

'Jullie deden het allebei. Daar heb ik in geen jaren aan gedacht. Die kenau, mevrouw Steener, die boven ons uittorende en altijd brulde...'

'Mevrouw Steener is naar een toneelstuk komen kijken waar ik in speelde nadat ik was afgestudeerd. Ze was toen heel aardig. Dat was de eerste keer dat ik besefte dat docenten ook maar mensen zijn.'

Olivia werpt haar een zijdelingse blik toe. 'De docenten van St. Catherine's? Weet je dat wel zeker?'

'Ja, dat weet ik zeker. Ik heb heel lang contact gehouden met Jane Fellowes, al heb ik haar nu al bijna een jaar niet meer gesproken.'

'Mevrouw Fellowes, de muzieklerares? Wat maf. Waarom heb je dat gedaan?'

'Ik vond haar heel aardig. Wist je dat ze een hele poos een hartstochtelijke verhouding met Martin Hanover heeft gehad?'

'Dat meen je niet.' Olivia is oprecht geschokt. 'Mevrouw Fellowes en meneer Hanover? Hoe komt het dat we dat niet wisten?'

'Ze moesten ontzettend voorzichtig zijn. De directrice zou de vloer met ze hebben aangeveegd als ze erachter was gekomen.'

'Jezus! Meneer Hanover! Ik vond hem zelf ook nogal leuk.'

'Ja, dat vond iedereen. Niet dat hij nou zo knap was, maar als enige man op een school vol jonge vrouwen met opspelende hormonen...'

'... heb je het niet voor het kiezen, en zo.' Olivia lacht.

'Precies. Ik snap best hoe die domme verhoudingen beginnen,

258

met mannelijke leraren die in bed belanden met gretige tieners. Elke meisjesschool is een broeinest vol verlangens en wellustige fantasieën. Maar om even terug te komen op het onderwerp waar we het over hadden…'

'Jij was degene die ergens anders over begon.'

'Dat is waar.' Saffron knikt. 'En het spijt me. Dus, zelfs geen bescherming in deze gevaarlijke tijden, met alle soa's en zo? Maar wie is die Fred eigenlijk? En wat belangrijker is, wáár is hij?'

'Hij is in Boston. Thuis. Hij is waanzinnig aantrekkelijk, Saff. Precies het type waar ik vroeger verliefd op zou zijn geworden, maar hij is jong. Drieëndertig en het was maar een avontuurtje. Hij hoeft het niet te weten.'

'Vind je niet dat hij daar recht op heeft, aangezien het ook zijn kind is?'

'Ik zie er het nut niet van in om hem de stuipen op het lijf te jagen. Ik zal hem nooit meer zien. Waarom zou ik zijn leven verpesten of hem deze informatie geven terwijl ik het kind niet eens laat komen? Waarom zou ik hem verdriet doen? Mijn kind, mijn lichaam.' Ze slaakt een diepe zucht. 'Mijn besluit.'

'Dus je hebt verder niet nagedacht over het aanbod van Paul en Anna?'

'Jawel. Ik heb bijna nergens anders aan kunnen denken. Maar ik weet het gewoon niet. Het ene moment wil ik doen wat goed is voor mij, hoe egoïstisch dat ook is. Ik voel me beroerd, dus waarom zou ik een kind voldragen? En even later denk ik aan Paul en Anna en hoe hard zij het hebben geprobeerd, hoe graag ze een kind willen en dat er niets mooiers bestaat dan ze dat van mij te geven. Ik blijf van het ene uiterste naar het andere gaan. Ik weet het niet Ik weet echt niet wat ik ga doen.'

Saffron slaat een arm om haar schouders en drukt haar even tegen zich aan. 'Wat je ook besluit, het zal de juiste beslissing zijn voor jou. Ik begrijp dat je Paul en Anna gelukkig wilt maken en het is het meest onbaatzuchtige wat je voor je vrienden kunt doen, maar je moet er wel achter staan. Als dat niet het geval is, dan weet je wat je moet beslissen.'

Ze lopen een poosje zwijgend verder tot ze bij een cadeauwinkel komen die duidelijk veel verkoopt aan Amerikaanse toeristen. In de etalage staat een miniatuurdorp. Piepkleine cottages met rieten daken, waarvan sommige met lichtjes, en uit een paar ervan komt muziek.

Saffron gilt van de lach als ze voor de winkel staat. 'O, wauw!

259

Heb je ooit zoiets vreselijks gezien? Mijn Amerikaanse vriendinnen zullen ze geweldig vinden,' zegt ze met een opgetogen glimlach.

Verschrikt kijkt Olivia haar aan. 'Omdat ze vreselijk zijn?'

'Reken maar. Ik ken niemand met smaak in Los Angeles. Ze gaan ervanuit dat ze goede smaak kunnen kopen door de beste binnenhuisarchitecten in te huren, zodat alle huizen er precies hetzelfde uitzien. En iedereen is anglofiel. Dit soort troep vinden ze prachtig.'

Ze gaan naar binnen en Saffron zet snel twaalf huizen op de toonbank. Het jonge meisje glimlacht verlegen en werpt Saffron steelse blikken toe terwijl ze hen helpt. Eerst dacht ze dat het iemand was die ze kende, er was iets bekends aan haar maar ze kent niemand die er zo chic uitziet. Pas toen de twee vrouwen door de winkel liepen, had ze geweten wie het was.

Saffron Armitage! De filmster! Alle publiciteit heeft Saffrons aanzien in de ogen van de hele wereld verhoogd, maar vooral in die van naïeve winkelmeisjes in de Cotswolds.

'Je raadt het nooit!' had ze aan de telefoon gefluisterd tegen haar beste vriendin. 'Je raadt nooit wie net in de winkel was. Saffron Armitage!'

'Dat meen je niet,' had haar vriendin gezegd. 'Je moet de kranten bellen! De *Sun* heeft een nummer geopend voor informatie over haar verblijfplaats. Toe! Dan kun je wat geld verdienen.'

Het meisje had gelachen. 'Nee,' had ze gezegd. 'Daar ben ik veel te verlegen voor. En bovendien was ze heel aardig. Ik wil haar leven niet verpesten. Ik vond het wel heel spannend, hoor. We krijgen niet vaak filmsterren over de vloer. Had ik haar maar om haar handtekening gevraagd.'

Aan de andere kant van de stad zitten Holly en Will in een tearoom. Ze worden omringd door oudere vrouwen met blauwe en roze kleurspoelingen die English Breakfast Tea drinken uit tere porseleinen kopjes met bloemetjes erop. De kopjes passen niet bij de schoteltjes en hier en daar zijn stukjes afgebroken, maar daar lijkt niemand zich aan te storen. Op elke tafel staan enigszins verkleurde zilveren bladen met hoge stapels sandwiches, kleine cakejes en scheve scones met uitgedroogde rozijnen erop.

Will heeft de thee besteld, maar ze eten geen van beiden. Ze hebben vandaag geen honger, ze gaan zo in elkaar op dat ze niets anders kunnen doen dan elkaar aankijken, zoenen, aanraken.

Zelfs nu, aan een tafeltje in een hoek, zoenen ze elkaar. Als tie-

260

ners, zich totaal niet bewust van de rest van de mensen in de tea-room, van wie sommigen openlijk jaloers naar hen staren en ande-ren afkeurend met hun tong klakken en hun best doen om niet naar hen te kijken.

Het kan Holly en Will niks schelen. Ze hoeven hun hartstocht niet langer geheim te houden. Dit is de eerste keer sinds de avond ervoor dat ze elkaar in het openbaar kunnen aanraken en zoenen, dat ze hun hoofd op elkaars schouder kunnen leggen en ongege-neerd elkaars hand kunnen vasthouden

'Ik kan niet geloven dat me dit is overkomen,' zegt Holly die de glimlach niet van haar gezicht kan krijgen. Ook blijft ze Wills ge-zicht aanraken en er zachte kussen op drukken: op zijn voorhoofd, zijn ogen, zijn neus en zijn wangen.

Will geniet ervan aanbeden te worden. Als zijn moeders oogap-pel heeft hij dat altijd heerlijk gevonden. Maar hij zou liegen als hij zou zeggen dat hij zich niet een tikje ongerust maakt. Holly is niet zomaar iemand. Ze is Holly Mac! Bijna familie, om nog maar te zwijgen over het feit dat ze getrouwd is.

Hij heeft een keer eerder een echte relatie gehad – de verhoudin-gen op zijn werk tellen niet mee – met een getrouwde vrouw. Hij had gedacht dat ze op het punt stond definitief van haar man te scheiden, maar eigenlijk was ze pas net bij hem weg. Ze zat nog in relatietherapie en haar echtgenoot was ervan overtuigd dat ze hun huwelijk probeerden te lijmen.

Will was ongewild betrokken geraakt bij die scheiding. Hij werd genoemd in de aanvraag tot echtscheiding en zat ineens opge-scheept met een vrouw die niet leuk, slim en onafhankelijk was, zo-als hij had gedacht, maar die de spanning van de scheiding afrea-geerde door te huilen en te schreeuwen en die zich aan hem had vastgeklampt. Hij had weg willen gaan, maar hij had het gevoel ge-had dat hij er te zeer in verwikkeld was geraakt en had niet geweten hoe hij zich los moest maken.

Hij had zich heilig voorgenomen om dat niet nog eens te laten gebeuren.

Toch was hij nu hier bij Holly. Het onderwerp van zijn tienerfan-tasieën. Fantasieën waarvan hij nooit had durven dromen dat ze werkelijkheid zouden worden.

Het is niet zo dat je je fantasieën nooit werkelijkheid moet laten worden omdat de werkelijkheid bijna nooit kan tippen aan de droom. Hij aanbidt Holly en hij is blij met de vriendschap die tus-sen hen is ontstaan, maar toch is hij niet voorbereid op deze uitbarsting van genegenheid, op de explosie van verafgoding die de afgelopen avond heeft losgemaakt in Holly.

Iedereen die Holly kende toen ze jong was, zou haar omschrijven als hartstochtelijk. Net als Saffron hield Holly ergens van of ze baalde er juist van. Net als Saffron zag ze de wereld in zwart-wit. Zij had meer geluk dan Saffron omdat ze de aanleg voor verslavingen miste. Of misschien had ze niet meer geluk, misschien zou dat haar juist hebben geholpen.

Door te trouwen met Marcus probeerde Holly zichzelf te veranderen. Ze besloot dat hartstocht haar nooit iets goeds had gebracht. Ze zou niet langer zwart-wit zijn. Voortaan zou haar leven uit grijstinten bestaan. Dat vond ze heel volwassen en bovendien was het veel gezonder, had ze gedacht.

Daarom onderdrukte ze haar hartstocht. Ze beminde niet en ze haatte niet. Eigenlijk leefde ze alleen maar. Maar nu, sinds de afgelopen avond, heeft ze het idee dat Will vergeten gevoelens in haar heeft wakker gemaakt. Ze heeft voldoende vertrouwen in hem om hem eerlijk over die gevoelens te vertellen, zonder erbij stil te staan dat hij het anders ervaart. Dat Maggie haar niet heeft gewaarschuwd om voorzichtig te zijn met Will omdat ze niet van haar zoon houdt, maar omdat Maggie weet dat Will het bij de minste verafgoding op een lopen zet. Letterlijk: naar Thailand, Nieuw-Zeeland of Vietnam.

Maggie weet nog hoe Holly vroeger was. Ze weet hoe Holly is. Zij ziet de hartstocht nog altijd onderhuids kolken en ze weet dat als iemand hem naar boven kan brengen, Will het is.

Maggie is de enige die weet van de nacht dat Tom en Holly met elkaar naar bed zijn geweest. Zij had vol verwachting haar adem ingehouden en haar opwinding bedwongen, want ze had altijd gehoopt dat Tom en Holly iets met elkaar zouden krijgen. Ze had altijd geloofd dat ze het beste in elkaar naar boven zouden halen, dat ze zo'n stel konden worden dat de wereld kon veranderen.

Tom was toen te jong geweest. Hij was er nog niet klaar voor. Maggie had altijd gehoopt dat hun vriendschap er met het verstrijken van de tijd voor zou zorgen dat ze weer minnaars werden, maar toen hadden Marcus en Sarah hun intrede gedaan, en had ze geweten dat die wens nooit in vervulling zou gaan.

En nu Will. Dát had ze nooit verwacht. Al is ze natuurlijk niet verbaasd. Maar ze is bang dat Will niet weet wat hij aan moet met Holly's passie als hij die eenmaal heeft ontketend.

262

Ze weet niet wat ze verkeerd heeft gedaan, maar Will is altijd bang geweest om zich te binden.

Anderen zeggen dat hij de juiste vrouw nog niet heeft gevonden, en ze is bereid om dat te accepteren. Maar er zijn ook momenten waarop ze weet dat ze hem te veel heeft vertroeteld, dat ze hem onrealistische verwachtingen heeft meegegeven. Dat ze hem altijd alle verantwoordelijkheid uit handen heeft genomen omdat ze niet wilde dat hij ongemak of verdriet zou hebben.

Als Maggie toevallig langs de tearoom zou lopen en Holly en Will binnen zou zien zitten – Holly die liefdevol naar Will kijkt, met haar hoofd op zijn schouder terwijl ze zijn hand streelt en zijn hoofd naar haar toedraait voor een zoen – zou ze zuchten.

'O, verdraaid,' zou ze fluisteren. 'Niet weer. Alsjeblieft niet met Holly.' Anderen zouden Will zien en denken dat hij Holly's gevoelens beantwoordt, maar Maggie weet wel beter. Tenslotte is ze zijn moeder. Zij is de vrouw die hem beter kent dan wie dan ook.

263

27

De oude Landrover hobbelt over de oprijlaan als Holly, Saffron, Olivia en Will terugrijden naar huis. De achterbak is volgestouwd met eten voor die avond en natuurlijk met de cottages die Saffron zo mooi vindt.

Als ze bij het huis komen staat er nog een auto op de oprijlaan. Al op ruime afstand snakt Holly naar adem, maar dat kan toch niet? Een zwarte Mercedes met een bekend nummerbord.

'Van wie is die auto?' vraagt Saffron zich hardop af. 'Die is vast niet van de loodgieter.'

'Nee.' De moed zinkt Holly in de schoenen. 'Die is van Marcus.'

Instinctief wil ze zich verstoppen. Ze weet dat het kinderachtig is, maar ze heeft geen zin om hem te zien of om met hem te praten. De afgelopen dagen heeft ze net gedaan alsof ze geen echtgenoot heeft en dat ze even vrij en single is als Will, en daar wil ze mee doorgaan.

O, verdomme. Will. Dit zal heel moeilijk en ongemakkelijk worden. Zou Marcus de schuldbewuste blik in haar ogen kunnen zien? Zal hij weten, voelen, dat ze hem ontrouw is geweest als ze hem onder ogen komt?

Al houdt ze zichzelf nog altijd voor dat ze niet ontrouw is geweest. Mocht ze ooit in staat van beschuldiging worden gesteld, denkt ze droogjes, dan weet ze precies wat ze zal zeggen: 'Ik heb geen seks gehad met die man.'

Omdat ze weet dat Will naar haar kijkt, wendt ze haar hoofd af.

'Gaat het?' vraagt hij zonder geluid en ze knikt terwijl ze hard slikt. Ze is geschrokken, maar niet verbaasd dat Marcus hier is. Marcus is een man die gelooft dat hij alles hoort te krijgen wat hij wil.

Er komen allerlei herinneringen in haar op als ze dichterbij komen. De talloze keren dat Marcus vond dat hij niet met genoeg respect werd behandeld. In restaurants, hotels, op luchthavens.

264

Marcus die de manager te spreken eiste. Hij stelde zich ook nooit voor als Marcus Carter, maar stond erop meneer Carter te worden genoemd, zelfs toen hij pas in de twintig was en met mannen praatte die veel belangrijker waren en veel meer aanzien hadden dan hijzelf. Vervolgens legde hij hun altijd hoogdravend uit waarom hun gedrag onacceptabel was.

Meestal intimideerde hij hen zo dat ze toegaven. Dan kreeg hij betere plaatsen, gratis geschenken en brieven waarin ze zich verontschuldigden. Het gaf niet dat ze hem allemaal een arrogante zak vonden als ze weer op hun kantoor zaten of dat ze moeilijk keken als hun secretaresse zei dat meneer Carter aan de telefoon was. Het ging er alleen om dat Marcus kreeg wat hij wilde.

Hij kreeg altijd wat hij wilde.

Mensen behandelden hem alsof hij belangrijk was omdat hij dat eiste. Mensen kropen voor hem en deden net alsof ze het fijn vonden om hem te zien omdat hij dat verwachtte, omdat hij te veel stennis maakte als ze het niet deden.

Holly had zich altijd geschaamd voor de manier waarop Marcus met mensen omging. Zij behandelde iedereen hetzelfde, beoordeelde niemand op zijn uiterlijk of functie, en het gebeurde heel vaak dat ze zich ongelooflijk geneerde voor Marcus' gedrag. Dan wenste ze dat de grond haar zou verzwelgen als ze hem tekeer hoorde gaan over het verwerpelijke gedrag van iemand.

De laatste dagen zijn de gelukkigste die ze in jaren heeft gekend. In veertien jaar, om precies te zijn. Ze heeft nauwelijks aan Marcus gedacht en nu – lieve hemel, waarom? – is hij hier. Holly stapt met tegenzin uit de auto zonder te beseffen dat de sluier van verdriet, de sluier die haar heeft afgescheiden van de rest van de wereld, maar die haar ook heeft beschermd tegen Marcus, stilletjes en steels weer over haar hoofd is gegleden.

Marcus zit aan de keukentafel met Daisy op zijn schoot. Ze heeft haar armpjes stevig om zijn hals geslagen en ze zegt telkens met een stralende glimlach: 'Pappie! Ik hou van mijn pappie! Ik hou van mijn pappie!' Oliver rent opgewonden om de tafel heen. In zijn handen heeft hij de tas met spullen die hij heeft verzameld tijdens hun wandeling in de natuur en hij legt uit wat alles is terwijl Marcus zijn aandacht tussen de twee probeert te verdelen.

Holly blijft een poosje in de deuropening naar hen staan kijken en iedereen gaat zo op in zijn eigen bezigheden dat ze haar niet zien. Plotseling tikt iemand op haar arm. Ze kijkt op en ziet Anna die haar verontschuldigend aankijkt.

265

'Het spijt me,' zegt ze heel zacht. 'Ik wist niet wat ik anders moest doen.'

Geruststellend legt Holly een hand op haar arm. 'Het geeft niks,' fluistert ze terug. 'Ik ben een beetje geschrokken, maar ik ben blij dat hij bij de kinderen is.'

Daisy kijkt op en ziet Holly. 'Mammie,' gilt ze, en ze wringt zich van Marcus' schoot, rent naar Holly toe en slaat haar armen om haar benen.

'Hoi, schatje.' Holly knielt neer om haar een zoen te geven, blij dat ze Marcus niet hoeft aan te kijken, dat ze zich op Daisy kan richten en een paar seconden respijt heeft voor ze het onvermijdelijke onder ogen moet zien.

'Holly?' Ze hoort iets in zijn stem. Woede? Pijn? Ontzetting? Eindelijk heft ze haar hoofd op en kijkt ze hem aan.

'Dag, Marcus.'

'We moeten praten, Holly. Anna zei dat ze wel op de kinderen wilde letten. Zullen we een stukje lopen?'

Holly knikt. Ze had geweten dat dit moment zou komen, alleen zou ze er graag iets beter op voorbereid zijn geweest.

De anderen blijven uit de buurt. Ze zitten boven bij elkaar in een van de slaapkamers en hebben het duidelijk over Marcus. Er valt een ongemakkelijke stilte als Holly binnenkomt.

'Goed, goed!' Schuldbewust steekt Saffron haar handen omhoog als Holly haar wenkbrauwen optrekt. 'Het spijt ons. We hadden het over jou. Gaat het wel?'

'Dat ligt eraan hoe je het bekijkt. Zeg, Anna, wil jij nog een keer op de kinderen letten? Marcus en ik gaan een eindje wandelen.'

Ze zeggen een poosje niks. Holly loopt voorovergebogen, haar handen diep in haar zakken gestoken en haar schouders opgetrokken om zich te beschermen tegen de wind. En tegen Marcus.

De zon staat laag tegen de kale takken van de bomen aan de rand van het veld en Holly kijkt naar de hemel en bedenkt dat de vredige schoonheid van het plaatje haar onder andere omstandigheden goed gedaan zou hebben.

Holly is gek op wandelen en ze gaat graag op onderzoek uit. In Gloucester met Will was ze in de zevende hemel, niet alleen omdat ze bij Will was, maar omdat ze rondslenterden, winkeltjes binnengingen waar hun oog toevallig op viel en kleine straatjes in liepen waar maar weinig mensen kwamen. Ze kwamen interessante winkeltjes tegen en ze hadden de tijd genomen om ergens thee te gaan drinken.

266

Zo leefde ze ook voor ze Marcus kende. Ze deed niets liever dan op onderzoek uitgaan, of lange wandelingen buiten de stad maken, met of zonder vrienden. Ze had altijd gedroomd dat ze iemand zou vinden om dat mee te delen, iemand die het leuk zou vinden om met haar mee te gaan, die haar partner en metgezel zou zijn bij alles wat ze deed.

Maar Marcus had een bloedhekel aan wandelen. Het enige wat hij leuk vond was werken en af en toe winkelen, maar alleen in dure winkels waar de mensen hem behandelden zoals hij vond dat het hoorde. Op zaterdag gingen ze meestal naar Bond Street, alleen omdat Marcus daar blij van werd.

Als ze met vakantie waren en Holly hem vroeg of hij een stukje wilde wandelen, zei hij altijd nee. Het jaar ervoor waren ze in de zomervakantie naar Key West geweest en Marcus had de hele tijd gemopperd omdat Little Palm Island was volgeboekt en ze in Ocean Cottages hadden gelogeerd, dat hij te min vond. Hij had uitgebreid zijn beklag gedaan over hun kamer tegen de baliemanager, had een suite gekregen, die hij nog altijd helemaal niks vond. Daar was hun reis goed door bedorven.

Hij was samen met haar door Duval Street gelopen en had haar snel meegetrokken als zij wilde stoppen om in een café te kijken waar live muziek te horen was en waar tientallen mensen rondliepen die het erg naar hun zin leken te hebben. Iedereen, behalve Holly en Marcus.

Ze had verlangend die cafés in getuurd. 'Kunnen we niet een biertje gaan drinken aan de bar?' had ze smekend gevraagd, maar Marcus had minachtend zijn neus opgehaald. 'De band speelt veel te hard, Holly. Nu vind je het misschien leuk, maar geloof me, na twee minuten zou je alweer weg willen.'

Hij had ook geen rondleiding door Hemingways huis gewild. En hij had de verscholen tuinen of de prachtige, beschut liggende, oude huizen niet willen bekijken. Dus was zij in haar eentje gegaan terwijl hij in het hotel bleef en wat op zijn computer had gewerkt.

Holly loopt over het veld en bedenkt hoe verschillend ze zijn. Hoe verschillend ze altijd zijn geweest. En ze vraagt zich af waarom ze dat niet eerder aan zichzelf heeft bekend.

'We moeten praten,' zegt Marcus uiteindelijk, en zijn stem klinkt nog altijd gespannen. Ze wil eerst naar hem luisteren, want ze is benieuwd wat hij te zeggen heeft.

Marcus haalt diep adem. 'Wat ik aan de telefoon heb gezegd, meende ik niet,' zegt hij vlug. 'Op dat moment dacht ik dat ik het

267

wel meende, maar ik…' Zijn stem sterft weg, en hij kijkt haar aan. Heel even staat zijn verdriet op zijn gezicht te lezen. 'Ik had niet gedacht dat je alsnog zou gaan.'

Dat weet Holly. Ze weet dat Marcus dezelfde intimidatietactieken gebruikte als altijd. En dat hij verwachtte dat Holly zou terugkrabbelen, zoals ze altijd heeft gedaan. Maar ditmaal heeft het voor het eerst niet gewerkt.

Er volgt een lange stilte waarin Marcus wacht tot Holly reageert. Dat doet ze niet. Ze weet nog niet wat ze moet zeggen.

'Holly,' herneemt Marcus, en deze keer legt hij een hand op haar arm zodat ze stil moet blijven staan en gedwongen wordt hem aan te kijken. 'Ik hou van je,' zegt hij smekend. 'Ik begrijp niet wat er met ons gebeurt. Ik snap niet waarom je hierheen bent gegaan terwijl je wist dat het heel belangrijk voor me was dat je dat niet zou doen.'

Ik weet het, denkt Holly. Ik heb altijd geweten hoe belangrijk het voor je is dat ik je gehoorzaam.

'Maar dat doet er nu niet toe,' zegt Marcus. 'Ik heb je vergeven en ik wil dat je weer naar huis komt. Ik wil dat we weer samen zijn.'

'Je snapt er echt niks van, hè Marcus?' vraagt Holly vol ongeloof. 'Het gaat er niet om dat ik hierheen ben gegaan en dat ik jou niet heb gehoorzaamd. Dit gaat om wat ik je die avond dat we uit eten gingen probeerde te vertellen.'

'Welke avond dat we uit eten gingen?' Marcus kan het zich echt niet herinneren, hij weet niet waar ze het over heeft. Dat doet hij namelijk altijd met dingen die hij niet wil horen. Als je de geschiedenis herschrijft, is het niet gebeurd. Als je maar lang genoeg kunt doen alsof, dan zal de geschiedenis uiteindelijk worden herschreven.

'Toen ik je vertelde hoe ongelukkig ik me voel!' Met een ruk draait Holly zich naar hem toe. 'Toen ik zei dat ik niet het gevoel had dat ik een echt huwelijk had, dat we geen echte partners zijn. Ik heb je gezegd dat ik je nooit meer zie en dat ik niet gelukkig ben. Ik denk gewoon…' Haar stem daalt tot een fluistering bij de volgende woorden. '… Ik denk gewoon dat ik dit niet meer wil.'

'Hoe kun je dat nou zeggen?' vraagt Marcus, en ze gelooft dat hij haar eindelijk heeft gehoord. 'Hoe kun je dat zeggen en het nog menen ook? We hebben een fantastisch huwelijk. Ik hou van je, Holly. Ik hou écht van je. Ik hou meer van je dan van wie ook, we hebben twee prachtige kinderen en een prima leven samen. Ik begrijp er niks van. Het slaat nergens op dat je er zelfs maar over kunt

268

denken om dat allemaal weg te gooien.'

'Ik weet dat het voor jou nergens op slaat,' zegt Holly. 'Dat komt doordat je nooit luistert, omdat je Oost-Indisch doof bent voor alles wat je niet wilt horen. Ik heb er genoeg van, Marcus. Ik ben het zat om aan jou uit te leggen waarom ik me niet gelukkig voel in ons huwelijk, waarom ik wat ruimte nodig heb.' Angst zorgt ervoor dat haar stem nauwelijks hoorbaar is. 'Ik geloof niet dat ik het nog langer kan opbrengen,' fluistert ze.

Marcus begint te huilen.

Holly kijkt ongemakkelijk naar hem. Ze heeft hem slechts een paar keer eerder zien huilen en ze weet niet goed wat ze moet doen. Het zou verkeerd zijn om hem te troosten terwijl zij de oorzaak is van zijn verdriet, maar het lijkt ook verkeerd, en het voelt heel ongemakkelijk, om erbij te staan en niks te doen.

Dus slaat ze haar armen om hem heen. Hij drukt zijn gezicht huilend tegen haar schouder aan en ze streelt zijn rug en voelt zijn verdriet. Opeens begrijpt ze hoe moeilijk dit zal worden. Hoe moeilijk het is om iemand verdriet te zien hebben en daar zelf de oorzaak van te zijn terwijl je weet dat je er niks aan kunt veranderen. Niet als je je eigen leven wilt leiden en gelukkig wilt zijn.

Niet als je trouw aan jezelf wilt zijn.

Marcus heeft haar losgelaten. Zijn verdedigingsmuren zijn geslecht. Holly heeft hem maar heel zelden zo kwetsbaar gezien. Maar de keren dat dat in het verleden is gebeurd, heeft ze geprobeerd zich ervan te overtuigen dat alles goed zou komen.

Marcus, die helemaal opgaat in het zijn van een grote meneer, die gewichtig wil doen en beschouwd wil worden als iemand die respect afdwingt, is plotseling een klein jongetje in dit veld met de ondergaande zon.

Geen arrogantie en pretenties meer, alleen een bang jochie dat doodsbang is voor de toekomst, dat niet wil dat zijn leven op zijn kop wordt gezet of dat hij er geen controle meer over heeft.

Al probeert Holly hem een beetje te troosten met een laatste omhelzing, ze weet dat er geen weg terug is. Mocht ze de afgelopen dagen al een paar tellen hebben overwogen om naar hem terug te gaan, misschien tot de kinderen gaan studeren, nu ze hier bij hem staat, weet ze dat ze dat niet kan.

Ze voelt een vreemde mengeling van emoties: verdriet, opluchting. Het lijkt net alsof Marcus' pijn ook die van haar is, en al ziet ze nu de echte Marcus, het bange jochie, ze weet dat ze meende wat ze heeft gezegd.

269

Ze kan het niet meer.

'Denk er alsjeblieft over na,' snikt Marcus, en hij doet een stap naar achteren om haar in de ogen te kunnen kijken. 'Kom alsjeblieft terug. Ik mis je. Ik mis ons. We hebben zo veel om naar uit te kijken, je zou zo veel weggooien.' Hij houdt op, niet in staat om verder te gaan. Hij haalt een paar keer diep adem. 'Ik ben een echtscheidings-advocaat,' probeert hij het nog eens. 'Ik zie wat dit met kinderen en gezinnen doet. Dat verdienen onze kinderen niet. Ik verdien dit niet. Welke problemen we ook hebben in ons huwelijk, ze vallen al-lemaal op te lossen. Ik kan vaker thuis zijn, misschien kan ik vrijdags thuiswerken. We kunnen in relatietherapie gaan. Ik meen het, Hol-ly. Ik zal alles doen wat je van me verlangt. Alles wat nodig is.'

'Goed,' fluistert Holly knikkend. Ze weet niet wat ze moet zeg-gen. Ze vindt het vreselijk dat ze hem zo veel verdriet doet en dat ze hem nog veel meer pijn zal bezorgen. 'Ik moet erover denken.' Dat is niet waar, maar ze probeert tijd te winnen omdat ze weet dat ze hem niet zo veel verdriet in een keer kan doen.

'Ik heb een kamer gereserveerd,' zegt Marcus. 'Ik logeer in een hotel als jij dat goed vindt. Mag ik jullie morgenochtend allemaal mee uit nemen? De kinderen ook? Is dat goed?'

Holly schudt haar hoofd. 'Ik… kan het niet. Ik kan het echt niet, Marcus. Nog niet. Maar als je de kinderen een dagje mee wilt ne-men, is dat prima. Ze hebben je gemist.'

Hij slikt moeizaam. 'Goed,' zegt hij. 'Ik zal de kinderen rond ne-gen uur ophalen. Misschien kan ik vanavond ergens met ze gaan eten? Is dat goed?'

'Ja, hoor.'

'Er draait een film in de stad. *Night at the Museum*. Ik weet dat ze die geweldig zullen vinden, maar hij is wel een beetje laat. Is het goed als ik ze rond negen uur terugbreng?'

Een film. Holly kan zich niet herinneren dat Marcus ooit eerder met ze naar de bioscoop is geweest. Hij nam ze nooit ergens mee naar toe, tenzij zij erbij was. Andere vaders gingen in het weekend met hun kroost op stap, zodat de moeders konden uitslapen, maar Marcus niet. Marcus heeft nog nooit iets alleen met de kinderen ge-daan.

'Dat klinkt enig,' zegt ze. 'Hopelijk slapen ze morgen uit, en Dai-sy kan altijd een dutje doen als het nodig is. Het is belangrijk dat jul-lie samen iets gaan doen. Dank je.'

Holly kijkt de andere kant op en wijst naar het huis, en Marcus draait zich om en komt naast haar lopen. Ze steken het veld over en

270

de stralen van de ondergaande zon vormen nu roze en oranje banen tegen de hemel.

'Waar logeer je?' vraagt Holly, niet omdat ze het wil weten maar om het gesprek op gang te houden.

'In Le Manoir,' zegt hij met een grijns. Op slag is zijn nederigheid verdwenen. 'Het is fantastisch!' zegt hij enthousiast, weer helemaal terug op bekend terrein. 'Ik heb de Lavande suite, die zou jij prachtig vinden.'

In gedachten slaakt Holly een diepe zucht. Daar is de oude vertrouwde Marcus weer. Terwijl hij Le Manoir beschrijft – het eten, de service, de ongekende luxe – weet Holly honderd procent zeker dat ze de juiste beslissing heeft genomen.

Die arme Marcus. Als hij nou zijn intrek had genomen in een Bed and Breakfast in het dorp of in een oude herberg aan de rand van Gloucester, was het misschien een ander verhaal geweest. De kans is niet erg groot, maar het had gekund. Als hij Holly had bewezen dat hij niet wordt geobsedeerd door zijn behoefte om tot de betere kringen te horen, zou ze wellicht een gezamenlijke toekomst voor hen hebben gezien.

Maar zodra hij begint te vertellen over Le Manoir is voor Holly de maat voorgoed vol. Hij mag dan denken dat zij het er geweldig zou vinden omdat ze altijd met hem mee is gegaan naar de Four Seasons, de Peninsula's en de St Regis' hotels, maar daar geeft Holly helemaal niks om. Dat vindt ze niet belangrijk en ze ziet eindelijk in dat hun werelden zo verschillend zijn dat ze nooit een gulden middenweg zullen kunnen vinden.

Die is er ook nooit geweest.

'Kut!' brult Holly als Marcus de oprijlaan af rijdt. De kinderen wippen opgetogen op en neer in hun autostoeltjes achterin, dolblij dat ze bij hun pappie zijn.

De anderen rennen naar haar toe.

'Kut!' roept ze nog een keer en ze stampvoet om haar frustratie kwijt te raken. 'Kut! Kut! Kut!'

'Ik neem aan dat de kinderen weg zijn?' vraagt Paul droog, en Holly stampt nog een poosje rond tot ze wat gekalmeerd is en erin slaagt diep adem te halen.

'Waarom ben je zo kwaad?' Anna's stem klinkt meelevend. 'Deed hij vervelend tegen je?'

'Nee.' Holly schudt haar hoofd en begint te lachen. 'Het is zo stom. Ik weet niet eens waarom ik kwaad ben. Omdat hij een zak is.

271

Omdat ik medelijden met hem kreeg omdat hij zo'n verdriet had. En toen begon hij te vertellen over Le Manoir en hoe fantastisch het is en op dat moment besefte ik dat hij nooit zou veranderen. Hij is gewoon een verwaande klootzak. Ik kan die vent niet uitstaan.' Ze haalt scherp adem en kijkt de kamer rond. 'Shit,' fluistert ze. 'Ik kan niet geloven dat ik dat net heb gezegd.'

'Nou, maak van je hart geen moordkuil,' zegt Saffron met een grijns.

'O, verdomme,' kreunt Holly. 'Het is echt waar. Toen ik hem vandaag aankeek, wist ik dat ik hem niet kon uitstaan.'

'Het lijkt me niet zo goed als je zo over je man denkt,' zegt Olivia. 'Niet dat ik er verstand van heb, maar ik ben ervan overtuigd dat het niet goed is.'

'Voelde je zelfs niet een beetje liefde?' vraagt Anna. 'Helemaal niks?' Holly schudt haar hoofd. 'En in het begin dan? Toen moet je dat toch wel hebben gevoeld?'

'Nee,' zegt Holly treurig. 'Nou ja, misschien iets wat een beetje op liefde lijkt, hij is tenslotte de vader van mijn kinderen. Maar niet de liefde die je hoort te voelen. Niet de liefde die Paul en jij hebben.'

'Dus je gaat niet naar hem terug?' vraagt Will. Hij heeft er tot dat moment het zwijgen toe gedaan omdat hij zich er niet mee wil bemoeien.

'Nee.' Holly kijkt hem aan. 'Ik ga niet naar hem terug, maar op dit moment durf ik hem dat nog niet te vertellen.'

272

28

De roes en opwinding van het groepsleven nemen wat af. Niet dat er ruzies zijn, nog niet, maar Olivia begint haar appartement en haar dieren te missen en ze vraagt zich af hoe lang ze hier nog moet blijven. Saffron lijkt... in orde. Niet meer zo teer als ze had verwacht, en zeker niet broos genoeg om door vijf mensen verzorgd te moeten worden.

Saffron is altijd sterk geweest, denkt Olivia. Misschien wel sterker dan zij allemaal. Eigenlijk zouden ze heel erg moeten zijn veranderd sinds hun schooltijd. Ze zijn bijna veertig en ze horen zich volwassen te voelen, maar dat doet Olivia absoluut niet. Ze voelt zich helemaal niet anders. Alleen ouder, vermoeider en, sinds haar zwangerschap, misselijker.

Holly vóélt zich anders, maar dat wil niet zeggen dat ze het ook is. Holly denkt altijd dat haar oude klasgenoten haar niet zouden herkennen als die haar op straat zouden tegenkomen. Ze is nu een stuk knapper, haar haar gladder, haar jukbeenderen scherper. Maar in feite is Holly, net zomin als de anderen, nauwelijks veranderd. Als je een beetje onder de oppervlakte kijkt, zijn ze allemaal nog precies hetzelfde.

In heel veel opzichten is Holly weer zichzelf aan het worden. Binnen een paar dagen is ze opgehouden zich als Marcus' vrouw te gedragen, heeft ze haar eigen ik teruggevonden en komt ze weer tot zichzelf.

Toch is het een Holly die ze zich niet goed kan herinneren, een Holly aan wie ze moet wennen. Deze Holly heeft een ander leven dan het leven dat ze de afgelopen veertien jaar heeft geleid. Ze heeft niet langer een huis om naar terug te gaan en ze zal de veiligheid en vertrouwdheid van haar oude leventje moeten missen.

Dit verblijf op het platteland is een soort adempauze, een onderbreking van haar echte leven, een vakantie waarvan ze niet wil dat er een einde aan komt. Want welke veranderingen er ook op het spel staan, ze probeert zich te concentreren op het heden en niet aan de toekomst te denken.

Deze avond was ze er een poosje niet bij. De kinderen waren net weg met Marcus, Will legde de laatste hand aan de keukenkastjes en Paul, Anna, Olivia en Saffron lazen de kranten voor de open haard. Holly schonk een wodka voor zichzelf in en ging buiten zitten.

Eigenlijk was het daar te koud voor, maar met haar muts op en haar handschoenen aan nestelde ze zich in een van de oude houten stoelen die Anna tijdens hun laatste verblijf hier in een rommelwinkel had gevonden.

Eerst was alles pikdonker. Toen haar ogen wenden aan de duisternis kon ze de omtrek van de bomen zien. Ze hoorde de geluiden van het platteland, hard maar ook rustgevend. Een poosje zat ze daar gewoon. Ze luisterde naar de geluiden, zonder verder ergens aan te denken.

Na een paar minuten begon de wodka haar te verwarmen. Haar lichaam ontspande zich en haar gedachten dwaalden af. Ze dacht aan een jonge vrouw met wie ze zwangerschapsgym had gedaan toen ze in verwachting was van Oliver. Ze heette Julia. Door hun gedeelde ervaringen waren ze bevriend geraakt. Het was een vriendschap die niet zou zijn ontstaan als ze niet een week na elkaar waren bevallen, buren waren geweest en in dezelfde situatie hadden gezeten. Niet dat Holly dat toentertijd had toegegeven.

Julia was volgens eigen zeggen met Dave getrouwd omdat ze had gedacht dat niemand anders haar zou willen. Ze was met hem getrouwd omdat het op papier leek dat hij alle eigenschappen had die ze in een echtgenoot zocht. Hij had een goede baan, hij was vriendelijk, hij behandelde haar als een prinses en hij hield van haar.

'Maar ben je ook gelukkig?' had Holly haar een keer gevraagd. Ze had geprobeerd haar eigen huwelijk niet met dat van Julia te vergelijken, want ze was bang dat er geen weg terug zou zijn als ze dat deed.

Julia had haar schouders opgehaald. 'Gaat wel,' had ze gezegd. 'En nu hebben we Felix.' Ze had de baby op haar knie laten wippen en liefdevolle zoentjes op zijn wangen gedrukt. 'We zijn een gezin. Niets meer, niets minder. Volgens mij komt het huwelijk in soorten en maten.' Ze had Holly recht aangekeken. 'Volgens mij zijn er mensen die het geluk hebben een zielsverwant te treffen, de persoon voor wie ze geschapen zijn, maar ik geloof niet dat dat vaak gebeurt. De meesten van ons maken een keus en roeien dan met de riemen die ze hebben. Hou ik van Dave? Tuurlijk. Zou ik

274

gelukkiger kunnen zijn met iemand anders?' Ze had haar schouders opgehaald. 'Vast wel. Maar dit is mijn keus. Hier heb ik voldoende aan.'

Voldoende. Holly had gehuiverd toen ze dat hoorde omdat ze wist dat zij zich net zo voelde, maar ze had geweigerd daarbij stil te staan. Geweigerd te accepteren dat het misschien wel voldoende was voor Julia, maar niet voor Holly.

Vorig jaar was ze Julia tegengekomen in een boekwinkel. Het was zo'n typische saaie, regenachtige middag in Londen geweest. Daisy was bij iemand aan het spelen, Oliver verveelde zich en Holly verveelde zich zo mogelijk nog erger. Hij kon zich thuis niet vermaken, al zijn vriendjes waren weg en Holly voelde zich te schuldig om hem nog twee uur tv te laten kijken.

Ze had hem in de auto gezet en was naar het dichtstbijzijnde filiaal van de boekwinkel Barnes & Noble gegaan. Hij was wel wat te oud voor een treinset van Thomas the tank engine, maar ze had beloofd dat hij warme chocolademelk zou krijgen in de cafetaria en hij was in een hoekje gaan zitten met een Star Wars-boek, terwijl zij in de rij moeders was gaan staan die allemaal hetzelfde idee hadden gehad.

'Holly?' Het was Julia. Ze omhelsden elkaar en waren oprecht blij elkaar te zien.

'Hoe gaat het met je?' Holly had een pas naar achteren gedaan om haar beter te kunnen bekijken. 'Je ziet er fantastisch uit!' Dat was inderdaad het geval. Holly had haar alleen gekend tijdens haar zwangerschap en de drie jaar daarna, toen Julia niet in staat leek om het extra gewicht van de zwangerschap kwijt te raken. Holly had Julia altijd als een 'forse vrouw' gezien.

Maar nu was ze rank en slank als een gazelle en leek ze in niets op de vrouw van vroeger. Haar hele gezicht was veranderd. Beeldde Holly het zich in of... straalde ze echt?

'Ik voel me ook fantastisch,' had Julia vrolijk gezegd. 'Heb je tijd om even te gaan zitten? Zullen we een kop koffie drinken?'

'Nou, vertel op, wat is je geheim?' had Holly gevraagd, stomverbaasd door de verandering.

'O, breek me de bek niet open,' had Julia verzucht. 'Ik was zo ongelukkig. Dat ben ik echt heel lang geweest. Begrijp me niet verkeerd, Dave is geen slechte vent, maar we passen gewoon niet bij elkaar. We hadden nooit moeten trouwen.' Ze had haar schouders opgehaald. Ze was eraan gewend het verhaal te vertellen, om tegenover vrouwen als Holly te zitten die haar uithoorden om te

275

weten te komen hoe ze hun eigen ongelukkige situatie konden verbeteren.

'Toen ik naar het altaar liep, wist ik al dat ik een grote fout beging,' had ze gezegd. 'Maar ik wist niet hoe ik het moest voorkomen. Ik liet me gewoon meevoeren met de stroom, ik ging op in de opwinding van het regelen van een huwelijk en ik dacht dat ik er een succes van zou kunnen maken. Ik wist dat er dingen ontbraken, maar ik dacht dat wat we hadden voldoende zou zijn.'

Holly had zo veel vragen die ze wilde stellen. En heel veel vragen die ze niet wilde stellen. Vragen waarop ze het antwoord al wist omdat ze het zelf ook had meegemaakt, maar zij probeerde nog een andere oplossing te bedenken.

'Maar de scheiding... Is dat niet vreselijk? Iedereen zegt dat een scheiding heel moeilijk is, maar jij ziet er niet alleen fantastisch uit, je lijkt ook nog eens... dolgelukkig.'

'Dat ben ik ook,' had Julia lachend gezegd. 'Alle mensen zeggen dat ze het zo erg voor me vinden dat ik ga scheiden, maar dat hoeft echt niet. En dan zijn er natuurlijk ook nog mensen die vinden dat ik het recht niet heb om me gelukkig te voelen, dat ik mezelf de tijd moet gunnen om te treuren om mijn huwelijk, dat ik hier niet ongeschonden van af zal komen, dat ik er alsnog nadelige gevolgen van zal ondervinden.'

'Zit dat er nog aan te komen?'

'Ik betwijfel het. Eerlijk gezegd heb ik al om mijn huwelijk getreurd toen ik nog getrouwd was. Vanaf het moment dat ik bij hem ben weggegaan, is het alsof er een loden last van mijn schouders is gevallen. Er zijn natuurlijk momenten dat ik me gedeprimeerd voel, dat ik me afvraag hoe ik het moet redden, maar ik voel me bevrijd. Het lijkt net alsof ik mezelf weer heb gevonden. Ik ben weer trouw aan mezelf.'

Holly had gehuiverd en Julia had haar indringend aangekeken.

'Hoe gaat het met jou?' had Julia zacht gevraagd. 'En met Marcus?'

Holly had haar aangekeken en haar hoofd geschud. 'Ik kan het niet,' had ze gefluisterd. 'Ik ben er nog niet aan toe om daarover te praten, Julia. Laten we het ergens anders over hebben. Hoe gaat het met Felix? Hij moet nu al flink groot zijn. Gaat alles goed op school?'

Dat was de laatste keer dat ze Julia had gezien, denkt ze. Ze hadden wel gezegd dat ze de jongens een keer met elkaar zouden laten spelen, dat ze elkaar weer eens zouden opzoeken, en Julia had ge-

276

beld, maar Holly had haar niet teruggebeld omdat ze te bang was geweest om haar nogmaals te ontmoeten.

Dat was de reden waarom je vrienden verloor na een scheiding, dacht ze. Ze had altijd gedacht dat het was omdat je opeens een bedreiging was, als hippe gescheiden vrouw die de echtgenoot van al je vriendinnen kon afpakken. Maar nee, het is omdat jouw scheiding de andere mensen dwingt vraagtekens bij hun eigen huwelijk te zetten. En je weet nooit wat er achter gesloten deuren gebeurt. Je kunt wel denken dat je vrienden een goed huwelijk hebben, maar als de mensen horen om welke redenen je bent weggegaan, hoe je wist dat het verkeerd zat, begrijpen ze dat hun eigen relatie ook niet zo sterk is. Als het jou kan overkomen, weten ze zeker dat het hun ook kan gebeuren.

Het is veel gemakkelijker om onze kop in het zand te steken, om net te doen alsof alles in orde is. Zelfs als alles om ons heen instort.

Hoe zit het met verdriet? Holly laat de wodka zacht in haar glas ronddraaien en ze huivert als de kou door haar winterjas heen dringt. Zal ze om haar huwelijk treuren? Ze denkt van niet, ze is ervan overtuigd dat ze zich net zo zal voelen als Julia. Dat ze voldoende heeft getreurd tijdens haar huwelijk. En wat eenzaamheid betreft, eenzamer dan de afgelopen paar jaar kan ze zich nooit voelen.

Het is natuurlijk niet zo dat ze er ongeschonden van af zal komen, maar ze kan niet ontkennen dat ze diep vanbinnen hetzelfde voelt als Julia na haar scheiding: opluchting.

Zelfs Will lijkt niet meer zo belangrijk als in het begin. Het lijkt alsof ze alles duidelijker kan zien nu ze eindelijk aan de verleiding heeft toegegeven. Ze ziet hem niet langer als haar redder in nood, maar als de man die hij echt is.

En wie is hij precies? Hij is de knappe, fantastische, lieve broer van Tom. De man die haar de kracht heeft gegeven om een eind te maken aan haar huwelijk, beseft ze opeens. Haar obsessie voor hem heeft haar angst verdrongen. Ze heeft er niet meer bij stilgestaan hoe eng het zou zijn om voor zichzelf te moeten zorgen en ze vreesde niet langer dat Marcus haar net zo lang op de huid zou zitten tot ze toegaf, zoals in het verleden altijd gebeurde.

Marcus had niet langer macht over Holly omdat ze te veel opging in andere zaken om hem die macht nog te geven. En omdat ze zich los had weten te maken van haar angst, kon ze zich bevrijden uit haar huwelijk.

277

Maandenlang heeft ze gedacht dat Will de juiste man voor haar was, maar ineens begrijpt ze dat dat onwaarschijnlijk is. Hij heeft het al over zijn volgende reis. Hij staat te popelen om op Thaise stranden in de zon te liggen, en dikke joints te roken terwijl de zon ondergaat.

Dat is een wereld die zij lang geleden al vaarwel heeft gezegd en ze verlangt er niet naar terug, zelfs niet voor even. Het mag dan verleidelijk zijn om net te doen alsof ze weer een tiener is, ze heeft zelf kinderen en ze is volwassen. In haar wereld is geen plek voor Thaise stranden en dikke joints terwijl de zon ondergaat.

Holly slaakt een zucht en drinkt het laatste restje wodka op. Ze staat op en gaat naar binnen om te kijken wat er voor het avondeten gedaan moet worden.

'Kan ik ergens mee helpen?' Saffron loopt de keuken in en buigt zich over Olivia's schouder om een worteltje te pikken.

'Ben je…' Olivia draait zich om en kijkt naar Saffron, waarna ze zich met een paniekerige blik tot Anna wendt.

'O, verdomme.' Holly schudt haar hoofd. 'Je bent dronken, hè?'

'Nietes!' zegt Saffron, en als ze niet een beetje slingerend was gaan zitten of niet enigszins beneveld had gekeken, zou je het niet hebben gemerkt.

'Dat ben je wel,' zegt Holly. 'Waar heb je het vandaan gehaald? Hoeveel heb je op?'

Met een zucht legt Saffron haar hoofd op haar armen. 'Niet veel,' mompelt ze. 'Een beetje maar.'

'Ik kijk wel even,' zegt Olivia, en even later komt ze terug met een praktisch lege fles wodka.

'Maar al onze wodka is nog hier.' Met een frons opent Holly een keukenkastje om het te bewijzen. En inderdaad: de fles die Will en zij in de stad hebben gekocht staat er nog.

Olivia kreunt. 'O, shit, wat is ze geslepen,' zegt ze. 'Ik bedenk ineens dat ze zei dat ze haar tas in de cadeauwinkel had laten liggen en die heeft ze snel opgehaald terwijl wij vast naar de auto gingen. Toen moet ze…'

'O, wees niet zo'n spelbreker,' snauwt Saffron. 'Ja, precies, toen heb ik de wodka gekocht. Nou, en? Morgen ben ik weer nuchter. Laat me er vanavond even van genieten.'

'Ik weet niet wat ik moet doen,' zegt Anna hulpeloos. Ze kijkt Holly en Olivia vragend aan. 'Hier heb ik geen ervaring mee.'

'Ik ook niet,' zeggen ze in koor.

278

'Mooi zo!' Lachend staat Saffron op, en ze schenkt zich een glas wijn in. 'Wie A zegt, moet ook B zeggen. Proost!' Zich niet bewust van de bezorgde blikken van de anderen neemt ze een grote slok.

'Toe, doe even rustig.' Ze zet het glas weer op tafel en lacht. 'In elk geval ben ik vrolijk als ik dronken ben. Je kunt maar beter van me genieten zolang het duurt.'

Dat is waar. Saffron is vrolijk als ze dronken is. Ook dan is ze het middelpunt van de belangstelling, misschien wel meer dan anders. Zij is de enige die alle leuke verhalen van school nog weet en ze herinnert hen aan allerlei dingen waar ze in geen jaren aan hebben gedacht.

'Wie is dat?' Anna kijkt fronsend naar de koplampen die fel door de ramen schijnen. 'O, Marcus. Dat was ik vergeten.'

'O, ja. Marcus, mijn grootste fan,' zegt Saffron met een grijns. 'Ik ga wel.' Voor iemand haar kan tegenhouden, loopt ze naar de deur om Marcus te begroeten.

'Raad eens.' Ze verschijnt weer in de deuropening. 'Hij blijft nog even om iets te drinken!' De angst slaat Holly om het hart terwijl ze de kinderen optilt en naar boven draagt. Kan ze daar blijven tot hij weer weg is? Ze wil geen minuut in zijn gezelschap doorbrengen en ze is woedend dat Saffron hem binnen heeft gevraagd.

Wat bezielde haar in godsnaam?

Marcus voelt zich overduidelijk niet op zijn gemak. Hij blijft om iets te drinken omdat hij tijd wil doorbrengen met Holly. Als ze hem de kans geeft, weet hij zeker dat hij haar ervan kan overtuigen hoeveel hij van haar houdt en dat zij hem nodig heeft. Hij gelooft absoluut niet dat het voorbij is. Hij mag dan dreigementen hebben geuit, maar die meende hij niet en hij gelooft echt niet dat dit tijdelijke probleempje zal uitmonden in een echtscheiding.

En hij kan het weten. Hij heeft gezien hoe dit soort dingen gaat, hij kent elk trucje en dat zal hij niet laten gebeuren in zijn huwelijk. Hij zal niet toestaan dat Holly alles wat ze hebben kapotmaakt.

Dus hij voelt zich niet op zijn gemak, maar hij is er. Hij is bij Holly en als hij wat tijd alleen met haar kan doorbrengen, als hij ontspannen met haar kan praten, haar een paar glazen laat drinken, dan zal ze begrijpen wat hij bedoelt. Dan zal hij winnen.

Hij twijfelt er niet aan dat hij zal winnen.

279

Maar dit is een andere Holly dan hij gewend is. Dit is niet de stille, gezeglijke Holly. Een Holly die hij altijd onder de duim heeft weten te houden. Deze Holly is stijfjes en voelt zich onbehaaglijk. Deze Holly werkt niet mee en hij zit aan de andere kant van de tafel en kijkt haar met trouwe hondenogen aan. Hij wil dat ze weer de oude wordt, dat alles wordt zoals het vroeger was.

'Meer wijn?' Paul geeft de fles aan Holly, en Marcus staat op het punt om tussenbeide te komen, zoals hij altijd heeft gedaan. Hij wil zeggen: 'Volgens mij heeft ze wel genoeg gehad.' Holly kijkt hem echter niet aan om toestemming te vragen zoals ze vroeger altijd deed, en hij bijt op zijn tong. Afkeurend kijkt hij toe als ze nog een glas voor zichzelf inschenkt.

Hij weet dat ze de onbehaaglijkheid probeert weg te drinken. O, verdomme. Misschien kan hij hier zijn voordeel mee doen. Misschien zal de drank haar meegaander maken, en zal de linkerkant van zijn bed in de suite in Le Manoir vannacht onbeslapen blijven. Misschien zal hij eindigen op de plek waar hij meent te horen: in Holly's bed, naast haar.

'Zeg, Marcus,' begint Paul, die dolgraag de gespannen sfeer wil verlichten. 'Hoe is het hotel? Ik heb gehoord dat je in Le Manoir logeert. Dat is vast prachtig.'

'Het is heel mooi,' zegt Marcus, die zich eindelijk weer op bekend terrein bevindt. 'Ik ben altijd een beetje zenuwachtig als ik in een nieuw hotel ga logeren. Als het niet het Four Seasons is, weet je gewoon niet wat je krijgt. Maar zoals ik vanochtend tegen Raymond zei: Hij heeft een knap staaltje werk geleverd.'

'Wie is Raymond?' vraagt Olivia.

'Raymond Blanc,' zegt Paul behulpzaam. 'De eigenaar en chefkok.'

'Hij vindt het vast een hele eer dat jij in zijn hotel logeert,' zegt Will, en Holly kijkt hem vol verbazing aan. Maakt hij een geintje? Meent hij het echt? Zal Marcus dadelijk ontploffen?

Marcus zoekt niks achter Wills woorden. 'Volgens mij is hij blij dat er überhaupt iemand logeert,' zegt hij. 'Blijkbaar is dit een van de stilste tijden van het jaar.'

'Je kent hem kennelijk goed. Zien jullie elkaar vaak in Londen?' houdt Will vol.

'Ach, je weet wel.' Marcus verschuift wat op zijn stoel. 'We hebben een aantal dezelfde kennissen, we komen op dezelfde feestjes, dat soort dingen.'

'Wie kennen wij nou helemaal?' vraagt Holly, die geen zin heeft

280

om zijn verwaande spelletje nog langer mee te spelen.

'Sally en Richard van mijn kantoor? Ik geloof niet dat jij ze kent. Dat zijn goede vrienden en zij komen heel vaak in Le Manoir.'

Holly ontmoet Wills blik en hij geeft haar een knipoog. Met een glimlach slaat ze haar ogen neer.

'Zeg... Marcus.' Saffron schuift haar stoel dichter naar Marcus en werpt hem een van haar meest oogverblindende glimlachen toe. 'In mijn nieuwe film speel ik een advocate. Vertel me eens wat van je beste trucjes om nieuwe cliënten te krijgen.'

Marcus vindt het geweldig. Er zit een beeldschone beroemde actrice naast hem die aan zijn lippen hangt en hem behandelt alsof hij de belangrijkste man ter wereld is. Alsof alles wat hij zegt het woord van Onze-Lieve-Heer is en hij vergeet dat hij een man is die op het punt staat zijn hele leven te verliezen. Op dit moment is hij niet Marcus Carter, eventueel gescheiden vader. Hij is Marcus Carter, wereldberoemd advocaat, almachtig en alwetend. Heerser van zijn universum.

'O, dit is vast heel saai voor jullie.' Na een paar minuten kijkt Saffron op. 'Marcus, ik wil dolgraag meer weten. Zullen wij even naar de keuken gaan?' Een verrukte Marcus volgt haar naar de keuken.

'Wel verdraaid,' zegt Olivia. 'Zagen jullie dat?'

'We kunnen niks doen,' zegt Paul. 'Echt niet. Als zij wil drinken, kunnen wij haar niet tegenhouden.'

'Ik kan niet geloven dat we alcohol in huis hebben gehaald terwijl er een alcoholiste woont die weer aan de zuip is,' zegt Holly. 'Het was echt ontzettend stom van ons dat we haar geloofden toen ze zei dat ze niet meer zou drinken.'

'Vooral van mij.' Olivia knikt. 'Ik ben degene die haar gisternacht wist te weerhouden om te gaan drinken en ik dacht... Ik hoopte dat het elke dag een beetje makkelijker zou worden. Ik had niet verwacht dat ze zo snel al weer bezopen zou zijn.'

'Ze is behoorlijk lazarus,' zei Paul. 'Eerst dacht ik dat ze bewusteloos zou raken, maar ze lijkt nieuwe energie te hebben. Het engst is nog dat ze zo normaal lijkt. Ze heeft de hele avond gedronken als een Maleier en toch lijkt ze nuchter.'

'Geloof me, dat is ze echt niet,' zegt Olivia.

'Denk je dat ik de wijn moet weghalen of zo?' vraagt Anna. 'Ik weet dat jullie steeds zeggen dat we niks kunnen doen, maar het voelt verkeerd om de wijn daar te laten staan.'

281

Holly slaakt een zucht. 'Maak je niet druk. Ik haal hem wel. Dan probeer ik gelijk om Marcus te lozen. Godsamme, wat doet hij hier? Waarom is hij hier in godsnaam nog? Waarom heeft ze hem binnen gevraagd?' Ze duwt haar stoel naar achteren en loopt hoofdschuddend naar de keuken.

Ze kan haar ogen niet geloven. Saffron zit bij haar man op schoot, haar armen om zijn hals geslagen terwijl ze hem hartstochtelijk zoent. Marcus laat zijn handen over haar rug glijden en als Holly niet naar adem had gesnakt, zouden ze vrolijk zijn doorgegaan.

'O, god.' Marcus staat kreunend op en duwt Saffron van zijn schoot. Zij valt als een hoopje op de grond.

'Waar zijn jullie mee bezig?' vraagt Holly aan niemand in het bijzonder, en daarna kijkt ze Marcus aan. 'Donder op,' zegt ze kil.

'Het is niet wat... Je begrijpt het niet... Het was niet...' Maar hij kan de juiste woorden niet vinden.

'Ga weg!' briest Holly, die niet langer bang voor hem is. Ze wijst naar de deur. 'Hup. Nu!'

De anderen komen de keuken in, niet wetend wat er is gebeurd. Ze weten alleen dat Holly heeft geschreeuwd, dat ze woedend is en dat Marcus is vertrokken. Ze tillen Saffron op en brengen haar naar boven – ze is er zo slecht aan toe dat ze alleen maar op bed kan liggen – en Will gaat naast Holly zitten. Ze is razend, geschrokken en het tafereeltje heeft haar met walging vervuld.

'Hoe kon hij?' herhaalt ze telkens. Ze is meer van streek vanwege het verraad dan vanwege het feit dat het echt is gebeurd. Ze is niet jaloers, maar verbijsterd en ze voelt zich verraden. 'Hoe kon hij dat zo snel doen? Godsamme. En hoe kon zij? Wat bezielde Saffron?'

'Holly.' Na een poosje legt Will zacht zijn handen op de hare. 'Saffron was dronken. Ze besefte waarschijnlijk helemaal niet wat ze deed, en wat hem betreft... Vergeet niet waar jij gisternacht was en hoe dat soort dingen kan gebeuren.'

'Maar dat is anders,' barst ze uit.

'Waarom?' vraagt hij zacht. 'Omdat wij vrienden zijn? Omdat ik Toms broer ben? Waarom is het feit dat Marcus Saffron heeft gezoend anders dan het feit dat jij mij hebt gezoend? O, Holly,' zegt hij met een zucht terwijl hij haar indringend aankijkt. In zijn ogen ligt een treurige blik en hij schudt zijn hoofd. 'Ik geloof niet dat je hier al aan toe bent. Ik geloof niet dat je weet wat je wilt, of wel soms?'

282

Ze kijkt Will aan en beseft dat hij gelijk heeft. Ze is hier niet aan toe, maar niet om de redenen die Will bedoelt. Het is niet zo dat ze er niet aan toe is om Marcus te laten gaan.

Ze is nog niet aan een nieuwe relatie toe. Ze is nog niet aan Will toe. Of aan wie dan ook.

Ze is woedend, maar niet op Marcus. Op Saffron. Saffron die zogenaamd haar vriendin is, die geen enkele reden heeft om Marcus te verleiden. En dat ze dronken is, is geen excuus. Saffrons gedrag van die avond heeft Holly doen inzien dat hun vriendschap op drijfzand is gebouwd. Het is een vriendschap die gebaseerd is op een gezamenlijk verleden en niet op de situatie van vandaag de dag.

Met een zucht kijkt Holly naar Will en ze weet dat het tijd is om te gaan, om dit huis te verlaten en te beginnen met haar nieuwe leven, hoe dat ook zal uitpakken.

Boven haalt Anna voorzichtig Saffrons gsm uit haar tas. Op haar tenen loopt ze de trap af en ze gaat naar het begin van de oprit. Ze tikt op het schermpje van de Treo, gaat naar het adresboek en scrolt erdoorheen tot ze het vindt. P.

De telefoon is pas een keer overgegaan als er wordt opgenomen.

'Pearce? Het spijt me dat ik je lastigval. Je spreekt met Anna Johanssen. Ik ben een vriendin van Saffron. Ik zou je niet bellen als het niet dringend was, maar ze is weer zwaar aan de drank en wij weten niet wat we moeten doen. We hebben jouw hulp nodig en ik weet niet wie ik anders moet bellen.'

'Geef me je nummer maar, Anna,' zegt de stem die Anna heel goed kent, de stem van een van de beroemdste mannen ter wereld. 'Ik bel je over twintig minuten terug.' Anna legt de gsm neer en gaat naar beneden waar de anderen zijn. De situatie was hen volkomen boven het hoofd gegroeid en het enige wat ze nog konden doen was Pearce bellen.

Langzaam loopt Holly de trap op, en haar voeten voelen bijna even zwaar als haar hart. Haar hele leven is veranderd en het is vreselijk om je zo kwetsbaar te voelen, om geen flauw idee te hebben wat je voorland is en hoe je moet overleven. En dat je kennelijk ook niet weet wie je vrienden zijn.

Ze kijkt even bij de kinderen, kleedt zich uit, doet het licht uit en stapt dankbaar in bed. Ze wil alles vergeten, al is het maar voor

283

even in haar slaap, maar dan gaat haar deur zacht krakend open.

'Ik kan het niet, Will,' fluistert ze, geërgerd dat hij na hun eerdere gesprek nog altijd denkt dat ze hem in haar bed wil hebben. 'Het spijt me, maar ik kan het echt niet.'

'Ik ben Will niet,' zegt Saffron met dubbele tong. Ze schuifelt naar het bed en valt half in de kussens.

Holly kreunt. Zij is wel de laatste die ze nu wil zien. 'Ga naar bed, Saffron,' verzucht ze. 'Toe, ga alsjeblieft weg. Ik heb je niets te zeggen.'

'Jeetje, Holly,' zegt Saffron pruilend, duidelijk nog altijd stomdronken. 'Begrijp je het dan niet? Ik heb het met opzet gedaan. Nu kan je arrogante stomme echtgenoot jou nergens van beschuldigen. Jij hebt hem betrapt toen hij een andere vrouw zoende! Hoe kun je hem nu ooit nog vertrouwen? Het maakt niet uit wat Marcus te berde brengt, jíj hebt hem met een ander betrapt. Wat zal de rechter daarvan zeggen?' Op haar gezicht verschijnt een dronken, triomfantelijke glimlach.

'Wat?' Holly gaat rechtop zitten en doet het licht aan. 'Bedoel je dat je het voor mij hebt gedaan?'

'Tuurlijk.' Saffron begint te giechelen. 'Je denkt toch niet dat ik hem leuk vind? Getver, getver!' Ze sputtert verontwaardigd, en Holly's mond valt open.

'Je bent gek,' zegt Holly, omdat haar niks anders invalt. 'Ik kan niet geloven dat je hem hebt verleid.'

'Ja.' Saffron grijnst opgetogen. 'Ik heb eerder te maken gehad met mannen als Marcus en hij zou de vloer met je aanvegen. Maar nu kan hij je niet veel meer maken. Ik weet dat het maar een zoen was, maar hoe weet jij of hij dit niet al heel vaak heeft gedaan? Hoe kun je in godsnaam getrouwd blijven met zo'n man?'

'Maar Saffron, als het tot een rechtszaak komt, moet ik jouw naam noemen. Dat besef je toch wel?'

'Alsof mijn reputatie nog slechter kan worden! Wat kan mij het schelen?' Saff gooit haar armen in de lucht. 'Als je alles gelooft wat in de kranten staat, ben ik Saffron de superslet en huwelijksvernietigster.'

'Je bent geweldig.' Holly schudt haar hoofd en glimlacht on-willekeurig. 'Ook al ben je straalbezopen, je bent nog altijd… Ik weet niet of ik je moet bedanken of nooit meer tegen je moet praten.'

'Geloof me.' Saffron valt Holly in de armen. 'Ik moest wel laveloos zijn om te doen wat ik net heb gedaan.' Ze snuift van de lach omdat ze weet dat ze vergeven zal worden. Dan kruipt ze naast Holly en valt in een diepe, dronkemansslaap.

284

29

Die ochtend verlaat Holly in alle vroegte het huis, want ze wil met niemand spreken. Ze gaat met haar kinderen naar de nabijgelegen manege die ze eerder hadden gezien en brengt daar een uur door. Ze doet alsof alles goed met haar is, alsof ze gelukkig is terwijl ze de pony's polo-pepermuntjes voeren en de dieren in hun zakken laten snuffelen.

Ze wil niemand zien. Will niet, en ook Saffron niet. Het liefst zou ze weer in bed kruipen, de dekens over haar hoofd trekken en er pas uitkomen als ze zich weer herinnert hoe haar normale leven eruitziet.

Wat stom van haar om te denken dat ze, net als Julia, al om haar huwelijk heeft getreurd toen ze nog getrouwd was. Wat naïef om te denken dat het moeilijkste deel achter de rug is en dat alles voortaan rozengeur en maneschijn zal zijn.

'Mam?' vraagt Oliver op de terugweg naar het huis, nadat ze bij de bakker kaneelbroodjes en warme chocolademelk hebben gekocht. Eigenlijk had Holly vanochtend willen vertrekken, want ze weet dat de tijd is aangebroken om weer naar Londen te gaan. Maar Olivia rijdt met haar mee en omdat haar ochtendmisselijkheid pas halverwege de middag minder erg wordt, moet Holly nog even wachten.

'Ja, schatje?'

'Gaan papa en jij gescheiden?'

Holly schrikt zich dood. 'Wat bedoel je precies, schat? Waarom vraag je dat?'

'Nou, er zit een meisje bij mij in de klas, Jessica, en haar ouders gaan gescheiden. En omdat wij hier bij jou zijn en papa er niet is, dacht ik dat jullie willen gaan gescheiden.'

Holly hurkt zodat ze zich op ooghoogte met Oliver bevindt. 'Oliver, heeft papa daar iets over tegen je gezegd?'

Oliver haalt zijn schouders op en wendt zijn blik af.

'Oliver, het geeft niet. Je kunt mij alles vertellen.' Holly doet haar best om niet boos te klinken.

285

'Nou… papa zei dat hij hier met ons samen wilde zijn, maar dat dat niet van jou mocht en dat jij zou bepalen wanneer we weer naar huis gaan. Is dat zo, mam? Mag papa niet blijven van jou?'

Holly komt overeind en probeert een keer diep adem te halen. Ze had verwacht dat Marcus zich grootmoediger zou opstellen. Ze had gedacht dat ze allebei de kinderen in bescherming zouden nemen door in de eerste plaats aan hen te denken en ze geen partij te laten kiezen. Maar kennelijk heeft ze het bij het verkeerde eind gehad.

Klootzak, denkt ze. Enorme klootzak.

'Oliver,' zegt ze terwijl ze weer op haar hurken gaat zitten. 'Soms moeten mammies en pappies een tijdje uit elkaar. Het is precies zo als wanneer jij ruzie hebt met Jonny en dat jullie een poosje niet met elkaar willen praten, maar het na een paar dagen weer goedmaken.' Oliver knikt. 'Zo zit het nou ook tussen papa en mij. We zijn allemaal op vakantie, en papa zou hier wel kunnen blijven, maar hij moet weer aan het werk. Het belangrijkste is dat papa en ik heel veel van jullie houden, en als wij even een poosje weggaan bij papa is dat niet omdat jullie iets verkeerds hebben gedaan. Goed?'

Oliver knikt, al begrijpt hij het niet helemaal, maar hij wil het ergens anders over hebben.

'Mooi zo, schatje. Ik hou van je.'

'Ik hou ook van jou, mammie.' Zijn stem klinkt verstikt in Holly's stevige omhelzing en dan opent ze haar armen om Daisy ook te knuffelen. 'Laten we maar weer eens naar huis gaan,' zegt ze. Ze weet niet wat hun daar te wachten staat, maar ze kunnen niet nog langer wegblijven.

Onderweg naar huis gaat haar mobiele telefoon. Het is Marcus.

'Ja?' Haar stem klinkt kortaf.

'Holly. Ik ben je een verklaring schuldig. Ik heb gisteravond niets gedaan. Saffron heeft me gewoon besprongen en daarna begon ze me te zoenen en dat heeft niets te maken met…'

'Denk je nou echt dat ik dat geloof?' snauwt Holly, maar wel zo zacht dat de kinderen het niet horen, en ze doet haar best om boos en gekwetst te klinken. Ze probeert niet te glimlachen, want ze gelooft Saffron en ze ziet nu in dat dat in haar voordeel werkt. 'Ik heb heus wel gezien dat je je armen om haar heen had geslagen. Hoe vaak heb je dit al gedaan? Hoeveel andere vrouwen zijn er geweest?'

'Geen enkele,' gilt Marcus bijna. 'Ik zweer het.'

'Ja, vast. En dat moet ik geloven? En dan nog iets, Marcus, waag het niet om de kinderen te vertellen dat dit mijn schuld is. Niet op

286

dit moment. Ik heb geen kwaad woord over jou gezegd, zelfs niet na gisteravond, en ik verwacht hetzelfde van jou. Ik hang nu op. Ik heb geen zin meer om verder met je te praten.' Ze verbreekt de verbinding wanneer ze bij de oprit van het huis komt.

'Waar is iedereen?' Zo te zien is Will de enige die thuis is, en Holly wil nu even niet bij hem in de buurt zijn. Ze heeft last van schuldgevoel en ze schaamt zich, maar ze voelt zich vooral stom omdat ze heeft gedacht dat Will haar zou komen redden. Dat hij haar zielsverwant zou zijn terwijl hij dat overduidelijk niet is.

Ze weet niet wat ze nog tegen hem moet zeggen. Na in de afgelopen maanden alle details van haar leven met hem te hebben gedeeld, weet ze niet hoe ze zich nu moet gedragen, hoe ze moet doen alsof alles normaal is terwijl niets normaal is.

Niets in haar leven is nog normaal. Niets is meer zoals het was. Het is net alsof je een ongeluk krijgt, denkt ze. Op het ene moment is er niets aan de hand en dan snijd je je aan het mes van een keukenmachine. Het is belachelijk om ineens bloed uit je pols te zien stromen terwijl een seconde daarvoor alles nog in orde was.

Het is inderdaad zo dat je hele leven in een tel kan veranderen, denkt ze. Tom was Tom; een echtgenoot, vader en vriend. En in een oogwenk was Tom er niet meer. En Sarah die dacht te weten hoe de rest van haar leven eruit zou zien, moet nu een nieuwe weg inslaan.

En Holly die zich de afgelopen jaren eerst als echtgenote en dan pas als moeder heeft beschouwd, beseft nu dat ze geen echtgenote meer is en dat ze dat door iets anders moet vervangen. Maar iemands vriendin worden, Wills vriendin worden, is niet de juiste keuze.

Ergens weet ze dat ze er gewoon vertrouwen in moet hebben dat alles op zijn pootjes terecht zal komen. Eerder die ochtend had ze nog gedacht dat ze ondanks alles niets aan haar leven zou willen veranderen. Ze heeft immers twee prachtige kinderen en haar huwelijk dat veertien jaar heeft geduurd heeft haar gebracht waar ze nu is. Het heeft haar in een positie gedwongen waarin ze kan erkennen dat ze wensen heeft en dat ze niet langer in een situatie wil blijven waarin die wensen niet worden vervuld.

Ze weet dat mensen kunnen veranderen Maar zelfs al zou Marcus veranderen, het doet er niet meer toe. Ook al zou hij ineens weten wat nederigheid is, al zou hij zich gaan gedragen als een attente, liefhebbende man, dan nog zou het er niet toe doen omdat Holly niet van hem houdt. Ze heeft nooit van hem gehouden.

287

'Waar is iedereen?' vraagt Holly als ze Will als enige in de keuken aantreft.

Will legt de hamer neer en helpt Holly om de kinderen hun jas uit te trekken.

'Het heeft met Olivia te maken,' zegt hij rustig. 'Ze had een bloeding en ze hebben haar naar het ziekenhuis gebracht.'

Holly slaakt een diepe zucht. 'O, god. De baby. Ze raakt hem toch niet kwijt?'

'Ik weet het niet. Ze had ook kramp. Ze hebben haar in de auto gezet en haar meegenomen naar het Gloucestershire Royal Hospital. Paul zei dat ze zouden bellen zodra ze iets wisten.'

'Wanneer zijn ze vertrokken?'

'Ongeveer een uur geleden.'

Olivia is bang. Ze heeft altijd een hekel gehad aan ziekenhuizen en ze zou de klok graag terugzetten naar gisteren toen alles nog in orde was. Alleen bleek dat niet het geval te zijn. Gisteren was ze zwanger en tot vanochtend, toen ze naar het toilet ging en bloed in haar slipje vond, had ze de klok terug willen zetten naar de tijd dat ze niet zwanger was en ze nooit had overwogen het te worden.

Anna zit op een stoel in een hoek van de kamer, Paul en Saffron zitten buiten in de wachtkamer terwijl de verpleegkundige die de echo zal maken ijskoude gel op Olivia's blote buik smeert.

'Het spijt me,' zegt ze. 'Ik weet dat het koud is, maar het duurt niet lang.'

Olivia kijkt gefixeerd naar het televisiescherm. Haar hoofd ligt ongemakkelijk gedraaid en haar ogen zijn strak op het scherm gericht omdat ze het wil zien. En dan weer niet. Dit is een zegen, houdt ze zichzelf telkens voor. Dit is een geluk bij een ongeluk. Ik wil deze baby niet.

Ze werpt een korte blik op Anna, maar die ziet er nog veel banger uit dan zij. Het is voorbestemd, denkt ze. Nu hoef ik de beslissing niet te nemen. God neemt me de beslissing uit handen.

Er valt een stilte in de kamer als er een grijze driehoek op het scherm verschijnt. In het midden van het beeld pulseert iets. Olivia kijkt met toegeknepen ogen naar het scherm terwijl ze probeert te onderscheiden wat het is.

'Wat zien jullie?' vraagt ze als de stilte een paar minuten aanhoudt terwijl de verpleegkundige scant, klikt en nummers invoert op het scherm. 'Is het dood?' vraagt Olivia fluisterend.

'Nee, volgens mij is die baby springlevend,' zegt de verpleegkun-

288

dige. 'Zie je wel?' Ze beweegt de scanner over Olivia's buik, en zowel Olivia als Anna slaakt een diepe zucht, want ze zien duidelijk een baby met opgetrokken beentjes en wijd gespreide armpjes.

'Kijk,' zegt de verpleegkundige, 'een duimzuigertje.' De baby beweegt zijn hand naar zijn mond.

'Een baby,' fluistert Olivia, en ze barst in tranen uit.

'Hoe zat het nou met die bloeding en die kramp?' vraagt Paul aan Olivia die met zo'n brede glimlach de wachtkamer in kwam dat hij aannam dat ze de baby was kwijtgeraakt en daarom zo blij keek.

'Ik heb een klein hematoom onder het vruchtvlies. Het is eigenlijk een hoeveelheid bloed tussen de placenta en de baarmoederwand. Ze hebben gezegd dat gezien de grootte van het kind alles wel in orde komt, maar ze willen me wel goed in de gaten houden.'

'En? Ga je het kind houden?' Saffron is de enige die het durft te vragen.

'Ik moet wel,' zegt Olivia terwijl er tranen in haar ogen verschijnen. 'Ik bedoel, ik weet nog niet of ik het laat adopteren of aan Paul en Anna geef.' Ze kijkt hen aan en huilt tranen met tuiten. 'Het spijt me heel erg. Ik weet dat jullie graag willen dat ik een besluit neem, maar dat kan ik gewoon nog niet. Het enige wat ik wel weet, is dat ik geen abortus wil. Niet nu.'

Paul kijkt van Anna naar Olivia. 'Dat begrijpen we heel goed,' zegt hij terwijl hij naar Anna loopt en een arm om haar heen slaat. 'Het is jouw kind en jouw keuze. Onthou gewoon dat wij klaarstaan, mocht je daarvoor kiezen.'

'Wat is er verdomme aan de hand?' Ze staan op het punt om de oprijlaan op te rijden als ze een hele rij geparkeerde auto's op het gras zien. Er hollen mannen rond en overal staan trapladders.

'O, kut,' fluistert Saffron op het moment dat iemand zich omdraait en schreeuwend naar de auto wijst. 'Ze hebben me gevonden.'

'Wat moet ik nu verdomme doen?' Paul is verstijfd van paniek en hij weet niet of hij moet omkeren om ervandoor te gaan of dat hij gewoon moet doorrijden. Hoe dan ook, hij is ervan overtuigd dat hij minstens zes mensen zal overrijden.

'Laten we maar naar binnen gaan,' zegt Saffron. 'Die lui gaan toch niet weg. Het was ook te mooi om waar te zijn, als je het mij vraagt.'

289

'Olivia! Gaat het nog met je?' Ze gaan naar binnen en slaan de deur dicht voor iets wat nog het meest op een roedel wolven lijkt. Holly geeft Olivia een stevige omhelzing terwijl Will zegt dat hij lakens voor de ramen heeft gehangen en dat de politie onderweg is.

Met een onverbiddelijke trek op zijn gezicht dirigeert Paul iedereen naar boven. Vervolgens loopt hij naar de voordeur die hij wijdopen zet waarna hij wacht tot het geroep van de fotografen om Saffron dusdanig is verstomd dat ze hem kunnen verstaan.

'Jullie bevinden je op privéterrein,' zegt hij rustig en duidelijk. 'De politie is al onderweg en ik stel voor dat jullie mijn terrein ogenblikkelijk verlaten als jullie niet gearresteerd willen worden voor huisvredebreuk.'

'Waar is ze?' roept iemand. 'We willen alleen een foto,' zegt een ander. 'Gewoon een korte verklaring,' zegt de volgende.

'Jullie hebben twee minuten om van mijn terrein af te gaan,' zegt Paul, waarop de journalisten mopperend en vloekend hun apparatuur naar het begin van de oprit dragen.

'Zou het verschil maken?' vraagt Olivia.

'Niet echt,' zegt Saffron. 'Ze hebben allemaal van die enorm krachtige zoomlenzen. Het beste wat je kunt doen is lakens voor de ramen hangen, zoals Will heeft gedaan.'

'Nou, mooi is dat,' snuift Anna verontwaardigd. 'Dus nu zitten we allemaal gevangen in dit huis.'

'Saff,' zegt Holly zacht terwijl ze haar even apart neemt en haar hand vastpakt. 'Er wacht boven iemand op je.'

'O, ja? Wie dan?' Saffron vindt het onmiddellijk verdacht.

'Je moet echt even naar je kamer gaan,' zegt Holly.

Saffron loopt naar boven terwijl ze de anderen verbaasde blikken toewerpt, die daarop hun schouders ophalen. Als Saffron is verdwenen, kijkt Olivia met opgetrokken wenkbrauwen naar Holly.

'Wie is het?'

Holly begint te glimlachen. Ze had met Will aan de keukentafel gezeten terwijl ze hun bezorgdheid over Olivia bespraken, toen ze de eerste auto's hoorde aankomen. Ze was stomverbaasd geweest toen ze uit het raam had gekeken en alle drukte had gezien. Stomverbaasd en toch ook weer niet. Ergens had ze hier op gewacht, en toen ze buiten een opstootje hoorde, had ze een zwarte Jaguar met getint glas de oprit zien oprijden. Pearce Webster was uitgestapt en met snelle, vastberaden pas naar de voordeur gelopen zonder acht te slaan op het gegil en gekrijs dat zijn aankomst teweeg had gebracht.

290

'Verdomme,' had ze gefluisterd terwijl Will haar vragend had aangekeken.

'Mam!' had Oliver gezegd, 'je hebt net iets stouts gezegd.'

'Kijk dan.' Ze had Will naar het raam getrokken om het te laten zien. Hij was meteen naar de voordeur gerend om open te doen, Pearce naar binnen te trekken en de deur weer dicht te slaan in het gezicht van de paparazzi.

'Ik ben Will,' had hij met uitgestoken hand gezegd terwijl Holly bibberend in een hoekje had gezeten. Ze had nog nooit in de aanwezigheid van zo'n beroemdheid verkeerd. Ook al had ze geprobeerd om hem alleen als Saffrons vriend, of minnaar, te zien, dat veranderde niks aan het feit dat ze al zijn films kende en elke roddel las die over hem werd geschreven. En nu stond hij op nog geen halve meter afstand van haar!

'Hallo,' zei ze terwijl ze vuurrood werd. 'Ik ben Holly. Dit zijn mijn kinderen: Daisy en Oliver.'

Pearce was zo… gewoon geweest. Als je niet beter wist, zou je nooit vermoeden dat hij beroemd was. Hij was in de keuken gaan zitten en had vragen gesteld over het huis, over hen en ten slotte over Saffron, terwijl Holly thee had gezet.

'Het gaat niet zo goed met haar,' zei Holly. 'Ik bedoel, ze is nog altijd geweldig, het is per slot van rekening Saffron, maar ze drinkt weer.'

'Wilde zuippartijen?'

'Ladderzat,' knikt Holly.

In gepeins verzonken had Pearce zijn hoofd geschud. 'Weten jullie misschien of ze haar coach heeft gebeld?'

'Ik heb geen idee,' had Holly gezegd. 'Maar wat ik wel weet is dat we ons allemaal hulpeloos voelen. Niemand van ons weet wat we moeten doen.'

'Dat geeft niet,' had Pearce gezegd. 'Dat hoeven jullie ook niet te weten. Daarom ben ik er.'

Saffron zegt geen woord. Ze loopt de donkere kamer in terwijl Pearce opstaat van het bed en stort zich in zijn armen.

Ze blijven een tijd staan in een innige omhelzing terwijl buiten het geschreeuw van de fotografen verstomt, alsof er niets anders bestaat dan de twee verstrengelde mensen in deze donkere kamer.

'Jij hebt echt kanjers van vrienden,' fluistert Pearce terwijl hij haar haar, haar wangen, haar neus en haar mond kust. 'Ze maken zich zorgen om je. Zij hebben me gebeld.'

291

'Je bent gekomen!' Saffron veegt de tranen van haar wangen en doet een stapje achteruit om naar hem te kijken. 'Ik kan gewoon niet geloven dat je er bent. O, god. De pers. Iedereen zal het te weten komen.'

Pearce haalt zijn schouders op. 'Ze weten het al. Ze hebben me gefotografeerd op de snelweg en nu hebben ze foto's waarop ik dit huis binnenga. Nou en?'

'En Marjie dan?'

'Ik moest hier gewoon heen,' zegt Pearce. 'Ik kon de gedachte dat jij het moeilijk had niet verdragen. We komen er samen wel uit.'

'Leven bij de dag, hè?' Ze glimlacht naar hem.

'Precies,' zegt hij. Hij trekt haar tegen zich aan en merkt tot zijn verrassing dat haar hoofd precies onder zijn kin past. 'Leven bij de dag. Ik heb het Grote Boek beneden liggen. Ben je bereid om een bijeenkomst te houden? Nu? Met mij?'

Saffron kijkt hem aan en heeft voor het eerst in dagen het gevoel dat ze adem kan halen en dat alles weer goed zal komen. 'Ja,' zegt ze met een diepe zucht. 'Dat is precies wat ik nodig heb.'

30

De eerste sneeuwvlokken dwarrelen snel over het platteland van Connecticut. Ze wervelen rond bomen, vallen langzaam op het gras terwijl ze steeds zachter, dikker en natter worden. De vlokken vallen steeds sneller, ze dwarrelen niet meer, maar komen recht naar beneden waarbij ze de grond, de bomen en de schuren wit kleuren. Ze belanden ook op de tongen van overgelukkige kinderen die dik ingepakt door hun ouders naar buiten zijn gestuurd om in de eerste sneeuw van het seizoen te spelen.

Automobilisten wordt aangeraden om binnen te blijven. Er is een weerswaarschuwing dat de sneeuwstorm die eraan komt een behoorlijk grote zal zijn en dat mensen niet de weg op moeten gaan als het niet absoluut noodzakelijk is.

Toch is er een klein aantal auto's dat niet omkeert. Die ploegen langzaam en voorzichtig voort over de snelwegen naar The Mayflower Inn voor een verjaardagsfeestje. Sommigen zijn via de Sawmill Parkway uit New York gekomen. Anderen zijn helemaal uit Los Angeles, Londen of Gloucestershire gekomen en zijn nu onderweg vanaf de luchthaven JFK.

Ze ontmoeten elkaar in Washington, Connecticut, ter gelegenheid van Saffrons verjaardagsfeest. Ze wordt veertig. Er komen mensen die ze in geen maanden of jaren heeft gezien. Sommige van hen heeft ze voor het laatst gezien in een schuur die-nog-moest-worden-gerenoveerd in een uithoek van Gloucestershire.

'Holly!' gilt Saffron als ze vanuit de gelagkamer de hal in loopt en haar vrienden ziet. Saffron loopt snel naar haar toe waarbij haar voeten geruisloos over het tapijt bewegen. Ze slaat een arm om Holly heen en houdt haar daarna even op een afstandje om haar eens goed te kunnen bekijken.

'Ik vind het heerlijk om je weer te zien.' Ze trekt haar weer tegen zich aan. 'Ik ben dolblij dat jullie er allemaal zijn.' Ze draait zich om en omhelst de anderen waarna ze een stapje achteruitdoet om de tranen uit haar ogen te vegen.

'Ik kan nauwelijks geloven dat we er zijn,' zegt Anna terwijl ze een blik op de imposante trap achter hen werpt. De vale Perzische tapijten die op de vloer liggen geven alles een sfeer van vergane glorie. 'Ik bedoel dat ik het niet kan geloven dat je ons vliegtickets hebt gestuurd om op je verjaardag te komen.' Ze kijkt weer naar Saffron. 'Je hebt zelfs het vliegtuig geregeld... Dit is echt een fantastische plek, en ik wil...'

'Ze voelt zich schuldig,' zegt Paul met een grijns. 'Ze vindt eigenlijk dat jij niet voor alles hoeft te betalen. Ik geloof dat zij de hotelkamer wil betalen.'

'Lieve meid,' Saffron haakt haar arm door die van Anna terwijl ze met haar door de hal naar een kleine, gezellige woonkamer loopt waar een haardvuur brandt en de planken aan de muur vol staan met boeken. 'Pearce en ik verdienen fortuinen en ik kan me eerlijk gezegd niets leukers voorstellen dan mijn vrienden bij elkaar te hebben voor mijn zevenendertigste verjaardag.'

'Bedoel je niet je veertigste?' vraagt Anna verward. 'Ik dacht dat jullie allemaal in hetzelfde jaar zaten op school.'

'Sst.' Saffron legt een vinger tegen haar lippen. 'Iedereen hier denkt dat ik zevenendertig word. In Hollywood trekt iedereen een paar jaar van zijn leeftijd af.'

'Iedereen?' vraagt Holly met opgetrokken wenkbrauwen. 'Dus wij zijn hier niet de enigen?'

'Lieve help, nee!' zegt Saffron. 'Iedereen om wie we geven is er. Goede vrienden en familie. We hebben mensen uit Engeland en Los Angeles laten overvliegen. Er is zelfs een stel uit Australië.'

'Ik neem aan dat alles goed zit tussen jou en Pearce?' vraagt Anna met een grijns. 'Ik moet telkens denken aan dat complete fiasco toen het nieuws voor het eerst naar buiten kwam en jij in Engeland kwam logeren. Toen had je dít vast niet verwacht, of wel soms?'

Saffron moet lachen. 'Ik verwachtte helemaal niks. Daar was ik veel te dronken voor. Maar goed, ik heb nooit gedacht dat hij bij Marjie weg zou gaan, of dat wij een stel zouden vormen als hij dat wel zou doen.'

'Je ziet er zo gelukkig uit.' Holly kijkt naar haar en zucht terwijl Saffrons ogen zich weer met tranen vullen.

'Goed,' zegt ze en buigt zich voorover terwijl ze fluistert: 'Eigenlijk zouden we het stilhouden tot vanavond, maar jullie zijn hier niet vanwege mijn verjaardag...'

Anna slaakt een gilletje en hapt even naar adem omdat ze al weet wat Saffron wil gaan zeggen.

294

'... we gaan trouwen!'

Er klinken kreten van vreugde en ze knuffelen elkaar. Dan worden ze onderbroken door het geluid van voetstappen en een huilende baby.

'Dat is Tommy!' Anna springt overeind en loopt de hal in om hem op te halen terwijl Olivia in de deuropening verschijnt.

'Het spijt me,' zegt ze. 'Hij moet eigenlijk een dutje doen, maar hij wil niet slapen.'

'Zal ik een eindje met hem gaan lopen?' vraagt Anna terwijl ze de baby heen en weer wiegt op haar heup tot hij begint te kirren.

'Zou je dat echt willen doen?' Een uitgeputte en dankbare Olivia ploft op de bank en pakt een kop thee van het dienblad dat zojuist is gebracht door een zwijgzame, glimlachende serveerster. 'Het lijkt Buckingham Palace wel,' zegt ze met grote ogen terwijl de serveerster verdwijnt.

'Ik weet het!' zegt Saffron met een glimlach. 'En dit weekend is het helemaal van ons. Nu jullie er zijn heb ik wat nieuws te melden.' Al snel is het enige geluid in de kamer het opgewekte geklets van een groep oude vrienden die elk detail willen horen zonder dat er ook maar iets wordt weggelaten.

Het is een weg waarvan Saffron nooit had gedacht hem te zullen inslaan. Hoe lang is het nu geleden dat ze instortte en diep in de put zat terwijl ze had gezworen nooit meer zo diep te zinken? Avonden waarop ze zo veel dronk dat ze het bewustzijn verloor en dagen van overgeven en misselijkheid waarbij Pearce dan bij haar was, haar hand vasthield en haar beloofde dat hij nooit bij haar weg zou gaan.

Daarna kwam de ontwenning. Drie maanden. De hele dag AA-bijeenkomsten met individuele en groepstherapie. Haar familie en vrienden kwamen langs om te vertellen hoe ze zich gedroeg wanneer ze dronken was en de schaamte omdat ze zich weer in dat duistere, eenzame gat bevond kwam terug. Een gat zo vol van eenzaamheid dat niets of niemand het kon opvullen.

Ze maakte de ontwenningskuur af en liep met opgeheven hoofd weer naar buiten. Een nieuwe coach en hervonden vastberadenheid. Het afgelopen jaar is ze elke dag naar een AA-bijeenkomst geweest en is Pearce niet van haar zijde geweken.

Eindelijk was hij in opstand gekomen tegen zijn manager en zijn agenten en had hij gezegd dat zijn carrière hem gestolen kon worden. Hij had geen zin meer om de schijn op te houden en gevangen te zitten in een huwelijk dat dood was. Dat druiste in tegen alles waar hij in geloofde.

Hij was naar zijn strandhuis in Malibu verhuisd, waar Saffron zich na een maand bij hem had gevoegd. De pers had hen hoorndol gemaakt. Af en toe had Saffron gedacht dat ze het niet aankon, dat ze het verlies aan normaliteit niet kon verwerken omdat haar leven helemaal op zijn kop stond.

Ze kon niet meer naar de buurtwinkel om een pak melk te halen, ze kon 's avonds niet meer even snel naar de bioscoop of ergens een hamburger eten met Pearce. Dat hadden ze wel geprobeerd, maar zelfs als ze erin slaagden de pers te ontlopen, dan moesten ze in het restaurant net doen alsof ze niet merkten dat de mensen over hen fluisterden en naar hen keken. Sommigen keken om en weer anderen kwamen naar hen toe met complimenten of kritiek. Het deed er niet zoveel toe, privacy bestond voor hen niet meer.

De aanbiedingen voor werk stroomden binnen. Saffron had het afgelopen jaar onafgebroken gewerkt en naast haar ontwenningskuur, Pearce en haar werk had ze bijna geen tijd gehad voor andere dingen.

Sinds die keer in Gloucestershire had ze haar vrienden niet meer gezien en ze wist dat ze niet kon gaan trouwen zonder dat zij erbij waren.

Trouwen! Saffron ging trouwen! Wie had dat ooit kunnen denken? Pearce had haar op een avond in het strandhuis een aanzoek gedaan. Het had romantisch moeten zijn, maar de honden die in het water hadden gezwommen hadden zich lekker uitgeschud en Pearce en Saffron waren kletsnat geworden en hadden het steenkoud gehad. Toen Pearce zijn armen om haar heen had geslagen en tegen haar had gezegd dat hij van haar hield en met haar wilde trouwen had ze klappertandend gezegd: 'Goed, maar kunnen we nu naar binnen gaan?'

Binnen had hij haar een tweede keer gevraagd en ditmaal was ze in tranen uitgebarsten waarbij ze zo hard had gehuild dat ze was vergeten om ja te zeggen. Toen hij het haar voor de derde keer vroeg, had ze ja gezegd.

Pearce is van plan om dit verhaal te vertellen tijdens zijn speech.

Er zijn maanden van voorbereiding nodig geweest om ervoor te zorgen dat alles geheim bleef en om de pers op afstand te houden. Ze hebben het hotel het hele weekend geboekt en iedereen die erbij betrokken is, heeft een contract moeten ondertekenen waarin staat dat ze een zwijgplicht hebben. Voorlopig zijn ze in hun opzet geslaagd om alles privé te houden, voornamelijk doordat ze zelfs hun vrienden en familie de ware redenen voor het feest niet hebben

296

verteld en hen hier onder valse voorwendselen naartoe hebben gelokt.

Pearce komt de woonkamer binnen om iedereen te begroeten, en Holly kijkt glimlachend naar Pearce en Saffron. Hun geluk werkt aanstekelijk, hun liefde voor elkaar is oprecht en opeens dwalen haar gedachten af, naar de andere kant van de oceaan en haar kleine Georgian huis in Maida Vale.

Ze is niet gescheiden en ze heeft geen gemakkelijke tijd achter de rug, vooral omdat Marcus alles zo moeilijk voor haar heeft gemaakt. Zoals ze al had verwacht, wil hij geen alimentatie betalen en geen financiële steun leveren voor de kinderen. Eigenlijk wil hij nergens zijn medewerking aan verlenen en hij heeft gewoon gezegd: 'Waarom zou ik voor deze scheiding moeten betalen? Jij wilde hem toch?'

De enige keren dat ze zich echt heel gedeprimeerd heeft gevoeld, dat ze zich heeft afgevraagd of ze dit wel alleen aankon, was wanneer ze ziek was. Gelukkig is de tijd voorbij dat ze het hele weekend in bed bleef liggen als de kinderen bij hun vader waren, en haar hoofdpijn zo erg was dat ze dacht dat haar hoofd zou openbarsten.

Marcus heeft het huis gehouden. Ze had gedacht dat ze dat erg zou vinden, maar ze heeft ontdekt dat ze dit hoofdstuk gewoon wil afsluiten en verder wil gaan met haar leven. Ze hebben samen de meubels in het huis geïnventariseerd. Die waren allemaal uitgekozen door Holly, maar eigenlijk was er maar weinig wat ze mee wilde nemen.

Marcus had hun tweepersoonsbed opgeëist en Holly had om de ironie ervan moeten lachen. Wie wilde nou het bed hebben van een ongelukkig huwelijk? Maar toen herinnerde ze zich dat het een Hästens was. Een Zweeds bed dat van natuurlijke materialen was gemaakt en meer had gekost dan het jaarsalaris van sommige mensen. Allicht dat hij dat rotbed wilde hebben, snoof ze verontwaardigd. Als hij tijdens etentjes verlegen zou zitten om een gespreksonderwerp, kon hij dat bed tenminste nog ter sprake brengen: 'O, heb jij maar een Dux? Ik heb een Hästens. Dat slaapt echt geweldig, hoor.'

Het beste wat ze ooit heeft gedaan, haar moment van triomf, was een middag door een Dream Beds Superstore dwalen om haar eigen matras en haar eigen bed uit te kiezen.

Het stomste wat ze heeft gedaan, beseft ze nu, is een kingsize bed kopen. Toen ze nog getrouwd was, kon ze zich niet voorstellen om

297

iets kleiners te hebben dan een kingsize, zodat ze niet midden in de nacht wakker zou worden en Marcus zou voelen. Tegenwoordig wenste ze dat haar bed wat kleiner was zodat ze lekker tegen Jonathan aan kan kruipen. Het gebeurt vaak dat ze wakker wordt en dicht tegen hem aan ligt in het midden van het bed waarbij zijn arm over haar borst ligt en haar benen over de zijne.

Jonathan. Ach, Jonathan. Ze hoeft maar aan hem te denken of ze moet glimlachen. Ik hou van hem, fluistert ze overdag keer op keer tegen zichzelf. Ze geniet van het gevoel om lief te hebben en te worden bemind. Ze geniet ervan dat ze iemand heeft gevonden die haar niet alleen aanbidt, maar die zij op haar beurt ook aanbidt.

Hij is haar buurman van drie huizen verderop. Het is zo'n cliché, denkt ze glimlachend, maar het is ook te mooi om waar te zijn. Op de dag dat zij in haar nieuwe huis was getrokken, was hij even langsgekomen om zich voor te stellen. Twintig minuten later had hij weer op de stoep gestaan met zijn gereedschapskist om planken en schilderijen op te hangen en om meubels voor de kinderkamers die door Ikea waren bezorgd in elkaar te zetten.

Ze vond hem een heel aardige man, maar verder ook niet... nou misschien was ze een tikje geïntrigeerd. Hij heeft twee kinderen van dezelfde leeftijd als Daisy en Oliver die om het weekend bij hem zijn en door de week een nacht bij hem komen slapen. Ze zijn samen dingen gaan doen in het weekend, gewoon omdat ze allebei alleen waren en de kinderen het goed met elkaar konden vinden.

Eerst vond ze hem alleen aardig, maar al snel keek ze of zijn auto er stond wanneer zij thuiskwam. Als ze zijn stem op haar antwoordapparaat hoorde, moest ze glimlachen. Hij had iets wat haar een prettig gevoel bezorgde. Een gevoel van geluk.

Het is nu vijf maanden geleden sinds ze elkaar voor het eerst hebben gezoend. Ze wilden Daisy en Abigail net een nachtzoen geven, op Abigails eerste logeerpartijtje, en terwijl ze glimlachend voor de deur in de donkere gang stonden te luisteren naar het vrolijke gekwebbel van hun dochtertjes, had Jonathan haar gezoend.

Het is inmiddels vijf maanden later, vijf maanden in de gelukkigste, gezondste relatie die Holly ooit heeft gehad, een relatie die haar stoutste dromen overtreft. Ze is constant verbaasd over hun genegenheid voor elkaar, het gevoel dat ze elkaar waarderen en elkaar op prijs stellen.

Dit is liefde, beseft ze eindelijk na al die jaren.

Ze denkt met schaamte terug aan haar huwelijk met Marcus, want hoe erg dat ook was, dat was voor een groot deel haar eigen

298

schuld. Daar was zij net zo goed verantwoordelijk voor. Holly is nooit aardig voor hem geweest, ze heeft hem nooit teder of voorzichtig behandeld. In plaats daarvan had ze gekozen voor een strijd van woorden en hatelijkheden tot ze daar geen kracht meer voor op kon brengen en ze zich had teruggetrokken.

Tegenwoordig voelt ze zich vredig. En veilig. Nu ze naar Saffron en Pearce kijkt, ziet Holly flarden van haar eigen relatie met Jonathan. Wat de kranten ook over Saffron en Pearce mogen schrijven, wat de buitenwereld ook denkt te weten en hoe moeilijk ze het in het begin ook hebben gehad, Saffron en Pearce hebben hetzelfde als zij en Jonathan. En het is enkel en alleen door haar eigen huwelijk dat ze weet hoe kostbaar en hoe zeldzaam dat is.

'Ik ben zo blij voor je.' Ze buigt zich voorover en fluistert in Saffrons oor: 'Je hebt het verdiend, schat.' Saffron knijpt in haar hand en knikt. Voor het eerst van haar leven gelooft ze dat ze dit verdiend heeft. Ze vindt zichzelf er goed genoeg voor. Ze verdient het om een fantastische relatie te hebben met deze fantastische man.

'En hoe is het om een alleenstaande moeder te zijn?' vraagt Holly aan Olivia die een gezicht trekt, maar dan begint te lachen.

'Het is ongelooflijk,' zegt ze. 'Uitputtend, maar ongelooflijk. Ik had nooit gedacht dat ik zo veel van iemand kon houden als ik van Tommy houd. Ik had nooit gedacht dat ik in staat zou zijn om een moederrol te spelen. Dat heb ik nooit gewild, maar toch gaat het me goed af. Hij is mijn oogappel en ik red het prima.'

'En hoe gaat het met Fred?'

'Hij is geweldig geweest. Nadat ik het hem had verteld, zei hij dat hij betrokken wilde zijn bij de opvoeding. Ik heb nooit wat van hem gevraagd, maar hij heeft me voortdurend bijgestaan.'

'Komt hij nog steeds om de paar weken naar Engeland?' vraagt Paul.

'Hij komt elke maand langs en hij heeft het erover dat hij vaker wil komen.'

'Is alles nog in orde? Ik bedoel, zijn jullie samen…' Holly wil niet al te veel aandringen.

'Nee, dat zijn we niet. En dat geeft ook niet. Ik weet dat het voor andere mensen vreemd lijkt, maar we hebben besloten tot een co-ouderschap. We gaan Tommy samen opvoeden ook al zijn we dan niet meer bij elkaar. Het is bepaald geen aanrader om zwanger te worden van iemand die je amper kent, maar in dit geval heb ik enorm veel steun gehad aan Fred.'

'Volgens mij heeft Tom achteraf bekeken helemaal niet zo slecht gekozen,' zegt Saffron met een glimlach.

'Hij heeft duidelijk dingen gezien die ik heb gemist,' zegt Olivia als Anna weer binnenkomt en iedereen tot stilte maant terwijl ze de buggy met de slapende baby erin bij de deur zet.

Met verbazing denkt Anna terug aan de tijd dat ze niet had kunnen gaan wandelen met de baby van vrienden zonder het gevoel te hebben dat ze tekortschoot of verteerd te worden door jaloezie. Zonder te denken aan alles wat ze mist in het leven, in plaats van te denken aan alles wat ze gelukkig wél heeft.

Er ontbreekt inderdaad iets belangrijks in haar leven sinds we haar een jaar geleden voor het laatst hebben gezien. Fashionista.uk.net is verkocht aan een grote NV en Anna is aangebleven als adviseuse en verdient in die hoedanigheid tegenwoordig meer dan ze ooit had kunnen dromen.

Toch heeft ze het niet om het geld gedaan, maar omdat ze besefte dat Fashionista te lang haar kindje is geweest. De stress die om de hoek kwam kijken bij het leiden van haar bedrijf heeft waarschijnlijk bijgedragen aan haar problemen om zwanger te worden. Ze wilde met haar bedrijf stoppen, van de lopende band springen, en ontdekken wat het is om zich weer mens te voelen.

Natuurlijk heeft ze stiekem gehoopt dat ze zwanger zou worden zodra ze met haar bedrijf was gestopt – zoiets overkwam andere mensen heel vaak, dus waarom zou het haar niet kunnen overkomen? – maar zeven maanden later is ze nog steeds niet zwanger en heeft ze ook niet nagedacht over een volgende IVF-behandeling, hoewel ze zich die tegenwoordig zonder meer kan veroorloven.

De afgelopen zeven maanden heeft ze gebruikt om zichzelf weer te vinden. Ze is begonnen met pilates en met yoga. Ze heeft geleerd om voor Paul en zichzelf te koken en bovendien neemt ze haar rol als peetmoeder van Tommy heel serieus.

Voor het eerst in jaren accepteert Anna haar leven zoals het is. Ze heeft onlangs ergens gelezen dat de sleutel tot het geluk niet ligt in het krijgen wat je wilt, maar in het willen wat je krijgt. Toen ze dat las moest ze glimlachen en daarna was ze in staat geweest om stil te staan bij alle dingen die ze wel heeft: alle mooie dingen in haar leven en alle mensen om haar heen van wie ze houdt. Ineens had ze beseft dat ze compleet was en dat het zo goed is.

Iedereen in de kamer huilt. Het zijn tranen van vreugde, een vreugde die je voelt wanneer je zeker weet dat twee mensen die voor el-

300

kaar bestemd zijn elkaar daadwerkelijk hebben gevonden en niet van plan zijn om elkaar nog te laten gaan.

Pearce gaat staan en schraapt zijn keel – in zijn smoking ziet hij er aantrekkelijker uit dan eigenlijk zou mogen – en hij praat over de redenen waarom hij van Saffron houdt en hij zegt dat hij vreselijk zijn best voor haar gaat doen. Hij heeft het over de dingen die Saffron hem heeft geschonken en over de ongedwongenheid en de rust die hij elke dag voelt in de wetenschap dat zij aan zijn zijde staat.

'De meesten van jullie weten,' zegt hij, nu hij zich veilig in een kamer te midden van familie en goede vrienden bevindt, 'dat mijn eerste huwelijk heel anders was. Ik heb nooit geweten dat het ook zo kan zijn als met Saffron. Ik heb nooit geweten dat je je zo tevreden en rustig kon voelen. Ik heb het gevoel dat mijn Hogere Macht me een tweede kans heeft gegund en me deze ongelooflijke gelegenheid heeft gegeven om opnieuw te beginnen.

Ik dacht dat het te laat was. Ik dacht dat ik niet ongelukkig mocht zijn. Ik had immers alles wat je behoort te willen in het leven: films, geld, een huwelijk. Ik dacht dat ik het recht niet had om te geloven dat er meer was. Ik schaamde me ervoor dat ik meer wilde, dat ik het gevoel had dat die dingen nooit genoeg waren.

Pas toen ik Saffron ontmoette, begreep ik dat zulke dingen nooit genoeg zijn wanneer je een relatie hebt met de verkeerde persoon. Ik voel me zo gezegend dat ik Saffron heb gevonden, dat ik een vrouw heb gevonden die me elke dag bijstaat met haar kracht, schoonheid en vreugde. Zij is het mooiste geschenk dat ik ooit heb gekregen en ik wil graag dat jullie getuige zijn van onze band en weten dat ik van haar houd en voor altijd voor haar zal zorgen.'

Paul kijkt naar Holly en ziet dat ze een traan wegpinkt. Hij stoot haar aan en rolt met zijn ogen. 'Jezus,' zegt hij. 'Had zijn toespraak niet wat minder Hollywood-achtig kunnen zijn?'

'Nee,' zegt Holly met een lach. 'Waarschijnlijk lijkt zijn hele leven net een film. Toe, hou je mond. We gaan nu toch niet hatelijk doen?'

'Vind je het dan niet wat al te zoet en te lief.'

'Nee. Ik vind het alleen maar lief.'

'Meen je dat nou? Wat is er met de oude, cynische Holly gebeurd?'

'Die is voorgoed verdwenen. De nieuwe, verbeterde Holly is tot over haar oren verliefd en raakt opgewonden door overgevoelige filmsterren die lyrisch vertellen hoe geweldig vrouwen zijn.'

'Zeg, waarom hebben wij Jonathan eigenlijk nog niet ontmoet?'

301

fluistert Paul wanneer het applaus verstomt. 'Neem hem mee naar White Barn Fields. Dan maken we er een reünie van.'

Holly trekt haar wenkbrauwen op. 'Je hebt zeker weer een badkamer die betegeld moet worden? Of moet het dak soms worden vervangen?'

'Gelukkig niet. Dankzij Anna's financiële meevaller hebben we alles kunnen laten doen. We hebben tegenwoordig zelfs vloerverwarming. Toe, kom gewoon een keertje langs. Dan nodigen we iedereen uit en beginnen we weer met een schone lei. Een nieuw begin, en ditmaal wordt dat het begin van de gelukkigste tijd van je leven. Het leven begint toch pas na je veertigste, nietwaar?'

'Voor zover ik heb gehoord, geldt dat alleen voor vrouwen,' zegt Olivia terwijl ze zich met een grijns voorover buigt en haar glas heft. 'Proost. Ik drink op een nieuw begin en tweede kansen!'

Eén voor één heffen ze hun glas om te proosten terwijl de band begint te spelen.